En souvenir
de mon devoir
sur Rabelais......
Valérie

DU MÊME AUTEUR

Aux Éditions Gallimard

LES ANTIMODERNES, DE JOSEPH DE MAISTRE À ROLAND BARTHES, coll. «Bibliothèque des idées», 2005.

LE CAS BERNARD FAŸ : DU COLLÈGE DE FRANCE À L'INDIGNITÉ NATIONALE, coll. «La Suite des temps», 2009.

Chez d'autres éditeurs

LA SECONDE MAIN OU LE TRAVAIL DE LA CITATION, Seuil, 1979.

LE DEUIL ANTÉRIEUR, Seuil, 1979.

NOUS, MICHEL DE MONTAIGNE, Seuil, 1980.

LA TROISIÈME RÉPUBLIQUE DES LETTRES, Seuil, 1983.

FERRAGOSTO, Flammarion, 1985.

PROUST ENTRE DEUX SIÈCLES, Seuil, 1989.

LES CINQ PARADOXES DE LA MODERNITÉ, Seuil, 1990.

CHAT EN POCHE : MONTAIGNE ET L'ALLÉGORIE, Seuil, 1993.

CONNAISSEZ-VOUS BRUNETIÈRE ?, Seuil, 1997.

LE DÉMON DE LA THÉORIE, Seuil, 1998.

BAUDELAIRE DEVANT L'INNOMBRABLE, Presses de l'Université de Paris-Sorbonne, 2003.

LA LITTÉRATURE, POUR QUOI FAIRE ?, Fayard, 2007.

LA CLASSE DE RHÉTO

ANTOINE COMPAGNON

LA CLASSE
DE RHÉTO

nrf

GALLIMARD

... entre le réel et le fictif, d'une façon qui impliquait qu'au fond tout cela n'était vrai qu'en idée.

RENAN,
Souvenirs d'enfance et de jeunesse.

1

Les jeunes gens ne sont pas portés
au mal ; ils ont plutôt un bon naturel,
n'ayant pas encore eu sous les yeux
beaucoup d'exemples de perversité. Ils
sont confiants, n'ayant pas encore été
souvent abusés.

ARISTOTE, *Rhétorique.*

En août, je me trouvais encore en Amérique. Je fêtais mes quinze ans et je pensais n'avoir plus rien à apprendre. J'étais élève, depuis plusieurs années, dans une école très libérale. Sans mur d'enceinte, cernée de pelouses et de terrains de sport, riche d'une bibliothèque lumineuse, elle donnait sur la rue, la ville, le pays, l'univers. Mon père était en poste à Washington. Ma mère venait de mourir et, au printemps, j'avais passé l'examen d'entrée au bahut dans le sous-sol du consulat de France. La diaspora s'était imposée comme la solution le plus commode pour la survie de notre tribu d'orphelins. Nous nous apprêtions à nous séparer, chacun prenant le chemin de son internat ; nous ne nous retrouverions plus jamais tous ensemble comme avant.

Pendant l'été, j'étais parti en voyage avec un collègue de mon père, le colonel Hubert, affecté au Pentagone comme observateur de l'Otan, qui faisait, avec sa femme et ses enfants, le tour des États-Unis en campant. Je les connaissais peu, mais leur plus jeune fils était mon contemporain, les aînés me paraissant très grands, déjà adultes. C'était, à la différence de la nôtre, une famille de sportifs, d'amateurs de grand air. Au cours de l'hiver, ils m'avaient à plusieurs reprises, pour me distraire durant la maladie de ma mère, emmené à la chasse le dimanche dans la baie de Chesapeake, avec leurs deux setters irlandais. Partis avant l'aube, nous tirions les canards et d'autres gibiers d'eau sur les bords marécageux du fleuve avant de débusquer les lièvres dans les hautes herbes de la terre ferme.

Il y a quelques années, je descendais du train à Berne, où je donnais, le soir, une conférence dans un cercle littéraire huppé ; l'émissaire qui m'attendait à la gare, riche collectionneur de dessins de Paul Klee, me demanda à brûle-pourpoint, comme nous cheminions vers l'hôtel particulier d'un ambassadeur à la retraite qui nous recevait à déjeuner, si je chassais à plume ou à poil, comme si l'un ou l'autre était inévitable : « Jeune homme, j'ai chassé, lui répondis-je, la plume dans la baie de Chesapeake, puis le poil dans les forêts du Maine, mais j'ai renoncé à la chasse voilà longtemps. » Ainsi qu'à tant d'autres choses, aurais-je pu ajouter.

Nous avions pris la route dans deux ou trois voitures chargées d'un matériel énorme (tentes, tables et chaises pliantes, matelas pneumatiques et sacs de couchage, cannes à pêche et filets, réchauds et glacières, provisions), comme si nous partions en caravane à la conquête de l'Ouest. Le premier arrêt avait eu lieu à Chicago, ville que je connaissais déjà, puis — j'égrène des souvenirs — nous avions traversé les Badlands et aperçu le monument de Mont Rushmore dans le Dakota du Sud, rendu fameux quelques années plus tôt par Cary Grant dans *North by Northwest*, le film de Hitchcock. Nous avions pêché la truite dans le parc national de Yellowstone, déambulé sur le *strip* de Las Vegas, abouti contre l'océan à San Francisco. Depuis, j'ai parcouru plusieurs fois en voiture les États-Unis de l'Atlantique au Pacifique et vice versa, mais par d'autres routes, situées plus au sud. Avant cela, avant la maladie de ma mère, nous avions voyagé en famille dans le Sud, jusqu'à La Nouvelle-Orléans, où j'ai encore vu, sur les quais du Mississippi, des toilettes réservées aux gens de couleur, avant de pousser vers la Floride pour admirer les flamants roses et les crocodiles, ainsi que pour visiter Disney World. Mais c'est au cours de ce voyage avec les Hubert que j'ai traversé les Rocheuses et franchi pour la première fois le pays d'une côte à l'autre, fasciné par sa démesure et m'attachant davantage à lui. Les Hubert poursuivaient leur route vers le sud, par Los Angeles et le Grand Canyon, avant de rebrousser vers l'est par le Texas, l'Arkansas, le Tennessee. Je devais les quitter après avoir entrevu le Golden Gate Bridge dans la brume, contemplé la ville depuis l'ascenseur extérieur du Saint Francis Hotel, escaladé la Coit Tower, pour rentrer en Europe, rallier le Vieux Monde, regagner la France, la « métropole », comme on disait en Tunisie dans mon enfance encore plus lointaine, et comme il n'est plus permis de dire. Me risquant, il y a de cela quelques mois, à prononcer ce mot au cours d'un débat

13

à l'université de Fès, je me suis fait rabrouer par un auditeur, insensible à l'ironie du propos.

Je pris l'avion pour New York. Là, je passai quelques jours chez un ami d'enfance de ma mère, sur la 85e rue, entre la 5e avenue et Madison. L'appartement, typique *railroad apartment* à plan en chemin de fer de l'Upper East Side, obscur, profond, frais malgré la canicule, avait été déserté. Toute la maison était partie en vacances. Il m'arrive encore d'y rendre visite à la veuve de cet ami de ma mère. Rien n'a changé ; pas un meuble, pas un tableau n'a été déplacé depuis cinquante ans. La même photographie jaunie du campanile de Saint-Marc écroulé sur lui-même et réduit à un tas de pierres — le père de l'ami de ma mère, alors jeune homme, visitait Venise ce jour-là et ne s'était jamais séparé de cette photo, aussi prodigieuse que celles des tours du World Trade Center le 11 septembre 2001 — est toujours accrochée au mur, au-dessus du divan du salon, où j'ai souvent passé la nuit au cours des décennies qui suivirent, quand je m'arrêtais à New York. Une fois, débarquant de Paris au début des années soixante-dix avec beaucoup de retard, après un vol mouvementé qui avait commencé par une longue attente au Bourget et durant lequel, d'un bout à l'autre, j'avais tenu sur mes genoux le bébé de ma voisine pour tenter de calmer ses pleurs, j'y eus l'un des pires cauchemars de ma vie, vision inoubliable qui me fit crier au point de réveiller tout le monde. Je crus que quelqu'un s'introduisait par la fenêtre pour m'étrangler. C'était probablement la première fois que je retournais aux États-Unis depuis mes quinze ans.

À mon arrivée de San Francisco, seul à New York comme on peut l'être dans cette ville, libre, affranchi, confiant, je me promenai comme un fou, descendant jusqu'à Alphabet City, m'y égarant, prenant peur, remontant jusqu'à Harlem, m'étendant en plein soleil sur la grande pelouse de Central Park, jouissant de mon indépendance, évitant de penser au lendemain, relisant *The Catcher in the Rye*, le roman de Salinger traduit en français sous le titre de *L'Attrape-cœurs*. Puis je rejoignis à bord du paquebot mon père, mes frères et sœurs qui arrivaient de Washington par le train, le matin même de l'embarquement. Sans l'avoir voulu, je les effrayai en ne parvenant au quai — le fameux Pier 88 de la French Line, au bout de la 48e rue, où le *Normandie* brûla en 1942, comme on le transformait en transport de troupes — qu'au tout dernier moment, dans un taxi jaune dont ils guettaient l'apparition, juste avant la levée de la passerelle, comme si j'allais rater le départ, le retour, le rapatriement, comme si j'avais décidé de les quitter, de rester en Amérique, d'y vivre ma vie.

La traversée de l'Atlantique se faisait encore d'ordinaire par la mer et prenait une petite semaine, parenthèse hors du temps que nous passions à nous baigner, aller au cinéma, jouer au ping-pong ou au bridge, en sursis. C'était ainsi que j'avais découvert New York quelques années plus tôt, en remontant le Hudson, passant si près de la statue de la Liberté que l'on croyait pouvoir la toucher, débarquant en pleine ville, au milieu de la circulation, les yeux grand ouverts sur le Nouveau Monde. Pour garder un souvenir, nous nous fîmes prendre en portrait par le photographe de bord : enfoncés dans de grands fauteuils club devant une table basse, nous buvons du thé, mon père assis au milieu de ses six enfants ; nous sommes beaux, bronzés, souriants ;

j'entoure de mon bras les épaules de ma plus jeune sœur, comme pour la protéger. Mais dans peu de jours nous nous quitterons pour de bon. Il y a quelque temps, pour une émission de radio, on m'a demandé de commenter une photographie : j'ai choisi celle-là. Elle me touche parce que nous y avons l'air si calmes, détendus, sereins. Rien ne peut mentir comme une photo.

Au Havre, nous montâmes dans le *boat train* pour Paris avant de nous disperser vers nos collèges, ma sœur aînée en hypokhâgne à Victor-Duruy, ma sœur cadette à la Légion d'honneur à Saint-Germain-en-Laye ou à Saint-Denis, mon frère au Collège militaire de Saint-Cyr, tout juste créé dans les murs de l'école d'officiers déplacée à Coëtquidan, seules mes deux plus jeunes sœurs, après avoir transité par la Belgique, où ma mère était née, rejoignant mon père en Allemagne, où il était affecté. De nouveau libre de mes mouvements à Paris, comme émancipé, majeur, et ivre d'indépendance, j'eus encore quelques jours à moi pour vagabonder sur les boulevards. Je pris le métro sur la ligne Nord-Sud, comme on disait alors, à la recherche du quartier Latin. Je ne le trouvai pas, imaginant une ville médiévale sur le modèle d'Oxford et de Cambridge, ou bien leur copie moderne, comme à Princeton et sur d'autres campus des États-Unis, et une radieuse jeunesse étudiante conversant en plein air, comme dans les dialogues de Platon et les séries télévisées sur les *colleges* américains. Durant la guerre d'Algérie, quand nous habitions à Paris, une procession de jeunes filles au pair, toutes autrichiennes, Helga, Frieda et Monica, originaires de Linz, sur le Danube, s'étaient succédé à la maison ; elles suivaient des cours à la Sorbonne : je mourais d'envie de les accompagner, de m'asseoir auprès d'elles dans les amphis, de prendre des notes comme elles, au stylo à bille sur des blocs sténo, au lieu de mes cahiers d'écolier et de la plume trempée dans l'encrier.

Au retour, sous la Seine, entre les stations Assemblée nationale et Concorde, je fus saisi d'angoisse, d'une véritable terreur, en regardant les voyageurs autour de moi, me disant que j'étais français comme eux et me demandant ce que cela voulait dire, quel destin ce pays me réservait. Je revenais à l'heure de pointe de mon expédition infructueuse, en tout cas décevante, vers la montagne Sainte-Geneviève ; j'étais précipité contre mes concitoyens, lesquels, tous blafards, me semblaient en mauvaise santé. Ils n'étaient pas aussi soignés qu'aujourd'hui et je ne me sentais rien de commun avec eux. Les hommes avaient des cols de chemise sales, leurs épaules étaient couvertes de pellicules, leur cou était serré par des cravates filiformes, lustrées par l'usure. Les cheveux des femmes n'avaient pas l'éclat, la souplesse de ceux des jeunes Américaines auprès desquelles j'avais vécu ; je ne discernais pas chez elles la fraîcheur, le velouté de la peau de Linda, ma première *girlfriend,* quand nous dansions aux fêtes de l'école et que je m'approchais de son visage pour y poser un baiser. La pauvreté, la tristesse, la morosité se lisaient dans tous les regards, sous la mauvaise lumière filamenteuse du wagon. Saisi au dépourvu par cette révélation de la France, je pris soudain conscience de mon appartenance nationale, comme d'autres se convertissent derrière un pilier de Notre-Dame, et j'en ressens toujours la réplique, une sorte de chair de poule intérieure, chaque fois que je reviens, lorsque je présente mes papiers à la police des frontières et que le préposé se montre désobligeant, que le temps est gris, les transports publics en grève, le chômage à la hausse, comme si une certaine gêne ne m'avait jamais quitté, depuis ce jour-là : l'angoisse d'être français. Et je partais en pension, m'apprêtais à rejoindre le bahut, concentré de tout ce pays, essence de la nation dans laquelle j'apprenais sans plaisir — ou même avec horreur — à me reconnaître.

Par un pluvieux après-midi de fin d'été, je me rendis à la gare Montparnasse, de nouveau par la ligne Nord-Sud. C'était encore la vieille gare des cartes postales de l'accident de 1895, où une locomotive défonça la façade pour s'abîmer sur le boulevard. Cette gare devait être rasée quelques mois plus tard pour céder la place à la tour du même nom, gratte-ciel insipide, médiocre héritage du gaullisme urbanistique qui corrompt le dôme des Invalides depuis la rive droite, bâtiment où je n'ai pas pénétré depuis le second tour de l'élection présidentielle de 1974, alors que François Mitterrand y avait installé le siège de sa campagne. L'ancienne gare, je la revois aussi sur la célèbre photographie de la reddition du général von Choltitz le 25 août 1944, face à Leclerc et Rol-Tanguy. Une autre photo montre Leclerc et de Gaulle sous le panneau des « Trains en partance ». Mon père, qui était arrivé à Paris la veille avec l'état-major de la 2e DB, était présent ce jour-là auprès d'eux et avait assisté à la scène. Je l'imagine dans les marges de ces photos et, pour cette raison, je reste attaché à la vieille gare qui n'existe plus.

En ce jour de septembre, j'y pris seul le train pour Le Mans, vers l'inconnu, muni d'un sachet de prunes, des reines-claudes que m'avait offertes la marchande de primeurs que je connaissais depuis mon enfance, femme que j'ai aimée comme une mère et qui, sans le savoir, est intervenue à plusieurs reprises dans mon existence par un geste qui n'aurait pas pu mieux tomber, comme ce don de reines-claudes à un moment de désarroi. Grandie derrière un étal du marché de la rue Daguerre, elle avait la peau douce, les joues rouges comme une pomme reinette. Elle vient de mourir. Vingt-cinq ans plus tard, j'ai brièvement enseigné au Mans. Le TGV venait d'atteindre la ville, désormais située à moins d'une heure de Paris et intégrée à la grande banlieue. Je n'avais même pas le temps de préparer mon cours durant le trajet, tout juste de parcourir un journal. Mais à l'époque dont je parle, Le Mans n'était pas plus proche de Paris qu'au début du siècle, au temps de la fameuse photo de la locomotive pendant tel un gros insecte sur le boulevard. Un vieux train vert-de-gris à compartiments y menait, avec des photos de cathédrales en noir et blanc sous les filets. Au Mans, la correspondance se faisait avec un autorail rouge et blanc, moyen de transport qu'abandonnerait bientôt la SNCF, comme sur tant d'autres lignes non rentables un peu partout dans le pays, et qui serait remplacé par un autocar malcommode que nous irions chercher de l'autre côté de la place de la gare, sur un parking venteux.

Comme je montais dans l'autorail, une bande de garçons me bouscula. Nous nous rendions au même endroit. Je le déduisis de leur uniforme de drap bleu marine et de leur béret. Nous étions presque les seuls passagers, mais je n'osai pas me mêler à eux et je m'assis à quelque distance. Certains portaient des galons sur les manches. L'un d'eux devina mon état et m'interpella. La rentrée proprement dite aurait lieu deux ou trois jours plus tard. Seuls les nouveaux avaient été convoqués — j'étais le dernier, le seul à avoir retardé le voyage jusqu'à l'heure fatale en prenant le train du soir —, ainsi que quelques anciens qui s'étaient portés volontaires pour les accueillir. Le garçon qui m'avait adressé la parole me donna mes premiers renseignements sur le bahut. Je ne le revis jamais, car il entrait en maths élem au quartier Henri-IV, et moi en première au quartier Gallieni, à l'autre bout de la ville. Je n'étais pas au courant de cette répartition. Il avait l'air d'un bon garçon, mélange de fils de famille, d'enfant de chœur, de boy-scout et de séminariste, comme je n'allais pas en rencontrer beaucoup à Gallieni. Il me donna son nom, qui était précédé d'une particule. Quand il me parlait, je le comprenais car il se mettait à ma portée et nous utilisions la même langue, mais lorsqu'il bavardait avec ses camarades, ils me semblaient s'exprimer dans une langue étrangère où je repérais un mot çà et là, trop peu pour que le propos eût du sens. Aujourd'hui, quand je prends le métro sur la ligne 13 pour me rendre vers la rive gauche et que j'entends les jeunes gens et les jeunes filles qui descendent de Saint-Denis, j'ai la même impression d'un mystère dont je suis exclu. Je tendais l'oreille, me demandant s'il me faudrait m'initier à leur idiome comme j'avais appris l'anglais en arrivant à Washington, quelques années plus tôt. Le train, qu'ils appelaient le « tacal » pour protester contre sa lenteur de tortillard, s'arrêtait à La Suze, Mézeray, Villaines, Verron ; un passager solitaire s'éloignait dans la nuit ; je l'aurais volontiers suivi ; mes compagnons de voyage reprenaient leurs obscurs conciliabules. Je m'assoupissais en tournant les pages de *L'Éducation sentimentale* — j'avais tout de même trouvé une librairie au quartier Latin — et en suçant le noyau d'une reine-claude.

Devant la gare, déserte à cette heure avancée, un véhicule attendait, une camionnette 403, grise avec une bâche kaki. Je n'avais rien prévu. J'avais étourdiment quitté Paris sans me demander comment, une fois rendu sur place, je trouverais le bahut, m'imaginant sans doute que des taxis attendraient là en file, comme dans une grande ville, et qu'il suffirait d'en héler un, d'indiquer ma destination, pour être tiré d'affaire. Je faisais confiance à l'étoile qui m'avait guidé depuis la Californie, et j'ignorais les mœurs de la province. Sur la place mal éclairée par un seul lampadaire qui projetait une lumière jaune sur notre petite troupe, il n'y avait pas âme qui vive hormis un sous-officier et un soldat, le chauffeur de la Peugeot. Le sous-officier nous rassembla, le soldat baissa le hayon, nous montâmes à l'arrière et nous nous assîmes face à face sur les deux banquettes. Je serrai entre mes mollets ma petite valise noire de carton bouilli, je plaçai mon sachet de prunes sur mes genoux. Les grands furent déposés en premier au quartier Henri-IV ; je restai seul à l'arrière de la fourgonnette. Le sous-officier, refermant le hayon, me fit observer sur le ton du blâme que j'étais censé arriver plus tôt, dans la journée, pour mon « incorporation », mot qui m'ébranla. Je n'étais pas pressé de mettre un terme au long périple qui m'avait conduit des bords du Pacifique jusqu'au cœur de la France. J'avais jugé que le dernier train suffirait. C'était une faute et le premier d'innombrables malentendus.

L'extinction des feux avait eu lieu longtemps auparavant quand on me lâcha au quartier Gallieni. Un planton sortit du poste de police et ouvrit les grilles, la barrière se leva pour nous laisser entrer. Je n'en vis rien puisque j'étais à l'arrière, sous la bâche ; je reconstitue les faits à partir de la connaissance des lieux qui fut

21

bientôt la mienne. Descendant maladroitement du véhicule, embarrassé par mon bagage, je découvris, en face des grilles, parallèle à la rue, le bâtiment principal. Celui-ci avait tout l'air d'une grande caserne ordinaire, haute de trois étages et longue d'une soixantaine de mètres. Au milieu, le mât des couleurs s'élevait devant un petit monument décoré d'un médaillon représentant, comme je l'apprendrais vite, le vainqueur de la Marne. Le sous-officier de permanence — je ne savais pas reconnaître les grades — signala mon arrivée sur la main courante avant de m'accompagner vers le bâtiment. Précédé du faisceau de sa lampe torche, il me fit monter par un des deux larges escaliers qui s'ouvraient sur la façade et dont les marches de bois craquèrent sous nos pas dans le silence de la nuit.

Une curieuse sensation de bonheur m'envahit, me transporta soudain loin de là, mais j'ignorais le sens de cette impression et je n'eus pas le loisir d'approfondir l'expérience. Deux ans plus tard, me lançant témérairement dans la lecture de Proust, je compris mieux, après une trentaine de pages, ce qui s'était passé le soir de mon arrivée au bahut, et je poursuivis la lecture d'*À la recherche du temps perdu*, mais j'avais reconnu tout seul, entretemps, dans l'odeur moisie de cet escalier de bois pourtant lavé à grande eau et régulièrement frotté à la paille de fer par les élèves de corvée, celle de l'annexe où nous séjournions lorsque nous nous rendions en vacances, près de Sancerre, dans la propriété du second mari de mon arrière-grand-mère, quand j'avais entre quatre et sept ans. Cette odeur ressuscitée eut sur moi le pouvoir d'une drogue. Dans les premiers mois de ma vie au bahut, aux moments les plus durs, j'avais pris l'habitude de me réfugier dans cet escalier. Parfois, quand je ne dormais pas, je venais y passer une heure, accroupi sur le palier, mes bras enserrant mes genoux. Je humais l'odeur d'enfance ; je me réconfortais à l'évocation de l'été, celui de la naissance de mon frère, où ma mère m'avait appris à lire. Il fallait faire vite ; nous avions quitté Londres ; nous partions pour Tunis où j'allais entrer à l'école. Nous étions tous les deux assis côte à côte sur les dernières marches de l'escalier de l'annexe, face à la cuisine du château. On y préparait le dîner. Une radio donnait les résultats de l'étape du Tour de France. Blottis l'un contre l'autre, nous suivions du doigt les lignes de mon livre de lecture qui racontait l'histoire de Marlaguette et du loup. J'étais distrait par la TSF. Les noms de Darrigade, Geminiani, Charly Gaul et surtout Louison Bobet, le maillot jaune, revenaient chaque soir comme une litanie. À la place de Marlaguette, je lisais « Marlajuette » pour prolonger la leçon, jeu qui eut pour effet désastreux que je maîtrise toujours mal la distinction du *g* et du *j* et que je trébuche encore devant un mot nouveau qui contient ces lettres, confusion que l'habitude de l'anglais n'a pas corrigée.

Dans un vaste et obscur dortoir, le sous-officier me désigna de sa torche — pour faire peser sa désapprobation à propos de mon retard, il n'ouvrit pas la bouche durant toute la manœuvre — un sommier métallique au milieu d'une longue rangée de lits identiques, alignés contre le mur. Au pied du matelas, pliés au carré — j'emploie une expression qui m'était alors inconnue, mais qui ferait bientôt partie de mon lexique —, étaient posés une couverture et des draps, l'ensemble surmonté d'un polochon en équilibre précaire. Faiblement éclairé par le sous-officier, aidé de mon voisin de dortoir, lequel, tiré du sommeil par le gradé, prononça en ronchonnant quelques mots de bienvenue avec un accent du Midi, je fis mon lit. Une fois le sous-officier parti et le garçon de Marseille recouché, je me déshabillai hâtivement dans la pénombre et m'étendis sous les draps en slip et en maillot.

Je me rendis compte qu'ayant quitté Paris en fin d'après-midi je n'avais pas dîné. Mon arrivée au bahut ne correspondait pas à ce que j'avais prévu, c'est-à-dire, comme dans les romans d'adolescents, l'accueil chaleureux, bavard et amical d'un nouveau par ses futurs camarades de pensionnat. Il était environ dix heures. L'indifférence était totale. Je n'aurais rien à manger avant le petit déjeuner. Je réfléchissais en m'accoutumant à l'obscurité. Je me redressai et regardai autour de moi. Seuls quelques lits paraissaient occupés dans un coin du dortoir. Face à face, une vingtaine de sommiers métalliques étaient alignés de chaque côté contre les deux murs principaux. Entre les têtes des lits, dans les ruelles, se dressaient des armoires métalliques de couleur kaki, comme je le découvrirais au matin. Aux deux extrémités du dortoir, qui s'étendait sur toute la largeur du bâtiment, deux hautes fenêtres donnaient d'un côté sur la cour dans laquelle j'avais été débarqué, et de l'autre, à l'arrière du bâtiment, sur des territoires inconnus que je découvrirais le lendemain. Au milieu de la pièce, entre les deux rangées de lits, de part et d'autre du couloir central qui traversait un autre dortoir et menait jusqu'à la cage d'escalier, deux lourdes tables de bois brut, entourées de quelques tabourets métalliques. Tout était ordonné, sévère, nu, anonyme, tellement différent des lieux où j'avais vécu jusque-là, des nombreux domiciles que nous avions habités durant mon enfance. C'était une de ces chambrées que tous les hommes ont connues du temps où ils faisaient le service militaire. Depuis qu'il avait été question de m'envoyer au bahut, je m'étais bien imaginé les lieux, mais je ne m'étais pas figuré une ancienne garnison de la Troisième République, une caserne construite après la défaite de 1870 pour loger un bataillon d'infanterie, plutôt un collège comme j'en avais aperçu en Amérique, des pavillons dispersés sous une futaie vallonnée, réunis par des sentiers, des courts de tennis, un gymnase. Je m'étais bien trompé. Le sommeil ne venait pas.

Et puis j'avais besoin d'uriner. Personne, ni le sous-officier de garde ni le garçon marseillais, n'avait pensé à m'indiquer où se trouvaient les WC. En traversant le palier, j'avais bien entrevu, en face de l'escalier à l'odeur d'enfance, entre les deux enfilades de dortoir, les lavabos, pièce elle-même assez spacieuse où étaient installées face à face une vingtaine de cuvettes, chacune surmontée d'un étroit miroir et ne disposant que d'un robinet d'eau froide. Je m'y étais sagement brossé les dents avant de me mettre au lit, mais j'avais oublié de m'enquérir de la localisation des WC — des « chiottes », des « gogues », comme je dirais bientôt avec les autres. J'étais bien ennuyé ; je me levai, me dirigeai vers le palier, explorai sans succès la salle des lavabos, laquelle ne réservait aucun secret. En face, à la gauche de l'escalier, un local obscur de dimension réduite était tapissé de planches et servait de remise où quelques valises étaient entreposées ainsi que des godillots. J'apprendrais plus tard que l'on appelait cette pièce le « ciroir ». Mis à part les dortoirs, les lavabos et ce débarras, nul endroit où me soulager.

Je me résignai à revenir à mon lit, mais l'envie pressante d'uriner s'ajoutait aux autres raisons, la faim et l'appréhension de l'inconnu, qui me rendirent incapable de trouver le sommeil, cette première nuit. Je me retournais dans le lit. Habitué depuis toujours à un oreiller, je ne savais que faire d'un polochon, objet qui me paraissait antédiluvien et surtout inconfortable. Ma tête y était trop haut placée et mon cou s'y tordait. Les draps étaient rêches, ils avaient la consistance du papier émeri, et la couverture grise dégageait une odeur de poussière. Tous les quarts d'heure, la cloche d'une église voisine me tirait de ma torpeur : un coup, deux coups, trois coups, quatre coups, puis le carillon.

Je m'endormis quand même au petit matin, mais je n'étais pas frais quand le clairon sonna et que nous nous ébrouâmes. Par mon voisin à l'accent marseillais, j'appris alors que les gogues se trouvaient à l'extérieur, derrière le bâtiment, dans un pavillon spécial, nommé officiellement « latrines », qui réunissait une vingtaine de cuvettes à la turque, mal isolées les unes des autres, sans fermeture ni chauffage, si bien que l'hiver on y claquait des dents ; qu'au fond du ciroir, une porte dont je n'avais pas soupçonné l'existence ouvrait sur les seuls WC de l'étage, une cuvette d'urgence, elle aussi à la turque, pour les quatre classes d'une trentaine d'élèves chacune, logées dans les dortoirs qui s'ouvraient à chaque étage sur la cage d'escalier ; que l'usage voulait que l'on pissât la nuit dans les lavabos quand on était pris d'un besoin urgent et que les waters étaient occupés, mais j'avais été trop bien élevé pour y songer durant cette première nuit de supplice et je m'étais bêtement retenu. Je devais vite renoncer à bien d'autres manières de demoiselle.

Après de hâtives ablutions, je me rhabillai en pékin et, seul de cette espèce, descendis avec mes camarades au réfectoire qui se trouvait au rez-de-chaussée, sous les dortoirs. Notre troupe s'installa sur des tabourets autour d'une grande table de marbre fixée au sol, la seule où avaient été déposés des bols, un grand pain, une assiette de beurre et une autre contenant de la compote de pommes. Un employé qui poussait un lourd chariot métallique — l'administration les appelait des « manutentionnaires », que nous abrégions familièrement en « manus » — déposa sur notre table un grand broc de ferblanc contenant du café au lait sucré. J'étais affamé, je dévorai sans un mot. Du reste on ne m'adressa pas la parole.

Désigné par un sous-officier d'apparence aussi morose et intraitable que celui de la veille, un ancien s'empara de moi, dénommé Couturier, qui avait l'air un peu plus âgé que moi et portait beau malgré son nez retroussé et ses joues couperosées. Il prenait au sérieux sa mission de mentor, parlait lentement, posément, comme on s'adresse à un primitif ou à un indigène dans les colonies. Il m'expliquait les idiotismes de la maison avec un agaçant luxe de détails superflus et en tout cas impossibles à engranger si vite. Couturier s'écoutait parler, il aimait pontifier.

Il y a quinze ou vingt ans, nous sommes tombés l'un sur l'autre à la station de métro Invalides. Je formule les choses ainsi parce que je ne sais plus qui de nous deux reconnut l'autre, ou bien nous nous reconnûmes en même temps, comme dans les comédies de boulevard. Nous ne nous étions pas revus depuis la classe de rhéto et je n'ai plus jamais entendu parler de lui depuis cette rencontre fortuite. Où allais-je ce jour-là ? Je ne me le rappelle pas (en réalité, je le sais bien, comme une de ces choses que l'on préférerait oublier : à l'époque, j'empruntais souvent la correspondance à Invalides en revenant de chez une amie, disparue depuis). Lui, s'il était descendu à cette station, c'était pour se rendre au Quai d'Orsay, qui l'employait. Il avait embrassé la carrière consulaire et revenait d'un long séjour en Afrique, où je suis sûr que ses manières pédantes avaient été appréciées. Il devait repartir bientôt pour un pays du Moyen-Orient, où il ferait également l'affaire. En première, il était dans la section moderne (il y avait trois divisions classiques pour une division moderne). Je me souviens de lui comme d'un élève moyen et surtout d'un garçon soumis, assez lâche et hypocrite, toujours sous la coupe des gradés. L'année scolaire, on le verra, devait se terminer assez mal pour lui, qui serait mis au ban de la compagnie. J'imagine qu'il passa ensuite par la fac de droit et Sciences Po avant de préparer le concours des Affaires étrangères, puisque l'École coloniale avait été supprimée. Le retrouver ne me faisait aucun plaisir, mais il était collant et intarissable, insista pour que nous prenions un café. Montés à l'air libre, nous échangeâmes encore quelques propos convenus sur nos destinées. Il cita des noms de camarades qui ne me disaient plus rien : Cormenin, que Couturier avait croisé en Afrique, venait de passer colonel ; Dubois, qui avait dévalisé une banque à main armée, avait été condamné à une lourde peine de prison. Je m'en moquais.

Le matin de mon incorporation, il s'entraînait déjà à sa vocation d'émissaire en jouant au truchement auprès de l'étranger, du sauvage que je représentais, ignorant des mœurs et coutumes locales. De fait, nous étions seulement deux nouveaux à rejoindre la classe de rhéto pour la rentrée. L'autre bizut, dont, bon gré mal gré, j'aurai beaucoup à reparler, était arrivé bien avant moi, car c'était un garçon prudent, toujours en avance. Il arborait déjà fièrement son uniforme, même si une certaine application dans les gestes trahissait à la fois son inexpérience et son impatience de s'intégrer, d'« en être ».

Le brave Couturier me fit faire le circuit complet de l'incorporation. Il me conduisit d'abord à l'intendance, où l'on m'attribua un numéro matricule qui s'est imprimé si définitivement dans mon cerveau que je l'emploie encore souvent comme mot de passe, par exemple sur Internet, puis à l'infirmerie pour une visite médicale qui me parut sommaire : je passai sous la toise, sur la balance ; le major m'ausculta, me palpa du bout des doigts ; un infirmier du contingent m'ouvrit un livret médical et m'annonça le calendrier des vaccinations. Nous nous dirigeâmes ensuite vers l'habillement pour y percevoir mon paquetage. J'y trouvai la confirmation de ma thèse sur l'hygiène des Français. Comme trousseau, on me fournit deux uniformes de drap bleu, l'un point trop défraîchi pour les jours de sortie, l'autre pour la semaine, usé, lui, jusqu'à la corde aux coudes et aux genoux, une paire de brodequins pour la tenue de travail et une paire de chaussures basses pour la tenue numéro un, une paire de gants de peau et une paire de gants blancs, un calot pour la semaine et un béret pour le dimanche, un pull bleu marine à col en V reprisé aux coudes avec de grands zigzags de machine à coudre, une ou deux cravates noires, un sac de toile qui contenait le linge pour la semaine, à savoir deux slips à poche kangourou, deux maillots de corps, deux paires de chaussettes de laine feutrée par de fréquents lavages, une chemise bleu marine pour la semaine et une autre bleu ciel pour les sorties, deux mouchoirs, un pyjama, une serviette et un gant de toilette. Tout ce barda — j'ai oublié le survêtement et les tennis de toile bleue, la brosse à chaussures et la boîte de cirage, la brosse à habits, les chaussons, et sans doute encore quelques autres articles qui m'échappent comme le tour de cou pour l'hiver — fut marqué de mon matricule tamponné à l'encre noire.

En enfilant les lourds brodequins pour en trouver une paire à ma taille, sans doute à la suite d'un faux mouvement, ou parce que ces chaussures étaient d'une rigidité telle que je dus forcer pour en faire franchir l'angle au cou-de-pied, une crampe me saisit brutalement la voûte plantaire gauche, mésaventure dont je n'avais jamais fait l'expérience. Mon pied, tout durci comme s'il était de bois, ne parvenait plus à pénétrer dans la chaussure, ni à en sortir. Je n'osai rien dire, soucieux que mon empêtrement ne fût remarqué, impatient que l'extrémité de mon membre inférieur reprît son état ordinaire et que je pusse poursuivre l'essayage. Peut-être mon corps manifestait-il de la sorte, discrètement, humblement, sa résistance : il se refusait à l'uniforme.

Ce parcours initiatique ne me semble pas s'être prolongé au-delà de la matinée. J'étais le dernier, je le faisais seul, sans avoir à attendre mon tour aux diverses stations. Couturier papotait avec les employés et les soldats pendant mes essayages. Il y eut un problème qui embêta bien le sous-officier de notre compagnie, l'adjudant-chef Vandal, quand Couturier me conduisit à lui, à la fin du circuit : comme personne ne m'avait accompagné et ne pouvait les emporter, on ne savait que faire des frusques civiles dans lesquelles j'étais arrivé. Mes relations avec Vandal commençaient mal, par un petit souci qui prit vite de grosses proportions. Pour ne rien arranger, j'avais apporté des vêtements de rechange (une chemise à carreaux, un pull à col roulé), imaginant que je pourrais les revêtir, le soir après les cours, ne soupçonnant pas qu'il était interdit de conserver la moindre pelure de pékin dans son armoire, car nous aurions pu faire le mur plus à l'aise. Fallait-il les renvoyer à mon père, en Allemagne ? J'étais gêné de causer du tracas à l'adjudant-chef — Couturier, très obséquieux, ne cessait de lui donner de son grade —, je sentais qu'il m'en voudrait. Ne souhaitant pas trancher de sa propre autorité, il s'en alla consulter le capitaine sur cette question grave. Après négociation au sommet — peut-être même que l'on appela le commandant du quartier pour se couvrir —, il fut décidé qu'exceptionnellement ma valise serait entreposée au bureau de la compagnie pour toute la durée du trimestre et que je la récupérerais pour les vacances de Noël.

Je passai encore sous la tondeuse du coiffeur, dans un petit salon malpropre contenant deux fauteuils, l'un où officiait un minuscule employé sale et peu habile, ou malintentionné, sorte de gnome maléfique qui opérait avec un mégot perpétuel pendu au bec, l'autre où se relayaient des bidasses, maçons ou fumistes dans le civil, sur lesquels, je le compris vite, il était préférable de tomber, malgré leur inexpérience, parce qu'ils étaient plus compréhensifs et moins décapants dans le maniement de leur engin électrique. J'ai sûrement été présenté aussi au capitaine et aux autres sous-officiers de la 5ᵉ compagnie, mais je n'en garde pas le moindre souvenir. Les trois divisions de première classique et la première moderne formaient une compagnie, comme dans un régiment, avec un capitaine à sa tête et des sous-officiers d'encadrement, un adjudant-chef de compagnie — ce Vandal que j'avais dérangé dans sa sieste préprandiale et qui pourtant m'eut plutôt à la bonne —, un comptable, plus un adjudant ou un sergent-chef pour chacune des sections. Ce premier matin, je ne suis pas sûr de m'être fait sur-le-champ une idée de la valeur de tous ces hommes ni de leur préparation à leur tâche, mais je ne pense pas que cela ait beaucoup tardé.

Le capitaine Donnadieu, Lorrain de Sidi-bel-Abbès, était un grand échalas aux oreilles décollées et aux bras ballants. Courbé, dégingandé, les yeux enfoncés au fond des orbites, et cernés, il n'était sans doute pas méchant. Officier de l'infanterie coloniale, il restait abruti par des années de paludisme et de quinine. Sa santé semblait chancelante et il exhibait de mauvaises dents chevalines, dont celles du bas étaient écartées au milieu, ce qui lui donnait un air benêt. Je le vois comme un homme âgé, mais c'est une illusion. Il devait être encore très jeune ; il avait cependant souffert sous de mauvais climats. Comme tous ceux qui nous encadraient, il avait fait des séjours prolongés en Indochine et en Algérie. Les deux pans de sa vareuse d'uniforme, au lieu de se recouvrir sous la série des boutons fermés, s'écartaient en bas comme une paire de rideaux mal posés, parce que ses épaules s'étaient voûtées et amaigries depuis que sa tunique avait été taillée. Il ne donnait du moins pas l'impression de boire. Quoi qu'il en fût, ce n'était pas un homme fier, épanoui, battant. Il parlait peu, s'ennuyait visiblement, marmonnait, n'avait rien à dire aux garçons qu'il commandait et auxquels il était censé inspirer sinon la vocation militaire, du moins le goût de l'idéal viril.

Si l'on nous avait sélectionnés, si nous recevions une éducation convenable aux frais de la princesse, je le découvris vite, c'était avec le calcul qu'assez d'entre nous passeraient en corniche et prépareraient Saint-Cyr, s'engageraient, défendraient la patrie, voire mourraient au champ d'honneur. «S'instruire pour mieux servir», avait fait inscrire Donnadieu en grosses lettres capitales au pochoir sur une plaque de bois fixée au mur, derrière son bureau. Quand il nous convoquait pour nous passer un savon, nous avions tout loisir, au garde-à-vous devant lui, de méditer cette pensée durant ses silences. Elle me changeait de la sage devise humaniste de mon école américaine, « *Noscere vivere est* » — vivre ou servir, tel serait apparemment le dilemme de mon éducation —, mais, au milieu des années soixante, elle laissait perplexes beaucoup d'entre nous comme les plus lucides de nos gradés. Ceux-ci étaient pour ainsi dire payés pour douter de l'avenir de l'armée. Ils se morfondaient dans des garnisons de province depuis la fin de la guerre d'Algérie ; eux qui se voyaient déjà chefs de corps, ils avaient dû en rabattre et leur ambition était de plus en plus frustrée. Les meilleurs d'entre eux avaient déserté parmi les premiers ; restaient ceux qui avaient renoncé à eux-mêmes. Notre encadrement, qu'entre nous nous nommions la « strasse », se composait de vaincus des guerres coloniales, ou plutôt d'humiliés, qui jugeaient qu'ils avaient gagné la bataille au moment des accords d'Évian, lorsque des traîtres les avaient consignés dans leurs casernes. Ces hommes étaient amers, brutaux. Seul l'alcool leur permettait de surmonter leur mélancolie. Du moins était-ce ainsi que nous nous les représentions, et il est vrai que la plupart nous avaient donné assez de preuves qu'ils buvaient même les jours de garde — nous les apercevions titubant à la sortie du mess après le repas de midi ou du soir —, avant d'entamer leur ronde dans nos dortoirs, expédition, il est vrai, moins risquée que les équipées qu'ils avaient connues dans le djebel, moins exposée aux embuscades.

Mon frère, à qui je montrai les pages qui précèdent et qui avait vécu le même genre d'expérience, de son côté, me les retourna accompagnées de remarques. Il me signala d'abord des erreurs ponctuelles : par exemple, il était parti pour Saint-Cyr non pas dès notre retour de Washington — le bienheureux, il avait raté l'examen d'entrée — mais seulement l'année suivante, à la fin de sa sixième, qu'il avait faite au lycée Charles-de-Gaulle, à Baden-Baden, où il avait accompagné mon père et mes deux dernières sœurs. Cette sorte d'imprécision me semble vénielle. Je raconte mes souvenirs, non les siens, et je ne vais pas vérifier tout ce que je dis auprès de tous mes frères et sœurs, camarades, amis et ennemis. Plus sérieusement, si les gradés auxquels il avait eu affaire ne lui semblaient pas mieux adaptés que les miens à l'époque et à leurs missions, il me mit néanmoins en garde : tout cela n'était-il pas bien subjectif, des impressions de gamins et nullement la réalité militaire d'il y a cinquante ans ? Même si, sur ce plan, nos souvenirs étaient les mêmes, pouvions-nous faire confiance à notre mémoire ? Cette objection me parut plus ennuyeuse. Je n'avais pas l'intention d'écrire une sociologie de l'armée ni de polluer ma mémoire par une enquête historique, mais je me demandai tout de même s'il se pouvait que depuis près de cinquante ans j'aie vécu sur des souvenirs illusoires ? Je décidai de me livrer à un minimum de recherches. Or il ne me fallut pas longtemps pour découvrir qu'au moment où j'étais arrivé au bahut le moral de l'armée stagnait au plus bas, allait encore plus mal que je ne l'imaginais, ce qui n'était pas sans inquiéter les autorités politiques.

Nos chefs étaient des survivants. Ils avaient réchappé aux sévères purges, aux «plans de réduction», suivant l'appellation officielle, qui avaient divisé par deux les effectifs de l'armée de terre depuis trois ans, les faisant passer de 700 000 à moins de 350 000 hommes. Plus de 7 000 officiers venaient de quitter l'uniforme sans trop se faire prier, à la suite de la loi du 30 décembre 1963 sur le dégagement volontaire des cadres. Chez ceux qui n'avaient pas osé partir, le moral était à zéro, le malaise palpable. Beaucoup vivaient la modernisation de la stratégie de défense nationale comme un avilissement. Joël Le Theule, député UNR de la Sarthe, maire de Sablé, à six lieues du bahut, venait de déclarer, en octobre 1965, à l'Assemblée nationale : « L'inquiétude est grande dans l'armée de terre. Dans beaucoup d'unités, les cadres s'interrogent sur son rôle et son avenir. Ne risque-t-elle pas de paraître quelque peu anachronique ? Cet état d'esprit est inquiétant et il est indispensable que, par des mesures pratiques et immédiates, cette dégradation de la confiance soit stoppée. » La connaissance de première main qu'avait de l'armée cet expert en matière de défense, futur ministre de Valéry Giscard d'Estaing, se limitait à son expérience de professeur d'histoire-géographie au bahut, durant les années cinquante, et aux contacts qu'il avait gardés, depuis qu'il avait quitté l'enseignement, avec des officiers qu'il avait eus pour élèves.

Ainsi, nous ne nous trompions pas trop dans nos intuitions du moment et les doutes de mon frère pouvaient être apaisés. Le climat dans les écoles militaires préparatoires, dont les missions manquaient désormais de clarté, était particulièrement mauvais. Le 10 novembre 1965, répondant à une question d'un député sur les écoles militaires préparatoires, les écoles d'enfants de troupe, le ministre des Armées, Pierre Messmer, justifiait leur réforme par «une double nécessité», car, «d'une part, il fallait adapter ces écoles aux besoins de l'armée d'aujourd'hui et, plus encore, s'agissant de très jeunes gens, de l'armée de demain, et, d'autre part, il nous fallait réaliser une économie de personnel, compte tenu de la réduction générale des effectifs militaires». L'armée entendait désormais recruter des techniciens, insistait le ministre, non des têtes brûlées : «Cette réforme a été dictée par la nécessité d'accroître le nombre des sous-officiers techniciens formés chaque année pour l'armée de terre.» En effet «les besoins des armées, spécialement de l'armée de terre, en techniciens ne cessent de grandir d'année en année».

Des techniciens ! Quand ils entendaient ce mot, Donnadieu et Vandal levaient les yeux au ciel, s'étranglaient, s'empourpraient de colère. «Armée de techniciens» leur restait dans la gorge. Nos chefs étaient incapables de se convertir, de passer de la contre-guérilla à la dissuasion, laquelle, pour comble d'humiliation, donnait l'avantage à la marine et à l'aviation sur l'armée de terre. Leurs états d'âme se répercutaient insidieusement sur nous. Au sein de l'armée de terre elle-même, les armes techniques l'emportaient maintenant en prestige sur les armes traditionnelles, particulièrement l'infanterie, à laquelle appartenaient la plupart de nos gradés. Les rapports de l'armée et de la nation se banalisaient. L'uniforme n'inspirait plus de respect. On croyait de moins en moins au service militaire comme épreuve de virilité. Après les trois jours, certains garçons se vantaient même de s'être fait réformer. Le corps des officiers ne s'était pas relevé de la boutade de De Gaulle sur les acteurs bedonnants du pronunciamiento d'Alger : un « quarteron de généraux en retraite ». Nous étions la première génération de jeunes Français qui ne connaîtraient pas la guerre à vingt ans. Nous qui, à dix ans, étions prêts à marcher sur les traces de nos aînés, qui n'avions jamais envisagé autre chose que de nous battre, nous comprenions à présent, sans y avoir été préparés, que la France avait changé et qu'elle n'avait plus besoin de nous, en tout cas d'autant d'entre nous ni des meilleurs. Ceux qui sont alors entrés malgré tout dans l'armée se sont faits les artisans de sa modernisation, quelques-uns ont atteint le sommet de la hiérarchie militaire, comme mon camarade Brisacier qui, au lieu de faire ses exercices de maths en étude, se plongeait dans le nouveau règlement de discipline générale de l'armée française, et qui vient d'achever sa carrière comme chef d'état-major de l'armée de terre ; mais ce que nous découvrions alors, à l'occasion d'affrontements parfois violents avec nos gradés, c'était que la France était sortie d'une guerre qui avait duré un quart de siècle, une guerre de vingt-cinq ans, de Munich à Évian, et que l'armée, le bahut, qui avait servi de pépinière d'officiers durant les campagnes d'Indochine et d'Algérie, ou d'usine à la chaîne, devaient s'adapter au plus vite au malthusianisme de la dissuasion.

On aurait conçu avec peine un personnel moins apte à s'occuper d'enfants prématurément séparés de leur famille et manquant d'affection — car beaucoup étaient entrés au bahut dès la sixième, à l'âge de dix ans —, ou d'adolescents désaxés par des années d'internat, et dont un grand nombre — je m'en rends compte seulement à présent, repensant à certains d'entre eux — étaient affectés de troubles du comportement. Mais les élèves souffraient sans doute de dérangements psychologiques moins graves que les sous-officiers. Qu'avaient vu ces derniers en Indochine et en Algérie ? Qu'avaient-ils subi ? Qu'avaient-ils commis ? Certains, sous le coup de la boisson, se livraient parfois à nous, qui étions les plus âgés de ce côté-ci de la ville, tel ce vieil adjudant, propriétaire d'une grosse Opel rapportée des FFA, les Forces françaises en Allemagne, qui nous décrivit en détail des tortures de fellaghas un soir qu'il avait besoin de s'épancher. En ce temps-là, on ne parlait pas de *Post-traumatic Stress Disorder* (PTSD), mais presque tous auraient pu y prétendre, avec les droits afférents.

Même si Donnadieu, le marsouin — le « Donald », comme on l'appelait —, était plus digne, comme les autres il savait pertinemment que sa carrière était derrière lui. Pourquoi restaient-ils dans l'armée alors qu'ils avaient renoncé à tout rêve de grandeur militaire ? Sans doute parce qu'ils n'avaient jamais ignoré que le métier des armes, c'est beaucoup de servitude et peu de grandeur, beaucoup d'attente, beaucoup d'espoir, beaucoup d'ennui, et peu d'action. Rien de plus fastidieux en vérité que la carrière militaire, entre les garnisons, les rapports, les inspections, les défilés, une rare manœuvre pour se dégourdir les jambes, tuer le temps. Même une guerre a ses temps morts. On a de la chance si l'on a vu le feu ; on a de la veine si l'on n'a pas été fait prisonnier pour cinq ans sans avoir eu la moindre occasion de tirer un coup de fusil.

S'ils ne quittaient pas l'armée, c'était aussi parce qu'il leur manquait le courage de lâcher pied, parce que l'attente, le désœuvrement, l'alcool les avaient rendus passifs, parce qu'ils redoutaient d'affronter le monde civil, qu'ils méprisaient au demeurant. Il en résultait qu'ils ne savaient plus quel message d'avenir nous transmettre et qu'ils se méfiaient de nous. « S'instruire pour mieux servir », ils n'ignoraient pas que ce n'était plus à l'ordre du jour et ils nous enviaient au fond d'eux-mêmes, parce que nous incarnions la jeunesse, parce que nous nous lancions dans de meilleures études que celles qu'il leur avait été donné de faire à une époque où l'armée formait à la hâte des cohortes pour les guerres coloniales, parce que nous monterions en grade plus haut qu'eux si jamais nous nous décidions pour Saint-Cyr ou même pour Saint-Maixent, parce que nous ne vivrions pas les horreurs qu'ils avaient connues dans les colonies, parce que la technique, la trigonométrie, les dérivées ne nous effarouchaient pas, parce que l'armée était au plus bas et qu'elle ne pouvait que remonter, parce que nous avions encore notre chance, parce que l'avenir était devant nous alors qu'ils n'avaient plus pour eux que leur passé, et quel passé !

Le Donald m'avait tout de suite regardé de travers. Je l'ai appris bien plus tard et je dirai comment. J'avais été suspect à ses yeux dès le quartier libre du premier jeudi après-midi. Sevré d'informations, avide de nouvelles du dehors, j'étais revenu au bahut à quatre heures, avec, sous le bras, le dernier numéro de *L'Express* acheté à la Maison de la presse de la Grande Rue. Je ne m'étais pas caché pour lire cet hebdomadaire ; je m'étais assis sur un tabouret à la table des dortoirs, tournant les pages au vu et au su de tous, élèves et gradés, inconscient du trouble que je semais. *L'Express* s'était transformé un an ou deux auparavant en un magazine à l'américaine destiné aux jeunes cadres dans le vent, atlantistes et proaméricains, clients de la Fnac et du Club Méditerranée, sensibles aux conseils de « Madame Express », mais il n'en était pas moins toujours jugé subversif dans les rangs de la Grande Muette, traditionnellement en retard d'une guerre, où on n'avait pas oublié que la torture en Algérie y avait été dénoncée dès 1954 par François Mauriac, dans son « Bloc-notes ». L'écrivain était passé au *Figaro*, soutenait le général de Gaulle, ce qui n'arrangeait rien. Lecteur de *L'Express*, je fus aussitôt considéré comme un élément douteux, à surveiller.

L'autre bizut s'appelait Damiron et ne demandait qu'à bien faire. Grand et costaud, l'air à la fois naïf et rusé d'un paysan, il portait la tête un peu penchée en avant comme s'il avait toujours été prêt à donner un coup de collier, si bien que son calot, qu'il portait de travers sur le crâne, lui tombait sur un œil, le droit, me semble-t-il, mais était retenu par l'arcade sourcilière, qu'il avait proéminente. Son père, ancien polytechnicien, sapeur et colonel, l'avait accompagné au bahut pour l'incorporation, mais il était reparti la veille, après lui avoir prodigué d'innombrables et précieux conseils qui me furent dûment transmis par leur destinataire. Au réfectoire, lors du premier déjeuner, on nous parqua tous les deux au bout de la table. J'avais faim. Les plats, déposés par le manu à l'autre extrémité, nous arrivèrent dégarnis. Comme les anciens devisaient entre eux dans un langage dont les idiotismes m'échappaient, je causai forcément avec Damiron et nous fîmes ainsi connaissance. Mais n'étant pas moi-même un grand causeur, je le laissai s'exprimer et je l'écoutai. Sa parole était périodiquement interrompue par une sorte de reniflement ou de hennissement, ou de hoquet que l'on aurait eu tort d'interpréter comme un ricanement parce que c'était tout simplement un spasme, néanmoins dérangeant, comme tous les tics.

Ils avaient décidé, le colonel Damiron et lui, qu'il rejoindrait le bahut dès la classe de première pour prendre de l'avance sur les élèves qui arriveraient en maths élem. Mieux aguerri, il augmenterait ses chances d'être retenu en hypotaupe, puis de passer en maths spé et d'intégrer l'X comme son papa. Leur calcul à tous deux était raisonnable, il s'avéra d'ailleurs juste, mais il me laissa pantois. À peine débarqué de mon école américaine, où chacun était incité à chercher librement sa voie, j'ignorais tout des finesses françaises régentant la sélection précoce des élites de la nation. Je restai interdit, sous le coup de ce que l'on appellerait aujourd'hui un « choc culturel », condition non répertoriée par la nosographie de l'époque, ou bien tellement répandue qu'un terme propre ne s'imposait pas (le ministère des Rapatriés, créé en 1962, venait d'être supprimé, parce que, disait-on, tous les pieds-noirs, sans parler des harkis, s'étaient parfaitement intégrés et que la France ne comptait plus que des métropolitains apaisés). Depuis deux ans, la maladie de ma mère avait barré toute considération d'avenir, suspendant le temps, nous renvoyant au passé comme à un bonheur perdu. Avant de partir pour le bahut, je n'avais pas eu de conversation avec mon père sur mes futures études et je ne pense pas qu'il eût des projets de carrière pour ses enfants. J'en étais donc là, à la veille de notre rentrée des classes, sans la moindre idée de mon destin, à écouter Damiron me parler de la taupe et de Polytechnique, mots qui ne recouvraient pour moi aucune réalité. Pour dire quelque chose, je lui demandai quand même un ou deux détails sur ces institutions, comment on y entrait, comment on en sortait. Il me dévisagea comme si j'étais un primitif. Face à ma naïveté, son regard était encore plus étonné que celui de Couturier quand je lui avais avoué que je ne savais pas distinguer un maréchal des logis — il disait un « margis » — d'un brigadier-chef.

Il y avait en effet deux vagues de recrutement successives au bahut, l'une au petit et l'autre au grand. Ceux qui y entraient entre la sixième et la première, c'était, en principe, parce qu'ils n'avaient pas trouvé mieux à faire, parce que leur père était mort pour la France, avait été tué au champ d'honneur, parce qu'ils étaient pupilles de la nation ou simples orphelins, parce que leur destin depuis leur venue au monde avait été d'entrer dans l'armée — ou d'y « rentrer », disaient-ils, comme s'ils y avaient déjà été, et sans se rendre compte de la vérité profonde de leur barbarisme, puisqu'ils y avaient toujours été —, parce qu'ils avaient été exclus d'autres établissements pour indiscipline, ou que leurs familles s'étaient débarrassées d'eux. J'appartenais moi aussi à cette catégorie, puisque, sans la mort de ma mère, je n'aurais pas été envoyé au bahut. Beaucoup des anciens y étaient depuis toujours. Ils y avaient été admis en sixième en 1960. Certains venaient même de plus loin, de l'École militaire enfantine Hériot où on les avait expédiés à six ans, en CP, comme ce camarade, Raymond, dit Ger's, qui a récemment pris sa retraite de général de gendarmerie et sera resté sous l'uniforme de six à soixante ans. Comme son père était déjà cogne, il passait en plus ses vacances dans une caserne et il n'en est jamais sorti.

Ces anciens étaient en sixième durant le putsch des généraux en avril 1961, en cinquième au plus fort des attentats de l'OAS, lors du référendum de mars 1962 sur l'autodétermination de l'Algérie, durant la fusillade de la rue d'Isly. Ici, nous étions tous marqués par les guerres coloniales comme par une cicatrice mal fermée. Nos pères y avaient combattu, certains n'en étaient pas revenus, d'autres s'étaient entretués du temps de l'Armée secrète. Nous reproduisions entre nous les querelles de nos géniteurs. Les gradés qui nous encadraient étaient tous passés par le djebel, nombre d'entre eux portaient la croix de guerre des TOE avec une ribambelle de citations. L'adjudant-chef du service des sports, Pietri, un pied-noir surnommé Bab El-Oued, qui nous traitait gentiment de « Frankaouis », ne se résignait pas à la perte de l'Algérie et remâchait son amertume. « Cassez-vous ! Barrez-vous ! » nous conseillait-il durant ses moments de déprime : « Vous n'avez plus rien à faire dans l'armée, maintenant que la France a laissé tomber l'Algérie. » Il vomissait la « grande Zorah », comme il appelait le général de Gaulle, si bien que les meilleurs des ñass — les pauvres types, les malchanceux, suivant le diminutif à la fois dérisoire et affectueux, variante de l'argotique « gniasse », « gnasse », ou « gnace », et sorte de Schlemihl local, par lequel les élèves désignaient leur race élue, ou maudite — ne savaient plus sur quel pied danser. Depuis qu'ils étaient tout petits ils s'étaient préparés à « faire le coup de feu », à se « faire trouer la paillasse pour servir la France », ou à « casser du fellagha », et ils étaient à présent tout dépités.

Il n'y avait pas plus antimilitariste qu'un ñass désillusionné, qu'un « fana mili » découvrant qu'il avait été trompé et se sentant trahi. Il n'y avait pas plus détraqué, ni d'ailleurs plus versatile. Si, par indolence ou par manque d'imagination, il suivait quand même la voie tracée depuis toujours, s'il était reçu à Saint-Cyr ou à Saint-Maixent, il nous revenait au 2S avec la boule à zéro pour fêter Austerlitz, de nouveau remonté à bloc, fou de baroud.

Damiron m'apprenait que des élèves d'un autre genre rejoindraient le grand bahut en classe terminale — on ne substantivait pas encore l'adjectif —, par ambition et non plus par obligation ou fatalité, pour y préparer une école d'officiers, afin de réaliser leur projet de carrière, ou celui que leurs parents avaient pour eux. Il était de ceux-là et il avait même devancé l'appel. Entre les deux catégories de ñass, je devais plus tard observer des différences d'origine sociale, de classe, pour le dire ainsi. Le petit bahut était le vrai, celui où avait lieu l'essentiel, même si l'autre, le grand, occupait le siège historique, l'ancien collège des jésuites, l'école de Descartes et de Mersenne, avec son enfilade imposante de cours, sa chapelle, son parc, sa bibliothèque. Dans ce monument, on savait ce que l'on faisait : on visait une mention au bac, on bûchait un concours (Saint-Cyr, Navale, Salon-de-Provence, l'X), on rêvait d'intégrer, de réussir. De l'autre côté de la ville, du bas côté, les choses étaient beaucoup plus compliquées et très confuses, bien plus fascinantes aussi pour qui prenait un peu de recul et réfléchissait. Même si l'on ne se l'avouait pas, on sentait que l'on était perdu. Si certains s'en sont tirés, c'est qu'ils ont eu de la chance. Au petit bahut, il y avait plus de fils d'officiers subalternes, sortis du rang, ou même de sous-officiers, alors que le grand bahut recrutait plutôt parmi les rejetons d'officiers supérieurs. Comme mon père était général, j'aurais dû faire partie de cette seconde vague, mais le sort m'avait pour ainsi dire déclassé. Ce sont là des nuances que l'on perçoit vite si l'on n'a pas les yeux dans sa poche : les quelques camarades que j'avais croisés dans l'autorail du Mans m'avaient mis la puce à l'oreille ; Damiron compléta mon éducation.

Il me parla aussi des gogues en plein air. Son père l'avait mis en garde, lui conseillant d'observer une discipline intestinale pointilleuse et de faire l'effort d'aller à la selle chaque matin en dépit de l'inconfort du petit pavillon exposé à tous les vents et de la promiscuité qui y régnait. Le jeune Damiron vénérait son père ; il était émerveillé par l'ambition que celui-ci avait pour lui comme par les recommandations pratiques qu'il n'hésitait pas à lui donner sur toutes les choses de la vie, les plus hautes comme les plus ordinaires. Moi qui avais toujours eu des rapports assez distants avec mon père, j'étais pour le moins déconcerté. Damiron m'informait de tout cela tandis que nous déambulions derrière la caserne après le déjeuner, nous dirigeant vers le foyer, entre des constructions basses qui menaient jusqu'aux salles de classe édifiées plus récemment, dans les années cinquante, au fond du terrain, de même que les dortoirs des petits, les « miteux », qui complétaient le nouveau quadrilatère. Des baraques de bois parsemaient encore le terrain. Je devais apprendre qu'elles dataient de l'après-guerre, quand le bahut était revenu ici après quatre années d'errance en zone libre, et avaient été montées par les prisonniers allemands qui avaient longtemps cohabité avec les ñass au fond du quartier. J'aurais dû mieux écouter Damiron, mais je renonçai à aller à la selle. Quelques semaines plus tard, une occlusion intestinale m'expédia à l'infirmerie, où l'on me fit ingurgiter des litres d'huile de paraffine.

Mon corps renâclait. Je m'en aperçus de nouveau le premier après-midi, lorsque le brave Couturier, sous les ordres d'un sous-officier, le sergent-chef Lallement, fantassin rondouillard à la peau rose, aux cheveux fins et blondasses peignés de côté pour recouvrir une calvitie précoce — il répondait au surnom de Porcinet —, nous prit à part tous les deux, Damiron et moi, et nous conduisit jusqu'au terrain de sport, l'ancien terrain de manœuvre, derrière le quadrilatère des salles de classe et des dortoirs des miteux, pour nous dispenser nos premiers rudiments d'instruction militaire. Il s'agissait de nous apprendre à marcher au pas. Garde-à-vous. Repos. En avant… Marche ! An, dé, an, dé… Porcinet criait les ordres d'une voix aigre avant de les commenter : « Rentrez le ventre, bombez la poitrine, tendez les bras, levez les têtes, le petit doigt sur la couture du pantalon. » Couturier indiquait les mouvements ; nous l'imitions. Je n'étais pas doué ; Damiron, lui, c'était comme s'il n'avait connu que ça. Il allait bientôt devenir notre homme de base, parce que les anciens en avaient soupé, faisaient preuve de mauvaise volonté, s'amusaient à casser la cadence, et parce qu'il était au fond une bonne poire. Nous marchâmes tous les trois au pas cadencé sur la piste de cendrée qui faisait le tour du terrain de foot, Couturier, Damiron et moi, tandis que Porcinet nous surveillait depuis la pelouse, se moquant de ma maladresse : « Quel zouave ! Quel olibrius ! Il me les gonfle. Je vais le pistonner, celui-là », s'écriait-il régulièrement à mon adresse, ce qui achevait de me faire perdre tous mes moyens. Plus tard, il ferait de ma mise au pas une question d'honneur et j'aurais droit à des séances seul à seul avec lui, après le goûter ou le dîner. Sans grand succès non plus. Il me jugeait peu martial, ce qui heurtait son sens moral compte tenu de mes antécédents familiaux. J'avais aimé danser au rythme du twist ou du rock and roll, lors des soirées de mon école américaine. Le pas cadencé ne semblait pourtant pas plus compliqué.

Et puis un jour — j'y reviendrai —, pris en main par le dénommé Bouboule, le cancre de la compagnie, je découvris que c'était facile et même amusant. Ce fut une révélation : je compris comment changer de pied en sautillant, avec la pointe d'un soulier effleurant le talon de l'autre. Si bien que parfois, marchant seul dans la rue, je me surprends à changer de pied pour voir si j'en suis encore capable, comme de composer des alexandrins ou de résoudre une équation.

Mais l'évocation de cette première séance d'instruction militaire avec Porcinet, Couturier et Damiron me fait songer à tant d'autres exercices d'ordre serré beaucoup plus pénibles, autour du stade, certains soirs de chahut de printemps après l'extinction des feux. Cette année-là, la 5e compagnie, peut-être parce qu'il revenait traditionnellement aux vétérans du petit bahut, aux rhétos — on ne disait pas la « classe de première », mais la « rhétorique », comme avant 1902 dans tous les lycées de France, ou la « rhéto » tout court, plutôt —, de montrer l'exemple de l'indiscipline, ou bien parce que notre promotion était particulièrement réfractaire (je ne saurais le dire, puisque je suis arrivé cette année-là seulement et n'ai pas eu de quoi comparer), en tout cas les rhétos protestèrent souvent contre l'extinction des feux, qu'ils jugeaient prématurée, et ils n'avaient pas tort si, comme je crois m'en souvenir, l'électricité nous était coupée dans les dortoirs à neuf heures et quart. C'était nous, les rhétos de France. Si l'on nous avait demandé de traduire, nous aurions sans doute été réduits à balbutier : les aînés, les anciens, les durs, les caïds, les fortes têtes. Nous portions — crânement, triomphalement — un « rhô » de laiton épinglé au calot, bien que nous n'eussions pas la moindre idée de ce qu'était l'*ars bene dicendi*, tellement négligé, en ce temps-là, que M. Formica, notre professeur de français, n'aurait pas songé à nous en signaler les règles pour décrire la composition d'une page de Montaigne ou d'une tirade de Racine. La rhétorique devait revenir à la mode une dizaine d'années plus tard ; elle me passionna d'autant plus que je me sentais honteux de n'en avoir rien su à l'époque où j'exhibais naïvement la qualité de rhéto sur mon bonnet de police.

Quand il y avait du pétard, l'officier et les sous-officiers de garde rappliquaient dans les chambrées, nous faisaient rhabiller, descendre dans la cour, nous rassemblaient en colonnes et nous emmenaient marcher au pas cadencé autour du terrain de foot pendant une heure ou plus, parfois tard dans la nuit, jusqu'à épuisement. « Rompez les rangs », criait enfin Vandal ou Porcinet avant que nous nous débandions et précipitions dans les dortoirs. Le lendemain, on disait qu'il y aurait double dose de bromure dans le picrate pour calmer nos esprits animaux.

Le premier soir à l'heure du dîner, quelques nouvelles têtes firent leur apparition au réfectoire. Ce n'était toujours pas la rentrée, mais ces ñass-là n'appartenaient pas à l'espèce bonasse du Couturier, prêt à sacrifier quelques jours de ses grandes vacances pour complaire au Donald. Le fait de collaborer avec les gradés à l'initiation des bizuts le comblait. Au contraire, les élèves qui parurent au dîner étaient une poignée d'insoumis, des fortes têtes, des réfractaires, des « mauvais esprits », suivant l'expression la plus courante des gradés pour désigner quiconque manifestait un tant soit peu d'indépendance. On les avait convoqués avant le reste de la compagnie en raison d'incartades commises à la fin de l'année scolaire précédente. Le Donald les avait prévenus qu'ils auraient à adopter une autre attitude, plus coopérative, plus docile, s'ils ne voulaient pas risquer l'exclusion à la fin du premier trimestre et compromettre leur avenir. Comme punition, on leur avait infligé des jours de privation de vacances — on disait des « PV » — à exécuter avant la rentrée. Ils allaient balayer les cours, remettre en ordre les classes et les dortoirs, gratter les planchers, arracher les mauvaises herbes : programme de bagnards que Couturier nous détailla avec le sourire, à Damiron et à moi, en nous mettant en garde contre l'influence de ces individus qu'il jugeait infréquentables et auxquels il se contenta d'adresser un salut distant.

Tandis que Damiron m'exposait les grandes étapes de la glorieuse — à ses yeux — carrière de son paternel, propos que je suivais d'une oreille distraite, je repérai deux garçons à la table voisine, un grand mince et un petit gros, du genre pot à tabac, qui parlaient fort, riaient, se moquaient ouvertement du Donald et de Porcinet. Le petit, moins gros que rond à vrai dire, Bouboule, avait les cheveux frisés et arborait des boucles provocantes qu'une coupe militaire « à la yul » — souvenir de Yul Brynner dans *Taras Bulba* — ferait disparaître dès le lendemain. L'autre, le grand, dit le grand Crep's, portait d'épais verres de myope sertis dans une lourde monture de bakélite ou de matière plastique noire et exhibait un léger duvet en guise de moustache ; sa voix était forte, rocailleuse, comme s'il avait abîmé ses cordes vocales à force de brailler. Tous deux étaient des modernes, comme toutes les fortes têtes de la compagnie. Ils se racontaient bruyamment les aventures de leur été, se vantaient, se donnaient des nouvelles de plusieurs de leurs camarades encore absents.

Après le dîner, ils daignèrent s'intéresser aux deux nouveaux et demandèrent à Couturier de les leur présenter, c'est-à-dire Damiron et moi. Je compris que le bizutage allait commencer. Si le grand Crep's et Bouboule, chevaux de retour du bahut depuis la classe de sixième, furent impressionnés que nous fussions tous deux rejetons d'officiers supérieurs, ils n'en laissèrent rien paraître et nous convoquèrent au dortoir pour un interrogatoire. Damiron s'y précipita, son père lui ayant recommandé de se soumettre de bon cœur aux rites d'initiation imposés par les anciens. Moi, personne ne m'avait mis au courant et je le suivis.

Nous récoltâmes chacun un sujet de dissertation farcesque à remettre le lendemain, au réveil. Celui de Damiron, je ne m'en souviens plus, mais le mien m'est resté à l'esprit parce qu'il me troubla : « De l'influence de la masturbation des baleines sur les mares et cages. » Les baleines, les mares et les cages ne faisaient pas problème, mais la masturbation, j'en ignorais presque tout. Ma gêne tenait un peu au mot — en anglais, nous utilisions des expressions plus familières, de brefs verbes suivis de particules adverbiales expéditives, dont, étant parti trop jeune, je ne connaissais pas l'équivalent français — et

50

beaucoup à la chose. J'avais voyagé seul, loin, comme un adulte. Avec un camarade, le fils de l'ambassadeur d'une principauté d'opérette, je feuilletais les revues pornographiques dans un kiosque de Dupont Circle ; j'y avais même dérobé un manuel d'art érotique pour m'instruire de ce dont personne ne m'avait mis au courant. En dansant avec l'une de mes amies, au printemps, lors de la fête de fin d'année à l'école, l'embrassant, la serrant contre moi, dans l'excitation du mouvement je n'avais pas pu me retenir et j'avais répandu quelques gouttes de semence ; surpris par l'événement, je m'étais soudain raidi ; elle s'en était aperçue, mais nous n'avions rien dit. Pourtant, avant mon arrivée au bahut il ne m'était pas venu à l'esprit que l'on pût se donner du plaisir tout seul. En tout cas je n'avais pas essayé. Peut-être la maladie et la mort de ma mère avaient-elles réfréné mes curiosités sexuelles. Quoi qu'il en fût, je me trouvais bien embarrassé de traiter le sujet prescrit alors que me manquaient à la fois le vocabulaire et l'expérience. Assis sur un tabouret, à la table du dortoir, je suçai ma pointe Bic, alignai quelques phrases insipides sur une feuille blanche, restai perplexe devant ce pensum. Puis je me décidai pour un paragraphe de haute fantaisie. Mon propos dut rester sibyllin. Peu importait, car personne ne lut ma copie qui, aussitôt remise à Bouboule, atterrit dans une corbeille.

Ainsi débutèrent mes relations avec le grand Crep's et Bouboule, les caïds de la 5e compagnie, initialement mes tortionnaires, bientôt mes amis. Le gros des élèves arriva le lendemain, chacun prenant possession de son lit de fer et de sa moitié d'armoire. Porcinet, qui pour mon malheur se révéla mon chef de section, le sous-officier responsable de la classe de première C2, nous rassembla dans la cour pour une séance d'ordre serré. Il me fit mettre au dernier rang parce que je traînais la patte : « Quelle buse ! Quel cosaque ! Des bleus comme ça, qu'ils restent chez leur maman », hurlait-il à mes oreilles. Je me sentais stupide, baissais la tête, n'osais pas me révolter. Il n'y avait plus d'échappatoire : j'étais condamné au bahut à perpétuité.

Les jours où il pleuvait, le courrier n'était pas distribué au rapport de midi et le sous-officier de semaine passait de table en table, au réfectoire, pendant le déjeuner. Le rituel provoquait en moi des battements de cœur dans les premiers temps. Il lisait le nom des élèves qui avaient reçu un colis, qu'il faudrait récupérer chez le vaguemestre ou bien au bureau de la compagnie. J'attendais des signes de l'autre monde. Scrutant les tablées, Vandal, Porcinet ou l'un des autres chefs de section fouillait dans sa pile de lettres classées par ordre alphabétique et en déposait un lot au bout de la table. Comme j'étais cantonné à l'autre extrémité, contre le mur en face de Damiron, si j'avais reçu ce que je me mis à nommer moi aussi une « bouquine », elle passait de main en main jusqu'à moi. On me taquinait, me menaçait de la faire disparaître ; on faisait semblant de la déchirer. Quand la lettre me parvenait enfin, elle ne m'intéressait plus. Ce seraient non pas des nouvelles d'Amérique mais un compte rendu d'activité signé de mon père, consacrant une ligne à chacun de mes frères et sœurs, ou un sermon édifiant de l'une de mes tantes, rien de ce que j'avais envie d'entendre. Je ne l'ouvrais pas, la gardais pour plus tard ou pour jamais.

Les cours débutèrent. Sauf ceux de physique, ils avaient lieu dans notre salle de classe, qui était aussi notre salle d'étude. Chacun y avait sa table assignée et son casier contre le mur du fond où serrer ses manuels et ses cahiers. Les anciens s'étaient débrouillés pour que Damiron et moi, les nouveaux, nous nous retrouvions au premier rang, l'un auprès de l'autre, sous le bureau du professeur, placé sur une estrade. Quand les professeurs passaient le seuil de notre classe, l'un d'entre nous, celui dont la table était la plus proche de la porte et qui surveillait les allées et venues dans la cour, par-dessus le verre sablé de la fenêtre, beuglait : « Fixe ! » Comme un seul homme, nous nous mettions au garde-à-vous derrière nos tables et claquions les talons. Certains professeurs, amateurs d'ordre, paraissaient comblés par cette mise en scène et tardaient à nous mettre au repos d'un geste discret de prélat. D'autres, notamment les soldats-professeurs, semblaient plus embarrassés en observant nos petits doigts tendus sur la couture du pantalon et nous faisaient asseoir sans délai avec un sourire contrarié.

Aucun de mes maîtres ne me fit une forte impression. De la plupart, je n'ai pas retenu le nom. En sciences naturelles, nous avions un vieux myope bavard ; en mathématiques, un soldat-professeur timide. Le corps enseignant se composait à parts à peu près égales de titulaires entre deux âges qui s'étaient fait nommer au bahut en raison de leur penchant pour la discipline, et de jeunes agrégés effectuant leur service militaire comme enseignants, après avoir bénéficié de sursis qui leur avaient épargné un séjour en Algérie.

En français-latin, nous avions aussi un soldat-professeur, M. Formica, qui postillonnait. Un peu d'écume blanchâtre, de salive sèche, s'accumulait au coin de ses lèvres, sécrétion malpropre des gens trop loquaces. Des années plus tard, l'ayant retrouvé sur mon chemin, comme on le verra, j'appris qu'il était un amateur de jazz, musique sur laquelle il écrivait des articles appréciés dans des revues d'avant-garde. J'ai regretté de ne pas l'avoir su à l'époque, parce que cela m'aurait donné plus d'estime pour lui. Avec le grand Crep's, nous nous passionnâmes cette année-là pour le bebop et ensuite pour le free jazz. J'aurais pu consulter M. Formica, lui demander son avis sur nos musiciens préférés, des conseils. Mais ses cours de latin étaient mornes et ses idées sur la littérature française convenues, encore que je doive à la vérité d'ajouter qu'il nous fit faire un jour une explication du deuxième *Spleen* de Baudelaire, « J'ai plus de souvenirs que si j'avais mille ans... », poème dont la lecture acheva de me troubler.

Le professeur d'anglais, bel homme jovial et corpulent, M. Bidon, dit le gros Bid's, fier de son accent britannique affecté, était décontenancé par mes prononciations à l'américaine et me faisait moqueusement la leçon devant mes camarades. Le professeur de physique, M. Legrand, un moustachu aux beaux cheveux lisses, soldat-professeur l'année précédente, venait d'être recruté et en profitait pour se laisser pousser la tignasse. De tous, il était le plus brillant, le plus libre, sûrement le meilleur enseignant, n'hésitant pas à improviser et à digresser, peut-être parce qu'il se sentait chez lui dans les salles de physique, tandis que les autres professeurs se rendaient sur notre territoire comme en visite, craignant toujours quelque traquenard, posant leur cartable avec méfiance sur le bureau, s'asseyant avec précaution, se retournant incessamment quand ils écrivaient au tableau noir pour surprendre les mouvements divers qui ne manquaient pas de se produire derrière leur dos. C'était même le cas de M. Auberger, notre professeur d'histoire-géographie, pourtant un notable, conseiller général et maire de la localité, qui s'adressait à nous sur un ton avantageux mais n'en était pas moins conscient de notre indifférence atavique à ses mandats locaux, héritage affaibli de l'allergie traditionnelle des militaires aux politiques.

Le soir, nous avions étude de cinq heures à huit, sous la surveillance d'un soldat, un « pitou », étudiant sursitaire insuffisamment diplômé pour nous faire cours mais qui était parvenu à se faire recommander pour l'un de ces postes relativement planqués et convoités. À la différence des soldats-professeurs, ces surveillants portaient un uniforme de bidasse. Ils logeaient au bout des dortoirs des miteux, qu'ils encadraient, auprès desquels ils servaient d'éducateurs. Ils étaient plus proches d'eux que les sous-officiers et communiquaient plus aisément avec eux. Plus âgés que nous, mais point trop, ils acceptaient parfois de nous servir d'interlocuteurs avec le dehors, se chargeant de telle ou telle emplette ou commission qui nous était interdite.

L'ordre des journées était immuable, nous évitant toute responsabilité, nous épargnant la moindre initiative. Ainsi, nous apprendrions la servitude militaire. Il suffisait d'obéir, de se laisser faire, de suivre, et tout irait bien. Réveil à la diane, le clairon sonnait dans la cour. « Debout là-dedans ! » criait le sous-officier qui passait dans les dortoirs, allumant les néons, martelant le plancher de ses chaussures cloutées pour nous empêcher de nous rendormir. Il repassait un quart d'heure après, distribuant cette fois les privations de sortie, les « PS », à ceux qui traînaient encore au pieu. « Au jus là-dedans ! » beuglait un ironiste encore blotti sous les couvertures.

« Debout les morts ! » lui répondait un esprit fort à l'autre bout du dortoir. Le sous-officier sévissait. Suivait le débarbouillage à l'eau glacée qui rendait cruelles les lames bleues contre les mentons encore adolescents, puis les corvées de nettoyage des dortoirs avec des balais de paille de riz qui remuaient les gros moutons de poussière de dessous les lits et les armoires sans les chasser. On prenait son café au lait en tâtonnant, se précipitait au rassemblement dans la cour pour entendre le rapport du capitaine, la lecture de la liste des punis du jour (consignes, PS, arrêts de rigueur) par l'adjudant de compagnie. On se rendait en cours de huit heures à midi, on déjeunait, faisait un détour par le foyer pour un baby-foot ou une portion de flan, retournait en cours de deux à quatre heures, goûtait, allait à l'étude du soir, dont les trois longues heures suffisaient amplement pour se maintenir à flot. À la sonnerie de huit heures, quand nous sortions de l'étude à la nuit tombée, un sentiment de délivrance s'emparait de nous : un jour de moins nous séparait du prochain dimanche, des vacances, un jour de plus à barrer sur le calendrier. Le goûter était dans les talons et nous traversions le quartier au pas de charge jusqu'au réfectoire, moi clopinant à la queue du peloton. Nous étions impatients de la petite heure de liberté que, après le dîner, nous pourrions consacrer à nous-mêmes, à la lecture, au courrier, à la télévision, à la belote ou aux tarots, ou bien au farniente, jusqu'à l'extinction des feux.

J'essayais de m'isoler avec un livre. Mais c'était le moment où les anciens se ressouvenaient des responsabilités que la tradition leur conférait : ils avaient à cœur l'instruction des bizuts, leur initiation aux mystères des lieux. Durant les premiers mois, jusqu'au 2S, les brimades se succédèrent à peu près tous les soirs, si bien que ce court loisir vespéral m'était aussitôt confisqué à la sortie du réfectoire. J'étais soumis à des épreuves physiques ou intellectuelles plus absurdes les unes que les autres. On me faisait faire tout le tour du dortoir en rampant sous les lits, tandis que les anciens, assis sur leur paddock, s'interrompaient dans leur occupation pour ricaner quand j'apparaissais entre leurs jambes. Ils n'omettaient pas de me donner des coups de pied afin de m'endurcir. Les marches en canard, les lits en cathédrale, les culées se succédaient, mais comme nous n'étions que deux bizuts, la fièvre collective ne monta jamais très haut et je ne peux pas dire que la bahutage ait le moins du monde brisé ma volonté. D'autres fois, on m'ordonnait de faire des pompes par séries de vingt au milieu du dortoir, ou de rédiger des parodies de composition sur des sujets aussi grotesques que le premier que j'ai cité. On nous menaçait tous les soirs de nous « faire une bite au cirage », on nous détaillait la scène projetée et on s'excitait en nous voyant pâlir, mais le supplice de l'astiquage pénien nous fut finalement épargné. Le pire fut le soir où les anciens nous aspergèrent de peinture jaune. Nous passâmes une partie de la nuit, Damiron et moi, à nous frotter mutuellement le dos dans les lavabos pour faire disparaître notre badigeon. Tout cela était pénible, monotone, mais n'avait rien de tragique.

Des années plus tard, circulèrent des rumeurs de bizutages qui auraient mal tourné non seulement dans les corniches, où avait trouvé refuge une mentalité réactionnaire marginalisée dans le reste de la société — nostalgie de Vichy, de l'Algérie française, de la messe en latin, culte de Pétain, de l'OAS, de Mgr Lefebvre, voire de la SS —, mais aussi au petit bahut, en classe de première, que l'on avait cessé d'appeler la rhéto. On apprenait par la presse que des humiliations avaient pris une forme sexuelle et qu'elles avaient été qualifiées de « viol en réunion » une fois portées à la connaissance du procureur par le colonel lui-même. On en déduisait que de telles « dérives », comme les nommaient le chef d'état-major de l'armée de terre en faisant le vœu d'y mettre un terme, avaient été tolérées jusque-là, voire encouragées pour entretenir l'esprit de tradition, mais que la loi du silence — l'*omertà* des mafias, l'honneur des soldats — imposait auparavant le secret, lui-même essentiel à l'initiation, sur des rites collectifs inimaginables hors des murs de notre redoute. Un de mes collègues universitaires, dont le fils avait bizarrement souhaité qu'on l'envoyât au bahut, entra dans un long litige avec l'administration de l'école, puis avec le ministère, à propos des vexations subies par son garçon, qu'il avait retiré de l'école au bout d'une quinzaine de jours. Je n'ai jamais réussi à le persuader que je n'avais pas subi de sévices à mon arrivée en rhéto. L'incompréhension est aujourd'hui semblable quand je dis que j'ai servi la messe entre huit et treize ans, en France, aux États-Unis, ailleurs, sans jamais rencontrer un prêtre pédophile. Personne ne le croit, si bien que je finis par penser que j'étais particulièrement ingénu, ou aveuglément complice.

D'ailleurs, le plus avilissant n'était pas le bizutage, mais la vie quotidienne. Notre existence — je m'en aperçois en me la remémorant — avait peu changé depuis le XIXe siècle. Les dortoirs, avec leurs longues rangées de lits métalliques accotés aux murs, les réfectoires, avec leurs longues rangées de tables de marbre scellées au sol, étaient identiques. Qu'y avait-il de différent du temps où le jeune Aupick, le fils Rossel ou le petit Gallieni fréquentèrent le bahut? Sur une carte postale représentant un des réfectoires en 1900, je reconnais les mêmes tables de marbre et le même chariot métallique poussé par un manutentionnaire revêtu du même tablier descendant jusqu'aux pieds et portant la même moustache. Aupick, Rossel et Gallieni n'avaient pas connu le chauffage central, ni sans doute l'eau froide à l'étage, mais c'était bien là tout le progrès technique advenu depuis leur époque, et nous continuions de souffrir du froid. Cet automne-là, il plut sans relâche. Les égouts du quartier débordèrent; les allées devinrent des lits de boue dans lesquels nous traînions nos brodequins. J'apprenais que la France était un pays gris et pluvieux, que l'on y attrapait des refroidissements. Le Loir quitta son lit; une grande partie de la ville fut inondée, presque jusqu'au quartier. Le dimanche, pour nous distraire, nous allâmes constater les dégâts. Puis il fit si froid que même se rincer la bouche après s'être brossé les dents devint une épreuve. Au cours de l'hiver, une épidémie de bronchite laissa peu d'élèves valides.

Nous vivions comme si le monde extérieur n'existait pas. Nous ignorions quasi tout de ce qui se passait au dehors, nous n'avions aucune idée des choses de la vie. Les premiers transistors n'avaient pas encore pénétré dans les dortoirs; on ne recevait pas de journaux, sauf *TAM*, le magazine des forces armées, qui venait de succéder à *Bled*, la gazette de la guerre d'Algérie. Dans mon école de Washington, après le sport, je m'attardais plusieurs heures en fin d'après-midi à la bibliothèque, je lisais n'importe quoi, Duras et Robbe-Grillet, en pleine vogue là-bas, avant Balzac et Maupassant. J'étais venu sans livres, pensant en trouver ici. Il n'y en avait pas. Dans ma première lettre à mon père, je lui demandai de m'en envoyer d'urgence quelques-uns, précisant les titres. La dernière nouveauté était la salle de télévision, une seule pour le petit bahut, où les rideaux étaient toujours tirés et où le poste était posé très haut sur une planchette fixée au mur par deux équerres, devant des rangées de tabourets métalliques disposés comme dans un cinéma de patronage. J'ai peu fréquenté cette salle, où nous ne recevions pas la deuxième chaîne, toute nouvelle, mais seulement la première, en noir et blanc. Mis à part quelques émissions de *Cinq Colonnes à la une*, je me rappelle tout juste y avoir suivi l'élection présidentielle, la première au suffrage universel direct depuis 1848 — y compris, cette fois-ci, le vote des femmes et même celui des militaires —, à partir du soir du premier tour où, à notre surprise, car nous le pensions inamovible et ne nous étions pas intéressés à la campagne jusque-là, le général de Gaulle fut mis en ballottage par François Mitterrand. Michel Droit interrogeait le grand Charles sur le petit écran ; les Français découvraient un homme comme les autres qui s'agitait sur sa chaise tel un cabri tandis que les ñass s'époumonaient à beugler : « La girafe au zoo ! La girafe au zoo ! » Le monarque perdait de son prestige, mais il l'emporta.

Nous n'avions pas accès au téléphone. Il y en avait un seul au fond du poste de police, accroché au mur dans une cabine, où nous étions appelés dans les grandes circonstances, quand il y avait un drame familial, décès d'une grand-mère ou infarctus d'un parrain à qui il serait poli d'adresser des vœux de convalescence. La sono grésillait dans de mauvais haut-parleurs placés aux coins stratégiques du casernement : « L'élève Damiron est appelé au poste de police pour communication téléphonique. Je répète. L'élève Damiron est appelé au poste de police pour communication téléphonique. » Ça n'annonçait jamais rien de bon. De l'autre bout du quartier, l'on courait comme des dératés et l'on arrivait haletants à la cabine, incapables de prononcer un mot posément. Plus tard, il m'a fallu longtemps pour réapprendre à me servir de cet appareil, qui me semble toujours vaguement inutile puisque j'ai pu vivre des années sans lui. Aujourd'hui, j'imagine que les ñass consultent leur courrier électronique plusieurs fois chaque jour, naviguent sur internet, disposent d'un portable dans la poche là où nous avions un couteau à cran d'arrêt.

Nos immenses dortoirs — en maths élem, nous étions une bonne centaine dans des lits superposés sous une grande nef renversée — ont été remplacés par des alvéoles ou des boxes disposant de lampes de chevet et de rideaux aux fenêtres. La vie au bahut a vite changé et n'a bientôt plus eu rien à voir avec celle que nous avions connue. Par exemple, sur une décision de Charles Hernu, ministre de la Défense après 1981, les premières filles ont fait leur apparition. L'aggiornamento s'est poursuivi et le bahut vit aujourd'hui, j'imagine, dans le siècle, car il n'est plus possible de l'éviter. L'uniforme a été remplacé par un blazer. Le contreplaqué, l'aggloméré se sont substitués au mobilier métallique. Un self-service a remplacé le chariot poussé par les manutentionnaires dans les réfectoires. La race des manus s'est éteinte, ouvriers agricoles dévoyés roulant leurs mégots jaunis perpétuellement suspendus aux lèvres et régulièrement éteints, enfourchant leurs vélos à l'abri de leurs bérets, quasi illettrés qui n'ont plus leur place dans le monde moderne. Derrière le comptoir du self, des jeunes femmes distribuent la saucisse et la purée. Un parking a été construit pour leurs Twingo et leurs Fiesta. Les élèves eux-mêmes possèdent des voitures, et les latrines en plein air ont été démolies. J'ignore où les ñass satisfont leurs besoins, mais ils le font sûrement plus commodément que nous.

Le pavillon des douches a lui aussi été rasé. Après de longues journées d'attente durant lesquelles je me demandais quand je pourrais me laver, nous fûmes enfin conduits, après le goûter, toute la classe de première C2, en ordre serré sous les « An, dé » de Porcinet, jusqu'à une construction basse, à la périphérie du quartier, entre les salles de physique et la chapelle. Nous rompîmes les rangs, entrâmes colonne par colonne dans une pièce où étaient installées des rangées de bancs sur lesquels nous déposâmes nos vêtements. Puis nous passâmes par une étroite ouverture dans une seconde pièce qui avait à peu près la même superficie et dont le sol était couvert de claies de bois. Au plafond, une trentaine de pommes de douche, régulièrement espacées, une pour chaque élève de la première C2. Dans un coin de la pièce, non loin de l'entrée, un manu était installé sur un haut tabouret devant des manettes raccordées aux tuyaux qui sortaient de la chaudière. Porcinet se tint debout auprès de lui afin de prendre le commandement des opérations et de s'assurer qu'elles ne dégénéreraient pas en chahut. Je m'installai sous un pommeau de douche. Bonitatibus, un fana mili au nom magnifique et aux prétentions exorbitantes, me poussa sans ménagement d'un coup d'épaule. Les deux bizuts furent relégués dans le fond, où la pression était faible et où les plus chétifs des anciens s'étaient déjà regroupés. Quand chacun eut trouvé sa place et que Porcinet eut obtenu le silence, le manu tourna le robinet et nous eûmes droit à une minute d'eau chaude pour mouiller nos corps — ma première eau chaude depuis une semaine. L'eau cessa de couler. J'observai mes camarades pour les imiter. Chacun s'empara de son gant de toilette et se savonna hâtivement par tout le corps. Je fis de même. Au bout de deux minutes, le manu, toujours sous les ordres de Porcinet, rouvrit le robinet et nous eûmes tout juste le temps de nous rincer sous une coulée d'eau chaude qui se raréfia bientôt. Nous nous précipitâmes dans la première pièce pour nous sécher et nous rhabiller, et nous nous retrouvâmes dehors, derrière l'homme de base qui pestait contre les retardataires, dont moi naturellement, non initié aux usages et peinant à enfiler mes chaussettes de laine et mes brodequins sur mes pieds humides. Damiron, averti par son père, avait été prêt le premier. Le cérémonial, qui n'avait pas duré plus d'un quart d'heure en tout, se répéta ensuite tous les mercredis, car chaque classe avait son horaire définitivement inscrit en bleu, rouge et vert, avec des lettres soigneusement calligraphiées au pochoir, sur un grand tableau affiché au bureau de la compagnie et qui faisait la fierté de Vandal après avoir distrait sa mélancolie.

Revenant vers les dortoirs, je regrettais les longues douches solitaires que je prenais chaque matin en me levant dans notre maison de Washington, sans compter la seconde douche de la journée dans les vestiaires de l'école après la séance quotidienne de sport. Ici, la douche hebdomadaire avait lieu, comme par un fait exprès, ou par un malencontreux concours de circonstances, car je ne pense pas que la coïncidence fût délibérée — il manquait à nos gradés un fond de perversité —, juste la veille de notre séance d'éducation physique, si bien que nous n'avions pas l'occasion de nettoyer nos suées durant près d'une semaine entière.

Il était à peu près impossible de rester soigné au bahut. Certains élèves n'essayaient même pas et vivaient dans la saleté. Un mois après la rentrée, la cravate et la vareuse des barons de la crasse portaient les empreintes de tous les menus du réfectoire : dégoulinades de sauce, incrustations de confiture ou de moutarde, coulures de chocolat. Si un rêve impur vous polluait dès le lundi, vous étiez condamné à finir la semaine dans un pyjama empesé, un de ces pantalons bleu ciel retenus à la taille par une cordelette et qui s'écartaient sur la toison pubienne. Pour éviter ce genre de surprises, ou par respect des traditions, nombreux étaient les ñass qui gardaient leur caleçon sous le pyjama. Comme on nous en donnait deux dans le sac de linge hebdomadaire, cela laissait un recours même s'il fallait remettre un caleçon souillé. Malgré les inconvénients, je n'ai jamais pu me résoudre à suivre cet usage. Coucher en caleçon, cela m'apparaissait comme le comble de la malpropreté et une étape décisive vers le renoncement à la dignité humaine.

Les premiers devoirs surveillés eurent lieu. En mathématiques, Damiron obtint la meilleure note ; la deuxième, nettement moins bonne, me fut attribuée. Le classement et l'écart furent du même ordre en version latine et dans la plupart des autres matières. Damiron venait d'un bon lycée d'une grande ville de garnison de l'Est, Nancy ou Metz ; il avait bénéficié des cours particuliers que son père lui avait donnés tout au long de sa carrière scolaire, et il était discipliné, mieux entraîné que moi, plus déterminé à réussir. Mon éducation avait été assez désordonnée. J'avais souvent changé d'établissement, au gré des affectations de mon père, depuis que j'étais entré à l'école, à Tunis, après l'été où ma mère m'avait appris à lire. Damiron m'apparaissait comme un élève modèle, sûr de lui, constant, indifférent aux autres, alors que mes résultats avaient toujours eu des hauts et des bas suivant que j'aimais ou non la maîtresse, ensuite le professeur. Ici, je ne savais pas encore pour qui je travaillerais, donc si je travaillerais. La place de second me convenait, à distance de la tête de classe, presque effacé dans la moyenne.

Troisième un peu partout, derrière Damiron et moi, ou parfois deuxième *ex æquo*, venait un garçon qui, par hasard, était également l'un de mes voisins au dortoir, Lambert. Partageant la même armoire métallique, lui, comme ancien, en haut, moi en bas, nous étions condamnés à nous entendre, mais nous le fîmes sans déplaisir. J'avais vite eu avec lui des conversations plus intimes qu'avec la plupart de nos autres condisciples. Lambert n'était pas grand et il souriait toujours. Son nez, petit et rond, ses joues potelées, ses lèvres charnues, ses pieds drôlement écartés quand il marchait, tout cela lui donnait un air avenant : j'y avais été sensible, d'autant plus qu'il m'avait semblé indifférent à la hiérarchie interdisant à un ancien de s'adresser familièrement à un bleu avant que le temps du bizutage ne fût officiellement clos au 2S. Lambert avait un statut à part dans la classe : il n'avait qu'une année d'ancienneté, mais il redoublait. Comme il prit soin de me le faire savoir dès notre premier entretien, et la nuance lui importait au plus haut point, c'était non pas à cause de ses résultats, qui n'avaient pas été mauvais, mais parce que le conseil de classe, jugeant qu'il était trop jeune pour passer en maths élem, avait conseillé à ses parents de lui faire recommencer sa première pour le laisser mûrir.

Son père, un ingénieur qui était passé par le bahut durant l'Occupation, lorsque l'école était repliée à Billom ou dans quelque autre ville de la zone libre, avait été nommé à Phnom Penh dans la coopération technique. Lambert avait donc été expédié au bahut à son tour. M. Lambert, comme le colonel Damiron, rêvait de Polytechnique pour son fils. Lambert lui-même prenait ce projet très à cœur, mais, comme il en parlait en riant, cela pouvait passer pour une blague et son ambition ne m'en imposait pas comme chez Damiron. Il revenait du Cambodge, où il avait passé l'été en famille auprès de ses parents et de plusieurs frères.

Ce ne fut pas lors de nos premiers échanges sur les circonstances de son redoublement, mais peu de temps après, lorsque nous nous connûmes un peu mieux, que Lambert me raconta sa visite dans une maison de passe de Phnom Penh pendant ses vacances, en compagnie de son frère aîné. Lambert fut le premier de mes contemporains à me relater une expérience sexuelle. Celle-ci me rendit intensément curieux. Moi-même, il me faudrait encore des années pour perdre ma virginité. Mais Lambert ne me donnait pas assez de détails, ou pas autant que j'aurais voulu. Je n'osai pas trop lui en réclamer, ne voulant pas paraître indiscret, mais je fus très remué par son récit et je suppose que mon intérêt se manifesta sur mon visage. Lui qui avait encore l'air d'un gamin, il en savait plus que nous tous. Sa prostituée cambodgienne, à mon avis, avait montré beaucoup de complaisance en acceptant de le laisser lui faire l'amour. L'avait-il revue ? Oui, il y était allé une seconde fois, qui s'était encore mieux passée. Que ressentait-on au moment de la pénétration, de l'éjaculation ? Des choses qu'il était malheureusement incapable de formuler avec la précision que j'aurais souhaitée. Sa description manquait des éléments qui m'auraient permis de me représenter exactement la scène, comme la durée de leurs baisers, de leurs caresses. Faire l'amour lui manquait-il à présent ? Je devinais une sorte de contradiction entre la maturité inattendue dont il avait fait preuve durant l'été et la dépendance absolue à laquelle nous étions réduits au bahut, où, sous une surveillance aux aguets, pas un seul de nos mouvements n'était libre. Malgré une rumeur répandue parmi nous qui voulait qu'un élève de seconde entretînt une liaison passionnelle avec l'infirmière, l'unique personne du sexe féminin au quartier, un peu grasse au demeurant, et qu'il nous arrivait rarement de croiser sur notre chemin, je ne voyais pas comment Lambert satisferait ici ses désirs et je me disais, par un raisonnement appuyé sur ce que je prenais pour le bon sens, que la chasteté devait être plus facile pour nous qui n'avions jamais connu de femme.

Son récit nous rapprocha, sans que je sache pourquoi il me l'avait fait — peut-être pour m'impressionner, mais ce n'était pas dans son caractère, ou bien par besoin de parler d'une expérience qui le remuait encore —, ni s'il s'était livré à d'autres avant moi. Sans doute étais-je le premier, puisque nous venions de rentrer et que, redoublant, pas plus que moi il n'avait de proches camarades dans notre classe, cette commune condition étant susceptible d'expliquer qu'il m'eût choisi pour confident. Il aurait pu s'adresser à l'autre nouveau, mais Damiron n'était pas du genre à se laisser conter de telles aventures, cela se voyait au premier coup d'œil. Dès son arrivée, il s'était rendu chez le «marab», comme on appelait l'aumônier en souvenir des colonies. À plusieurs reprises déjà, ses réactions après les blagues un peu osées des anciens, de ces vannes que l'on se fait entre garçons, avaient établi sa naïveté en la matière. Bref, Lambert n'avait eu aucune raison d'aller partager avec lui les révélations capitales de ses vacances.

Quant à moi, elles me troublèrent durablement. Lambert était un bon garçon, innocent à bien des égards. Où le mènerait son expérience sexuelle précoce? Je ne portais sur elle aucun jugement moral, mais je ne voyais pas comment il parviendrait à concilier la recherche du plaisir, dont il m'assurait qu'il avait été ample, et la discipline scolaire qui le mènerait à l'X, sur les traces de son père. D'ailleurs, son redoublement se révéla inutile. Nous nous répartîmes toute l'année les deuxième et troisième places, derrière Damiron, dans les matières scientifiques. En français, latin, anglais, il ne me menaçait pas. Autant je manquais d'atomes crochus avec Damiron, autant ma sympathie pour Lambert se renforça vite. Il possédait un stylo Parker 45 gris et son écriture était adulte, très au-dessus de son âge, belle sans être excessivement soignée, à l'encre bleu-noir. Ses cahiers de maths étaient parfaitement tenus. Jamais je n'aurais pensé que l'on pût en rédiger d'aussi admirables. On aurait pu les montrer dans un musée, me disais-je. Je lui empruntai sa manière de faire. J'achetai les mêmes grands et épais registres cartonnés revêtus de toile noire, un Parker 45 et de l'encre bleu-noir. Mais je gardai mon écriture, que j'avais copiée sur celle de ma mère. L'année qui suivit, nous nous retrouvâmes tous les trois, Damiron, Lambert et moi, dans la même classe de maths élem, parmi de nombreux nouveaux d'une autre trempe que nos anciens condisciples de la première C2. Une partie de ceux-ci avaient été relégués en sciences ex; les autres, de gré ou de force, avaient quitté le bahut, qui n'avait pas de classe de philo. Comme je l'ai dit, un fort contingent de nouveaux nous rejoignit en classe terminale non pas en raison de drames familiaux ou de désagréments personnels qui les auraient contraints de quitter le domicile paternel, mais parce que leurs parents avaient estimé que, sous le régime disciplinaire du bahut, ils n'auraient pas l'occasion de se distraire et feraient de meilleures études. Au milieu d'eux, Damiron conserva sans peine son rang et je me maintins à peu près, perdant seulement quelques places, grâce à un professeur de maths, M. Michelis, dit Pinox, à cause de ses mouvements saccadées de pantin en blouse blanche gesticulant devant le tableau noir, de son nez pointu et de ses taches de rousseur. Exigeant mais souriant, il paraissait prendre plaisir à me donner de bonnes notes, si bien que je fis en sorte de ne pas le décevoir, mais Lambert dérapa peu à peu. Son classement resta honorable au début de l'année, mais son rang devint médiocre au printemps, et en juin il ne fut pas pris en hypotaupe. Au fond, je ne crois pas sérieusement que la perte de sa virginité à Phnom Penh deux étés plus tôt ait été pour quoi que ce fût dans son déclin scolaire au cours de la classe terminale, mais je m'en veux toujours un peu quand je repense à lui, parce que je lui fus redevable de la méthode de travail qu'il ne sut pas mettre à profit et qui me mena jusqu'aux concours.

Lambert — autant rapporter sans délai la suite de son histoire parce que je n'aurai sans doute pas l'occasion d'y revenir — s'inscrivit à la faculté des sciences à Paris, que l'on appelait encore la Halle aux Vins. C'était à l'époque un vaste chantier boueux d'où devait sortir le campus de Jussieu, sans que l'on sût alors qu'il était truffé d'amiante. Je m'apprêtais à le revoir avec joie quand je rejoignis à mon tour la montagne Sainte-Geneviève, mais il marqua de la distance à l'égard de notre ancienne intimité et me fit valoir, signe des temps, que celle-ci devait être sacrifiée à de plus hautes causes. Lambert militait au PCMLF, le Parti communiste marxiste-léniniste de France, dirigé par Jacques Jurquet ; il distribuait *L'Humanité rouge* sur le parvis de Jussieu, sur les marchés de banlieue et à la porte des usines, où ses expéditions se terminaient souvent par des bagarres avec les gros bras de la CGT. Je fus tenté un moment de suivre sa voie, je m'y essayai bien, mais je ne réussis pas à me prendre au sérieux. J'ignore ce qu'il avait fait de ses superbes cahiers d'algèbre et de géométrie ; je suppose qu'il avait cessé de les tenir avec autant de soin. À plusieurs reprises, j'allai passer des examens de maths en son lieu et place — c'était une pratique courante en ce temps-là —, car il avait mieux à faire, c'est-à-dire des actions politiques clandestines, dont il ne me confiait pas le détail comme il l'avait fait plus généreusement pour ses exploits sexuels cambodgiens. Puis les mathématiques cessèrent tout à fait de l'intéresser et il disparut de la circulation. Comme c'était alors la mode, il s'établit dans une usine, à Saint-Étienne, et je le perdis de vue.

Un jour, j'appris par la presse la mort de son père, auquel il avait été très attaché mais qui n'avait pas dû prendre bien son renoncement à une carrière d'ingénieur. Je lui écrivis à l'adresse, celle de la maison de famille dans le Midi, indiquée dans le Carnet du jour. Ma lettre resta sans réponse. Une chose me revint alors à l'esprit, qui m'avait frappé lors de nos premières conversations chuchotées dans la pénombre du dortoir : Lambert avait de l'admiration pour son père, que j'ai connu plus tard, lorsque je suis devenu moi-même ingénieur, mais il n'aimait pas sa mère, dont il parlait avec dureté, presque mépris, comme si elle avait commis une faute impardonnable à son égard, ou plutôt à l'égard de son père — je n'ai jamais su laquelle. Cette hostilité me paraissait incompréhensible, à moi qui avais perdu ma mère et qui continuais d'honorer son image. Sa mère, je l'avais rencontrée durant l'été qui suivit notre première année scolaire commune. J'avais été invité à lui rendre visite quelques jours chez ses parents, qui étaient revenus prématurément du Cambodge, alors secoué par la guerre du Vietnam et où les Khmers rouges commençaient de mettre en danger le régime de Norodom Sihanouk, si bien que Lambert n'eut pas le loisir d'approfondir ses expériences érotiques auprès des courtisanes de Phnom Penh ni de m'en dire plus à la rentrée de maths élem. Ils possédaient un beau domaine familial au-dessus de Cassis. M. Lambert était absent, monté à Paris pour négocier avec le ministère sa prochaine affectation. Mme Lambert me parut une femme douce, qui me reçut aimablement, mais elle n'avait pas beaucoup de conversation. Son fils se montrait rude, désagréable avec elle, ce qui me peinait ; elle faisait comme si elle ne s'en rendait pas compte. Je compris qu'il la trouvait bête ; je ne puis dire si c'était le cas, Lambert se débrouillant pour que les moments que je passai auprès de sa mère fussent des plus brefs. Une fois établi en usine, j'imagine que Lambert eut le plus grand mépris pour moi qui avais intégré ce que l'on appelle une grande école, en étais

« sorti dans la botte » — expression que j'emploie ici pour la première fois, en la lui attribuant —, étais entré dans un grand corps de l'État, tout ce dont il rêvait à seize ans — je l'imitai, faute de savoir à quoi vouer ma vie — et à quoi il devait ensuite renoncer au nom de ses convictions révolutionnaires, à moins que ce ne fût par dépit, après avoir perdu ses illusions sur ses capacités intellectuelles, ce que j'ignorerai toujours.

Pour compléter mon récit, je dois ajouter que je crois l'avoir aperçu il y a quelques années à Paris, dans un café, voisin de la Sorbonne, que je fréquentais quand j'y étais professeur. Même s'il est difficile de reconnaître un garçon que l'on n'a plus vu depuis qu'il avait vingt ans dans un homme bedonnant et barbu d'une cinquantaine d'années, je jurerais que c'était lui. Il était au milieu d'un groupe de personnes que j'identifiai à leur conversation comme des animateurs d'ONG. Ils achevaient une journée de stage à Paris en prenant un dernier verre ensemble avant de regagner leurs provinces. Je les écoutai un moment, me demandant si j'irais frapper sur l'épaule du supposé Lambert afin de me rappeler à son bon souvenir. J'y songeais sérieusement quand ils réglèrent leur addition et se levèrent. Lambert paraissait un homme las, précocement vieilli. Ses joues étaient tombées. Faisant un geste pour enfiler une manche de son anorak, il se retourna à moitié et ses yeux s'immobilisèrent dans ma direction. Me vit-il ? C'est possible, car j'eus l'impression que son regard s'arrêta un instant sur mon visage. Me remit-il ? C'est aussi possible, mais il n'en laissa rien paraître. Il m'en voulait, son ressentiment s'était accumulé avec les années. Il n'en était pas encore arrivé à l'âge où tout cela ne compte plus. Peut-être n'ignorait-il pas, lui, ce que j'étais devenu et s'attendait-il à pouvoir me rencontrer au quartier Latin durant son stage de formation. Si c'était bien lui, il ne fit pas un pas vers moi et je le laissai s'éloigner sans le héler. « Lambert », aurais-je pu crier comme il avait le dos tourné, et j'aurais tout de suite vu si j'avais raison. Après son départ, j'eus un moment de mélancolie, comme si un pan de mon passé m'avait été arraché, puis je rejoignis des collègues qui s'installaient à la table que Lambert et ses amis venaient de libérer et je n'y songeai plus. Maintenant, si je cherchais à le retrouver sur Google, je ne parviendrais à rien car son nom est trop ordinaire, et peut-être ne vit-il plus. Je tomberais sur un homme politique vendéen, sur un lycéen bressan, ou sur un technicien du Pas-de-Calais. Ou bien je trouverais en quelques clics sa photo sur Facebook, mais il me faudrait commencer par m'inscrire à ce réseau social pour le joindre et lui demander de ses nouvelles.

En arrivant au bahut, il fallait adopter un sport pour occuper son jeudi après-midi et ses autres moments de loisir. Je me mis à l'équitation et au fleuret sans avoir conscience du sens que mes camarades durent donner à mes choix : la basane et l'escrime, ça posait, c'était classe, ça faisait chic ; et ça donnait des points à Saint-Cyr. Les ñass les plus poseurs se retrouvaient au manège ; ils paradaient au dortoir avec leurs gants, leur cravache et leur képi. Je ne crois pas que ces considérations aient influé sur moi, encore que je n'en sois pas certain. Dans ma famille, on était cavaliers émérites depuis plusieurs générations. Jusqu'à la mobilisation, mon père avait monté en course sur des chevaux de l'armée ; au lendemain de la guerre, il avait rencontré ma mère sur un champ de courses ; dans mon enfance, le dimanche après-midi, il nous emmenait à Longchamp, à l'hippodrome du Putois quand nous étions en vacances à Compiègne, ou à un concours hippique. Aux États-Unis, j'avais joué au football et au baseball, selon la saison, j'avais fait de la lutte et du basket, tous sports plutôt populaires, mais j'avais aussi pris des leçons d'équitation et, au Mexique, j'avais fait avec plaisir de longues randonnées à cheval. Pourtant, je ne résistai pas plus de quelques semaines à la vulgarité et à la cruauté des sous-officiers à tête de reître qui entreprirent de me faire tourner dans le manège et dans la carrière en m'humiliant de leurs quolibets. Toutes les odeurs m'étaient insupportables, celle des houseaux que nous enfilions par-dessus nos brodequins, celle des écuries où nous sellions les chevaux, celle de la sciure mêlée de crottin dans laquelle je tombais et qui emplissait mes poches, mes narines, mes oreilles, celle de la sueur qui collait au corps pour le reste de la semaine. Nous quittions le petit bahut dès la fin du déjeuner par le portail de derrière et nous prenions la rue Henri-Dunant au pas de gymnastique sous les ordres du plus ancien d'entre nous — on faisait plus confiance aux cavaliers qu'aux ñass moyens —, afin de rejoindre le quartier Henri-IV. Suivaient deux heures de martyre, entre les écuries, le tape-cul, les injures des instructeurs et les railleries des anciens, tous plus aguerris que moi. Je ravalais mon amour-propre, mais renonçai vite, sous prétexte d'une mauvaise chute. Je tins plus longtemps à la salle d'armes, appréciant la tenue blanche, le masque grillagé, le fil qui nous retenait en arrière, l'élégance des gestes réfléchis dans un grand miroir. Les sous-officiers nous rudoyaient aussi, mais ils ne s'en prenaient pas spécialement à moi sous prétexte que je débutais. Lambert, qui s'était mis à l'escrime l'année précédente, se montra de bon conseil. Il l'emportait toujours dans nos duels, mais sans blesser mon amour-propre. Le lexique me séduisait, ainsi que la complexité des positions. L'attaque, la parade et la riposte faisaient de l'exercice un plaisir de l'esprit. À la fin de l'heure, nous nous essayions au sabre, plus violent et moins subtil. J'avais pourtant du mal à me prendre au jeu et je me figurais en Gérard Philipe dans *Fanfan la Tulipe* ou Jean Marais dans *Le Bossu*, films jadis vus dans l'immense Gaumont Palace, au-dessus de la place de Clichy. Durant les premiers mois, la salle d'armes n'en fut pas moins un havre de paix, un abri contre le bizutage. Dans ce bâtiment bas de l'allée, bordée de marronniers, reliant l'ancienne caserne et les salles de classe des années cinquante, il régnait un esprit aristocratique qui proscrivait les brimades. Toutefois, j'abandonnai aussi l'escrime, non par dégoût comme pour la basane, mais par lassitude.

Les élèves pouvaient avoir un correspondant en ville chez qui il leur arrivait d'aller déjeuner le dimanche midi, ou même coucher le samedi soir. Jusqu'à la rhéto, c'était la seule façon de quitter le quartier, à moins qu'un ñass du grand bahut ne voulût bien jouer à la gouvernante et vous promener le dimanche après-midi. Entre la rentrée de septembre et la Toussaint, on ne revoyait pas sa famille, les seuls contacts avec elle étaient épistolaires et, si elle vivait loin, comme mon père en Allemagne, on devait attendre les vacances de Noël. Mon père me rendit visite au cours de ce premier trimestre, conduit par son chauffeur, détail qui ne dut pas arranger ma réputation auprès de mes persécuteurs. Je le payai en vexations de toutes sortes : rédactions encore plus idiotes que d'habitude et parcours du combattant où l'on m'obligeait non seulement à ramper sous les tables et les lits du dortoir, mais encore à passer à travers l'étroite armature métallique des tabourets, entre les barreaux desquels mes hanches se glissaient avec peine.

Mon père passa une nuit à l'hôtel du Vert-Galant, dans la Grande Rue, où je le rejoignis pour le dîner. Je garde un souvenir étrange de ces retrouvailles d'une soirée, à la fois parce que ce genre de tête-à-tête ne s'était jamais produit — c'était une des premières fois que nous nous rencontrions seul à seul, sans quelques-uns de mes frères et sœurs, et nous ne savions pas comment nous comporter —, et parce que je n'avais pas encore pris de repas dans un restaurant de province. Je découvrais qu'il y avait dans cette ville une autre vie que celle du bahut, une vie pour ainsi dire normale, ordinaire, d'une banalité consternante même, celle de représentants de commerce et de petits-bourgeois. Nous choisîmes le menu, quelque chose comme des vol-au-vent de poisson suivis d'une pintade ou d'une viande en sauce, avec un pichet de touraine. L'expérience me parut bizarre, située hors du temps commun. Nous n'avions pas grand-chose à nous dire ; je ne racontai pas à mon père mes premières semaines de bahut et le repas fut assez silencieux. Puis mon père m'accompagna à pied jusqu'au quartier Gallieni, où il me laissa devant la grille. Il reprenait la route tôt le lendemain matin.

Plusieurs personnes, plus ou moins proches de mes parents, s'offrirent à me servir de correspondant. La première fut la marquise de Vezou, propriétaire du château de Bargeton, jolie demeure située non loin de La Suze. Elle était liée, je ne sais plus par quel biais, à ma grand-mère maternelle, dont la famille avait fait fortune au XIXe siècle et s'était alliée à l'aristocratie d'Empire, avant de tout perdre entre le krach de l'Union générale, le Panamá et la Grande Guerre. Nous échangeâmes plusieurs lettres polies ; un rendez-vous fut pris après que mon père eut envoyé son autorisation. Un beau samedi en fin d'après-midi, je fus appelé par la sono au poste de police, où m'attendait une dame imposante, revêtue d'un tailleur de tweed, couverte d'un chapeau tyrolien à plume de faisan, et chaussée comme pour la marche. Lui manquait seulement un alpenstock. Elle me parut d'un âge certain, mais elle était beaucoup plus jeune que moi aujourd'hui. L'un des effets étranges du vieillissement est la manière dont il renverse le temps. À tout moment je dois me dire que les hommes et les femmes que je considérais dans ma jeunesse comme des vieillards ou des notables, et qui m'impressionnaient, devant qui je me tenais mentalement au garde-à-vous, par exemple mes maîtresses et mes professeurs, étaient des jeunes gens si je les rapporte à l'âge que j'ai atteint, et j'ai du mal à me mettre dans la peau des garçons et des filles que je fréquente, mes étudiants — en vérité je n'y parviens pas, même si je fais tout mon possible pour ne pas les intimider, pour être simple, *unassuming*, dit-on en anglais —, et à me juger comme ils le font, c'est-à-dire objectivement, comme un quasi-retraité.

La marquise de Vezou m'embrassa avec autorité, quoiqu'elle ne m'eût jamais vu, ou plutôt elle me donna deux coups de menton sur les joues, façon un peu brusque, junker, d'embrasser, puis elle m'embarqua dans sa Simca 1000, qui était garée très illégalement devant les grilles du quartier. Le sous-officier de garde s'était fait une raison, comprenant qu'il eût perdu son temps en observations avec une personne de cette trempe. Sur la route vers Bargeton, par Saint-Germain-du-Val et La Belle Étoile, tandis que ma conductrice se battait avec sa boîte de vitesses dans les virages, je regardais avec avidité le paysage, comme si je redécouvrais le monde après une longue maladie, les arbres, les champs, les maisons, un pont sur une rivière. Parvenus au château, nous prîmes le thé et une tranche de cake. Je me faisais l'effet d'une brute miraculeusement tombée dans un boudoir et j'avais de la peine à retrouver des manières. La marquise me montra ma chambre, qui était dans l'une des tours d'angle et où je disposais de ma propre salle de bains. Le lit était installé le long du mur du fond, en face de deux fenêtres donnant sur le parc. Il était encadré par ce que l'on appelait dans les années cinquante un « cosy », c'est-à-dire une étagère, ici fermée par des vitres coulissantes et renfermant un échantillon de livres de chevet pour distraire les hôtes durant leurs insomnies. Rien de bien fameux, des bouquins abandonnés, mais je dénichai un Jack London, que je lus avant de redescendre au salon parcourir *Le Figaro* en attendant le dîner. La marquise s'était retirée. J'étais seul dans ma tenue de sortie. J'avais l'impression que nous avions épuisé les sujets de conversation entre la voiture et le thé. Mme de Vezou m'avait demandé des nouvelles de ma famille, dont il m'était apparu qu'elle n'avait qu'une connaissance très limitée. C'était par charité qu'elle avait accepté de m'accueillir après avoir reçu une lettre de la vieille marraine de ma mère, qu'elle avait fréquentée avant la guerre, lors de chasses à courre immortalisées par Karl Reille. Veuve, elle vivait seule dans son grand château, entourée de ses douves, tandis que sa fille faisait des études de droit à Paris.

Nous nous mîmes à table, servis par un majordome, puis je la priai de m'excuser et je regagnai ma chambre, ou plutôt ma salle de bains, où je me déshabillai et me plongeai longuement dans la grande baignoire émaillée, ajoutant régulièrement de l'eau chaude pour maintenir la température du mélange, jusqu'à ce que le bout de mes doigts se creusât d'ondulations. J'étais au paradis ; je me purifiais des semaines durant lesquelles je n'avais pas pu me décrasser, condamné à un coup de gant de toilette matinal sur le museau, autour du cou et sous les aisselles, ainsi qu'à une douche hebdomadaire superficielle, prise au vu et au su de toute la classe. J'allais m'endormir en lisant Jack London dans mon bain quand je me dis que je devais aussi jouir de la nuit de solitude dans une chambre toute à moi, mais, une fois dans le lit, le sommeil ne vint pas. Le contraste était trop violent entre l'existence quotidienne au dortoir et la vie de château.

La journée du dimanche passa vite. Je me levai tard, pris seul un petit déjeuner composé de café, de toasts et de marmelade d'oranges, me promenai dans le parc, poussai une pointe jusqu'au village, déjeunai avec la marquise, consacrai un moment à mes devoirs, et puis elle me raccompagna au bahut. Lorsqu'elle me déposa devant la grille, je lui baisai la main, mais je n'évitai pas ses coups de menton de part et d'autre du visage. Dès le lendemain, je lui envoyai ma lettre de château.

Au cours de l'automne, je passai une autre nuit à Bargeton. Cette fois, Mlle de Vezou était descendue de Paris pour voir sa mère. De ma chambre, j'entendais la dernière chanson de Sylvie Vartan, qu'elle faisait tourner inlassablement sur son Teppaz :

Je ne peux plus me passer de toi
J'ai besoin d'être dans tes bras
Tout s'arrange aussitôt pour moi
Dès que tu es là.

Des amis du voisinage lui rendirent visite, tous bon genre dans leurs twin-sets et leurs vestes de tweed. On m'invita à me joindre à eux, mais je me sentis déplacé et mal à l'aise dans ma tenue bleu marine, ma chemise bleu ciel, avec ma cravate et mes souliers noirs, même si j'avais retiré mon béret. Mlle de Vezou avait un agréable physique de jeune fille moderne en pantalons. Ce n'était pas ainsi que je me figurais une châtelaine. Je crois bien que je revins une autre fois encore à Bargeton et que je me retrouvai de nouveau seul avec la marquise, toujours aussi pimpante et accueillante, mais je m'ennuyais avec elle, et elle avec moi. D'un commun accord et sans qu'un mot fût prononcé, mes séjours à Bargeton s'interrompirent. Il m'arrive, lorsque je suis dans la région, de faire un détour par Bargeton pour revoir le château. Mme de Vezou est décédée depuis longtemps. Sa fille est la propriétaire des lieux.

Le second correspondant chez qui je fus reçu, dans les premiers temps, n'était autre que le surveillant général du grand bahut, le surgé, personnage redoutable dans un lycée, mais dont la fonction était moins nette dans une école où une nombreuse hiérarchie militaire incarnait l'autorité, depuis le colonel au quartier Henri-IV, le commandant au quartier Gallieni, jusqu'aux capitaines commandant les compagnies, aux sous-officiers à la tête de chaque section. Comparée à la strasse, omniprésente jour et nuit auprès de nous, contrôlant nos moindres mouvements en semaine comme le dimanche, l'administration civile faisait pâle figure. Il y avait bien un proviseur, mais nous ne le voyions jamais. Et il y avait donc un surgé, dont le rôle restait mystérieux et qui, à la différence du surgé traditionnel, au lieu d'effrayer, rassérénait plutôt les élèves, car il tempérait la hargne des militaires. Bon élève, je n'ai jamais eu affaire au proviseur ni au surveillant général ès fonctions. J'imagine qu'ils élaboraient les emplois du temps, organisaient les conseils de classe, mais je parle d'une époque où il eût été impensable que des élèves y assistassent. Je ne dis pas que le métier de surgé au bahut était une sinécure, mais simplement que la mission de cette administration parallèle ne pouvait pas nous apparaître autrement que comme une énigme.

Ce surveillant général, qui s'appelait M. Lepinoy, avait perdu une jambe à la guerre. Il traversait les cours en boitillant sur sa patte artificielle. Quand il s'asseyait, son membre métallique, inarticulé au genou, pointait tout droit, terminé par une chaussure de cuir noir, immaculée et rigide, plus brillante encore qu'un derby d'officier, dépourvue de plis sur le dessus du pied puisqu'elle était vide. M. Lepinoy était un ancien de la 2e DB qui avait été blessé quelque part entre la Sarthe, où, tout jeune homme, il s'était engagé dans l'armée de Leclerc qui passait par là, et Berchtesgaden, le nid d'aigle de Hitler où l'épopée s'était terminée. J'ignore si, entre août 1944 et mai 1945, mon père l'avait connu, car leur proximité dans le combat n'était pas indispensable pour que M. Lepinoy eût accepté de me servir de correspondant. Les anciens de la 2e DB constituaient une confrérie d'hommes, et aussi de femmes, les redoutables Rochambelles, qui, comme des anges gardiens, étaient souvent intervenus au cours de mon enfance. Les ventes de charité annuelles de la 2e DB à la Maison de la Chimie marquaient notre calendrier domestique d'une date aussi sacrée que Noël. Pendant la guerre d'Algérie, en l'absence de mon père qui commandait un régiment à la frontière tunisienne, ma mère donnait beaucoup de son temps à la préparation de cet événement. J'étais présenté à la maréchale Leclerc, toujours vêtue de noir ou de gris, qui me semblait très vieille mais n'avait pas cinquante ans. Trônant dans un fauteuil, elle se laissait embrasser par les enfants. Nous déambulions entre les stands en nous efforçant de faire acheter des billets de tombola par les visiteurs récalcitrants, mission que j'appréciais peu, mais à laquelle je ne pouvais me soustraire.

L'été qui précéda la mort de ma mère, je m'étais rendu au Mexique pour apprendre l'espagnol. Là-bas, j'avais été reçu par un ancien de la 2e DB, M. Bérard, qui avait servi sous les ordres de mon père lors de la libération de Strasbourg. Sa famille était d'origine basque, il avait vingt ans, s'était engagé pour libérer un pays dont il ignorait la langue. De retour au Mexique, il avait fait fortune et y présidait la filiale de General Motors. J'avais pris seul un autocar Greyhound de Washington à Mexico, périple hasardeux, auquel mes parents avaient imprudemment consenti. Je revois une correspondance nocturne dans la gare routière de La Nouvelle-Orléans, longue attente au cours de laquelle un type qui voyageait auprès de moi depuis l'Alabama me proposa de me payer un repas. Je refusai opiniâtrement. Ce souvenir m'était tout à fait sorti de la tête et ne me revint à l'esprit qu'un soir où, plus de vingt ans après, je me retrouvai dans la même gare routière encore plus louche et misérable, après être arrivé de New York par un avion. J'avais pris le temps de dîner chez Antoine's, célèbre restaurant créole du French Quarter récemment anéanti par l'ouragan Katrina, et j'étais sur le point de monter dans un autocar pour Bâton-Rouge. Là-bas, comme le taxi dans lequel j'étais monté démarrait, un immense et superbe travesti noir ouvrit la portière et fit mine de monter auprès de moi. Je refusai aussi.

Je parvins à Mexico indemne. La vie y fut belle durant quelques semaines. Le week-end, nous partions pour Acapulco dans l'avion privé de M. Bérard et nous passions la nuit sur son yacht. Accompagné de ses fils, je parcourus la pampa à cheval comme un gaucho, sous un large sombrero que je rapportai à la fin du séjour et qui m'a suivi longtemps, de plus en plus poussiéreux, avant d'aller moisir dans une cave. Il y eut aussi un rallye automobile auquel je participai avec d'autres anciens de la 2e DB, moins fortunés mais aussi généreux, qui me reçurent comme un fils prodigue. Tous vouaient la plus grande admiration à mon père, ce qui me flattait. Pour la première fois, je caressai les seins d'une fille, un soir, dans un jardin. Au retour, on m'épargna l'autocar et me fit monter dans un avion pour les États-Unis, non sans peine car les douaniers de Laredo avaient omis à l'aller de retirer de mon passeport le document d'immigration, si bien que l'on pouvait soupçonner que j'étais sorti illégalement des États-Unis, aussi invraisemblable que cela pût paraître. À l'arrivée à l'aéroport de Washington, qui ne s'appelait pas encore Ronald-Reagan, mon père et ma mère, celle-ci très diminuée en quelques semaines, m'attendaient, la mine grave, pour m'apprendre que ma grand-mère maternelle, que j'adorais, était morte, à Bruxelles.

M. Lepinoy, même s'il n'avait pas fréquenté mon père à la 2ᵉ DB — je ne crois pas qu'il eût servi sous ses ordres —, ne demandait donc qu'à m'accueillir chez lui au nom de la fidélité qui liait tous les anciens au général Leclerc, le surgé du grand bahut comme le patron de General Motors et les amateurs de rallye de Mexico. Il avait deux fils au bahut, l'un dans ma classe de première, l'autre en seconde. Parmi nous, leur situation les singularisait, car ils étaient externes et rentraient même chez eux pour le déjeuner. C'étaient des garçons débonnaires — je crois que l'un a fini général d'aviation — avec lesquels il m'est arrivé, au cours des premiers mois, de chasser, le dimanche, dans les forêts du Maine. Jamais je n'ai passé la nuit chez les Lepinoy, qui habitaient une maison bourgeoise dans une rue étroite, à l'ombre du quartier Henri-IV, avec un intérieur qui m'aurait fait songer à la province de Barbey d'Aurevilly, si j'avais déjà lu cet auteur : parquets cirés, meubles astiqués, acajou sombre, épaisses tentures, bergères bancales et fragiles bibelots. Maintenant habitué au mobilier métallique du bahut, je redoutais de renverser un guéridon d'un geste maladroit. J'arrivais pour le déjeuner après la grand-messe, je partageais le gigot familial et les flageolets. Je préférais les dimanches où je partais de bon matin dans la DS break de M. Lepinoy, avec ses deux fils. Cela me rappelait les randonnées avec les Hubert dans la baie de Chesapeake, même si la nature était plus confinée. Nous retrouvions d'autres chasseurs en chemin. L'invalidité de M. Lepinoy l'empêchant de marcher vite, nous allions tous les trois de l'avant avec le chien, un grand épagneul breton, et débusquions parfois une poule faisane. J'aurais pu devenir chasseur si je m'étais laissé aller à l'allégresse du grand air et à l'exaltation de la poursuite du gibier. L'équitation, l'escrime, la chasse, j'ai essayé tous ces divertissements huppés, mais je ne me suis pas laissé séduire. Si j'ai fusillé en tout quelques lièvres et deux ou trois bêtes à plumes, c'est bien le bout du monde. L'existence est faite de toutes les avenues que l'on a refusé d'emprunter. Dans une autre vie, je serais aujourd'hui un amateur de grand air, féru de chasse, arpentant la campagne durant les week-ends, m'équipant en armes et munitions dans les meilleures boutiques de Paris. Mais au bout de quelques mois je cessai de rendre visite aux Lepinoy comme je l'avais fait pour la marquise de Vezou : le bahut prenait de plus en plus possession de moi et tout le reste devenait de plus en plus irréel.

Il y eut bien encore un ou deux goûters dansants au cours de l'hiver avec des jeunes filles du collège Jeanne-d'Arc, dont les deux filles du commandant Conche, dites les Conchitas. Nous buvions de la limonade et croquions des biscuits secs avec un air compassé. Ainsi se formaient des couples en prévision du prochain gala au Cercle militaire ou du bal des candidats. Je ne me voyais pas passer mon temps libre de la sorte. En quelques mois, j'avais perdu l'usage du monde, le sens des choses de la vie. Le bahut était une société à part, un univers en soi, qui s'emparait de vous, vous happait, et auprès duquel l'autre monde perdait toute raison d'être au point que vous ne vous y sentiez plus à votre place. J'ai passé plusieurs années entre ces murs, un joli bail, surtout à cet âge où les journées semblaient longues, où le temps coulait lentement dans les veines, mesuré en trimestres, mois, semaines, nuits qui nous séparaient des vacances, du pékin de bahut. Nous barrions furieusement les jours sur le calendrier de poche qui ne nous quittait pas, par-dessus les noms des saints et des fêtes. De ce séjour, personne ne se remettait, ou longtemps après, et encore. Au milieu des années soixante, il y aura bientôt un demi-siècle, nous vivions là-bas comme si l'histoire s'était arrê-tée de nombreuses décennies auparavant. Au bahut, on était au bout du monde, enfermé, isolé, sans contact avec le dehors, réduit à un face-à-face souvent tendu avec les gradés. Pourtant, nous nous y sentions chez nous, nous redoutions de le quitter. Quand je franchis-sais la grille, le dimanche soir, en revenant de Bargeton ou de Chassillé, où j'avais chassé avec les Lepinoy, je maudissais ma prison, comme de bien entendu. Elle ne m'en était pas moins devenue nécessaire et j'étais soulagé de la retrouver. C'est ainsi que je me livrai au démon du bahut.

2

Ils ont le goût de l'amitié et de la camaraderie plus que les autres âges, parce qu'ils se plaisent à la vie commune et que rien n'est encore apprécié par eux au point de vue de l'intérêt; par conséquent, leurs amis non plus.

ARISTOTE, *Rhétorique.*

Le grand Crep's et Bouboule se trouvaient à la tête des durs du quartier Gallieni, presque tous élèves de la première moderne. La plupart étaient ici depuis la sixième et comme beaucoup d'entre eux avaient redoublé — c'était le cas du grand Crep's et de Bouboule —, ils avaient déjà derrière eux six années d'internat, circonstance atténuante qui expliquait leur état d'esprit. Ils étaient à la fois révoltés et dépendants, ces deux dispositions paraissant inséparables et leur contradiction insurmontable. Au début, ils avaient été bons élèves — si leurs résultats n'avaient pas été supérieurs à la moyenne à la fin de l'école primaire, on ne les aurait pas pris —, mais leurs notes avaient baissé au fur et à mesure qu'ils renonçaient à la carrière militaire que leurs parents avaient rêvée pour eux. Quand ils étaient arrivés, en 1959 ou 1960, la guerre d'Algérie battait son plein. Ils savaient, comme on peut le savoir à dix ans, avec quel projet en tête on les avait expédiés là, et ils acceptaient leur sort de bon cœur. Ils regardaient même avec envie leurs aînés, les grands cyrards qui les sortaient parfois le dimanche et à qui ils posaient des tas de questions ; ils admiraient les casoars au 2S et à la fête de Trime ; ils se voyaient déjà sortir de Coëtquidan dans la cavalerie ou la légion, les armes les plus glorieuses, les plus prisées.

Ce n'était pas tout à fait leur faute s'ils s'étaient mis à douter de leur vocation. Avec les années, leur idéal militaire s'était brisé, à l'image de la confiance en soi de l'armée française. De leur détresse et de leur naufrage scolaire, ils n'étaient donc pas les seuls responsables. D'ailleurs, on ne leur en voulait pas trop, puisqu'ils n'avaient pas encore été chassés et que l'on s'était contenté de les reclure dans la section moderne, laquelle, plus nombreuse que chacune des trois divisions de première classique, abritait les réfractaires, à une ou deux exceptions près, et compromettait la réputation de toute la 5ᵉ compagnie aux yeux de l'encadrement. On la montrait du doigt aux miteux comme exemple à ne pas suivre, ce qui inévitablement leur donnait envie. À huit heures et à deux heures, les élèves des trois premières classiques se tenaient en ordre honorable devant la porte de leur classe, prêts à rompre les rangs, tandis que les modernes formaient une masse assez hirsute, calots en bataille, bras ballants, voire mains dans les poches. Avec le grand Crep's comme homme de base, il y avait peu de chances pour que les rangs fussent très serrés.

Toujours accompagné de Bouboule, qui trottinait à ses côtés comme Sancho Panza auprès de Don Quichotte, le grand Crep's tenait sa cour après le déjeuner et le dîner. S'il ne pleuvait pas, il entraînait une troupe, qui pouvait compter une douzaine de garçons, jusqu'au coin le plus reculé du quartier, le « fondus », du côté de la route du Mans, derrière une station-service Total, contiguë à l'usine des eaux. Là, un haut grillage nous séparait d'un terrain vague où un lotissement de HLM fut édifié quelques années plus tard. J'ai dit « nous séparait » comme si j'assistais à ces rassemblements, mais en ce temps-là je ne faisais pas encore partie de la bande du grand Crep's. J'étais un simple bizut que les anciens s'affairaient à humilier par tous les moyens. Ils m'avaient donné le surnom de « Miss », parce que j'étais l'un des plus jeunes, parce que je venais d'Amérique, parce que j'étais joli, encore assez enfant, même si j'affectais de me raser le menton le dimanche. J'avais l'air d'un adolescent sain de corps et d'esprit, à qui l'on aurait donné le bon Dieu sans confession, et l'on aurait sans doute eu raison. J'étais « girond », comme disait Lambert pour me calmer, car mon nom de guerre m'irritait au plus haut point. Il n'avait pas été inventé pour me plaire : « la Miss » par-ci, « la Miss » par-là, gazouillaient Bouboule et le grand Crep's, la voix haut perchée. Dans toutes les classes, le plus mignon portait un sobriquet féminin, comme « la Sultane », « la Mouquère » ou « Mary ». Chez les modernes, Wolff, par ailleurs champion du lancer de poids, était appelé « Vénusté » à cause de son nez grec, de ses cheveux blonds et de sa peau rose de chérubin. Ces barbares s'en donnaient à cœur joie et leur gaieté me tapait sur les nerfs. Du moins j'avais un surnom, preuve que l'on s'intéressait à moi. Damiron, calot renversé sur le sourcil, pieds rentrés en dedans, l'air buté du piocheur, du cheval de concours, avait reçu celui de « la Borne », ce qui était à peine moins malveillant, un peu moins vexant peut-être, par allusion à sa puissance de travail, à la certitude qu'il avait de son avenir radieux, et à l'ingénuité de ses ambitions. C'était en tout cas ainsi que j'interprétais le titre qui lui avait été attribué dès les premières semaines. On le respectait, parce qu'il obtint d'emblée les meilleures notes, mais je ne me rappelle pas qu'il ait eu des amis dans la compagnie, ni ailleurs. Damiron était très seul ; bientôt je ne le fus plus.

Les meneurs de la première moderne exprimaient comme ils le pouvaient leur attention pour les nouveaux — les distractions leur étaient comptées —, et comme ce n'étaient pas des êtres très raffinés, dans mon cas ils choisirent la persécution. Toutefois, par une sorte de conversion dont les origines me sont restées longtemps mystérieuses, la situation se retourna peu à peu à mon prcfit. Elle se modifia même assez vite, comme s'ils avaient eu besoin de moi, et, avant Noël, j'avais été pleinement adopté, trop même, par mes anciens oppresseurs, lesquels, comme on le dit des truands, avaient au fond un cœur d'or. Bien des années plus tard, un jour que je déjeunais avec le grand Crep's à la buvette du palais de justice — je saute par-dessus plusieurs dizaines d'années : il venait d'être nommé substitut à Paris, je lui avais envoyé un mot de félicitations, nous nous étions donné rendez-vous sur son nouveau terrain de manœuvres, tandis que non loin de nous un célèbre avocat général et un ténor du barreau complotaient avec gourmandise —, je lui demandai comment il s'était fait que lui et sa bande, après m'avoir d'abord tourmenté, m'avaient accepté si rapidement parmi eux, comment lui-même, après avoir dirigé mon bizutage, avait fait de moi son ami le plus intime. Il me répondit sans hésiter, comme s'il avait toujours connu la solution de cette énigme qui me déconcertait depuis des lustres — quand il m'arrivait d'y penser, ce qui avait lieu de manière très épisodique —, ou comme si lui aussi s'était interrogé après coup sur notre rapprochement, qui l'avait également surpris par sa soudaineté.

Ce jour-là, le grand Crep's me révéla qu'il avait eu tout de suite envie de savoir qui j'étais, ce que j'avais dans le ventre, pour deux raisons principales. La première, c'était que j'avais débarqué parmi eux comme un zombie, sans être au courant de rien, sans la moindre idée des mœurs et usages des lieux. Alors que leur vie était limitée par les murs du quartier et que rien n'avait plus pour eux d'existence au-delà de leur camp retranché, j'arrivais de loin, ayant aperçu le Pacifique et arpenté le globe. Eux, ils étaient enfermés, leur adolescence, leur liberté leur avaient été volées, ils manquaient de tout, de manières, d'affection, enfin de vocation depuis qu'ils avaient renié la seule valeur qui eût pu les soutenir en cet enclos, tandis que je représentais l'étranger, un cosmopolitisme qu'ils abhorraient mais qui les fascinait. De plus, l'Amérique, pour le grand Crep's, c'était le jazz, auquel, on le verra, il commençait de s'intéresser et qui lui ouvrait une issue hors du bahut. Puis il avait remarqué que je revenais du quartier libre le jeudi après-midi avec un exemplaire de *L'Express* sous le bras. Comme le Donald, victime du même malentendu, il avait attribué à ce geste une intention subversive, mais, lui, cela l'avait disposé en ma faveur, incité à se rapprocher de moi, du moins rendu plus attentif. Son intérêt avait pris la forme naturelle du bizutage avant de se transformer en complicité.

Je ne sais plus bien quand ni sous quel prétexte je fus prié pour la première fois de me joindre à leur cercle après le déjeuner. Cette invitation me dérouta ; je me méfiais d'eux, j'imaginais un piège ; mais je n'avais pas vraiment la possibilité de m'y dérober. La curiosité me piquait aussi car j'avais observé leur manège. Au réfectoire, ils parlaient haut, faisaient grand bruit, se hélaient d'une table à l'autre, puis, une fois qu'ils s'étaient retirés, le silence et la morosité retombaient sur nous comme un nuage noir. Sur un signe de leur chef, ils quittaient la table en un instant, filaient je ne savais où. On me laissait alors en paix, mais j'aurais voulu les suivre, me mêler à leur société secrète, prendre part à leurs activités mystérieuses. Je ne crois pas que ce fût le grand Crep's lui-même qui s'adressa à moi le jour où je découvris où ils se rendaient après le déjeuner, au lieu d'aller traîner au foyer. Il me semble qu'il délégua Petitjean. Petitjean était un garçon avec qui j'avais déjà eu une ou deux conversations privées, un métis aux cheveux frisés né dans les colonies.

Au bahut, la plupart des élèves n'avaient de passion pour rien, ou bien s'ils avaient une admiration, ils la gardaient secrète pour qu'elle ne fût pas profanée par la collectivité. L'internat avait privé la plupart des élèves de tout enthousiasme. L'un ou l'autre s'intéressait bien au modélisme ou à la philatélie, mais les tocades de ce genre évoluaient en manies de vieux garçon auxquelles j'étais peu sensible et qui même me répugnaient, telles des variantes licites de l'onanisme. Comme tous les gamins de l'époque, j'y avais été poussé autour de dix ou douze ans, après le Meccano, mais je les avais vite délaissées. J'aurais eu honte de glisser des timbres sous du papier cellophane dans un album ou de décorer des maquettes d'avion avec des pinceaux minuscules. Or j'avais rencontré en Petitjean un rare ñass qui fût fanatique de quelque chose d'avouable, qui avait un amour chevillé au corps, et qui savait le communiquer, qui pouvait être intarissable à son sujet : Petitjean était fou de cinéma, tenait obsessionnellement la liste de tous les films qu'il avait vus, achetait des revues de cinéphilie, à la fois *Les Cahiers du cinéma* et *Positif,* parce que sa générosité naturelle excluait qu'il prît parti et que, de toute façon, les nuances de l'opinion parisienne lui échappaient encore.

Pour nous évader du bahut, nous cultiver un peu, trois activités civiles nous étaient proposées par la hiérarchie, d'ailleurs sans encouragement de sa part car elle se méfiait de toute influence susceptible de nous détourner de sa direction spirituelle : Connaissance du monde, les Jeunesses musicales, et le Ciné-Club. En arrivant, je m'inscrivis à toutes, mais ce fut au Ciné-Club que je devais rester le plus fidèle. Il se tenait dans une salle de cinéma située loin du quartier, à l'autre bout de la ville : l'Éden, ainsi s'appelait cette salle, comme un cinéma sur deux dans toute petite agglomération de la province française, au milieu du XXe siècle. La nôtre possédait à l'époque deux salles : le Palace — c'était généralement le nom de la seconde salle, dans une localité typique —, presque luxueux, ressemblant davantage à un théâtre, avec un balcon, où passaient des films commerciaux et où je ne suis presque jamais entré, et l'Éden, plus rustique, simple halle rectangulaire comme un gymnase ou un ancien jeu de paume, sans gradins, avec un écran fixé très haut sur le mur du fond. Accompagnés par un sous-officier, nous nous y rendions, fort peu nombreux à la vérité, la plupart des élèves ayant perdu toute curiosité pour la vie civile, au pas cadencé, aussitôt après le dîner, et, fourbus, saturés d'images, exaltés, nous revenions à travers la ville endormie entre onze heures et minuit. Notre sous-officier, lui aussi touché par le caractère exceptionnel, presque féerique, de ces retours en pleine nuit par les rues désertes et silencieuses, à une heure où nous dormions d'habitude, s'abstenait de nous mettre au pas et nous laissait même bavarder dans les rangs. Nous parlions à voix basse, mais notre escouade faisait résonner les trottoirs. L'un des attraits de ces sorties était encore que nous arrivions au bahut longtemps après l'extinction des feux, pour nous déshabiller dans l'obscurité et nous jeter sous les couvertures. Ces nuits-là, j'étais incapable de trouver le sommeil, car je me repassais indéfiniment le film derrière mes paupières fermées, je le reconstituais en détail, me le racontais, le revivais, m'échappais par l'imagination.

Le premier film que je vis à l'Éden, cet automne-là, appartenait en plein au fonds de commerce générique du Ciné-Club, mouvement qui mêlait la critique sociale aux bons sentiments, et qui justifiait par cette louche alliance la méfiance des gradés. Ce film était *Fury*, première réalisation de la période américaine de Fritz Lang, qui m'affecta, me bouleversa même, si bien que certains plans rapprochés sont inscrits de façon indélébile dans mon cerveau. C'est l'histoire du meurtre collectif, du lynchage, évité par miracle, d'un innocent, magistralement incarné par Spencer Tracy, dans une petite ville de l'Amérique profonde. Tous les traits de l'horreur grégaire et de la haine de l'autre y sont réunis : la propagation de la rumeur sous prétexte de défendre la loi et l'ordre, les *law and order* des bien-pensants, le charisme des meneurs, l'ivresse de la plèbe en émeute, son sadisme quand elle met le feu à la prison municipale et le plaisir qu'elle trouve à voir un homme brûler vif, puis le mutisme de la communauté qui protège les siens, sa solidarité dans l'abjection. « *A mob doesn't think* », s'écrie la fiancée de Spencer Tracy, réchappé de la fureur des foules et revenu de toute croyance en la justice, pour le convaincre de modérer sa soif de vengeance. J'y retrouvai l'autre Amérique, non pas celle que j'admirais, le pays des libertés constitutionnelles et du premier amendement, des textes fondateurs que nous apprenions par cœur au cours d'histoire, mais celle qui m'effrayait, l'Amérique rouge des bigots et des cagots qu'il m'était arrivé de rencontrer parfois, lors des voyages dans le Sud, ou rassemblée autour de Barry Goldwater durant la dernière campagne présidentielle : à Washington, certains de mes camarades de classe, comme Gordon Lederman, jeune homme aux cheveux ras, aux joues couvertes d'acné et à la veste de seersucker, pour qui je n'avais jamais eu de sympathie, avaient pris parti pour le sénateur de l'Arizona et nous distribuaient des autocollants pour les pare-chocs de nos parents. Très influençable, bêtement sentimental, j'adhérai pleinement au message moral et politique donné par le metteur en scène : même si la civilisation des hommes n'était qu'un fragile vernis qui ne résistait pas aux passions collectives, le dénouement était malgré tout positif, puisque la justice et l'amour triomphaient. Le film prônait la tolérance, l'espoir, enfin la clémence : Spencer Tracy se présentait au tribunal juste après la lecture du verdict qui condamnait à mort ses bourreaux, leur épargnant ainsi le sort auquel ils l'avaient voué. Ce soir-là, en sortant de l'Éden, je me sentais meilleur. Or, sur le chemin du retour, je me trouvai dans les rangs auprès de Petitjean, lui aussi au septième ciel, avec qui j'échangeai quelques grandes idées sur le film et sur le monde. Nous comparâmes nos cultures cinématographiques. Je lui parlai de *L'Année dernière à Marienbad,* que j'avais vu à Washington, ce qui lui fit envie parce que je me vantai un peu en lui confiant que c'était le film le plus dérangeant dont j'eusse connaissance — je n'y avais rien compris —, avec le *Dr. Strangelove* de Kubrick, satire antimilitariste dont je me rends compte en l'évoquant ici que le plaisir que j'y avais pris ne m'avait pas préparé à me soumettre à la discipline des armées.

Ce fut peu après cette soirée que l'on m'invita au cercle des mauvais esprits. Petitjean, qui en était un pilier, avait sûrement rapporté à ses associés notre conversation sur *Fury.* Il devint vite un bon camarade. Je tentai de dresser à son intention la liste de tous les films auxquels il m'avait été donné d'assister. Elle ne comptait pas la quantité de séries B dont j'ignorais jusqu'aux titres et dont j'avais été spectateur à la télévision, dans la nuit, en compagnie de ma sœur aînée, après que nos parents nous eurent donné cette liberté sous prétexte d'améliorer notre anglais — films que je devais revoir avec étonnement à Paris, des années plus tard, quand les petites salles du quartier Latin se mirent, durant l'été, à programmer des festivals de cinéma américain, réhabilitant le film noir. Petitjean fut impressionné. Nous prîmes l'habitude de nous rendre ensemble à l'Éden pour les soirées du Ciné-Club et de nous y asseoir côte à côte.

À la fin des vacances de Pâques — j'anticipe beaucoup —, nous nous retrouvâmes, le grand Crep's et moi, à un moment où nous étions devenus inséparables, avec Petitjean, pour une escapade d'un jour à Paris avant le retour au bahut. Je ne sais plus quelle excuse nous avions invoquée auprès de nos familles pour avancer d'un jour notre départ. Arrivé d'Allemagne avant l'aube par le train de nuit, je me dirigeai vers la gare de Lyon, où j'attendis le grand Crep's. Nous nous rendîmes aussitôt chez Petitjean, qui habitait rue des Moines, en face du marché des Batignolles. Après les plaisanteries d'usage, nous partîmes à pied par la place de Clichy, traversâmes Paris par la Concorde, les Tuileries, l'île de la Cité, le Boul' Mich', comme on disait encore, à la recherche du Studio des Ursulines, dans un quartier qui me parut très éloigné et dans une rue qui avait des allures paisibles de province. Nous avions décidé d'y aller voir *Blow-Up*, d'Antonioni, qui deviendrait l'un de mes films préférés, avec son climat troublant de meurtre et de mystère, sa description attirante de la Londres des sixties, et la musique de Herbie Hancock. Après quoi, nous remontâmes jusqu'à l'Opéra, où nous vîmes *Pierrot le fou*, en nous prenant pour des malfaiteurs parce que le film était interdit aux moins de dix-huit ans, interdiction que la caissière ne se soucia pas de nous faire respecter. Les ministres censuraient encore, mais ils n'y pouvaient déjà plus grand-chose. De fait, il y avait dans le film de Godard de quoi ébranler des jeunes gens qui, comme nous, manquaient un peu d'équilibre. L'angoisse m'étrangla tandis qu'Anna Karina faisait les cent pas sur la plage en s'écriant : « Qu'est-ce que j'peux faire ? J'sais pas quoi faire ! Qu'est-ce que j'peux faire ? J'sais pas quoi faire ! Qu'est-ce que j'peux faire ? J'sais pas quoi faire ! » Nous n'en avions pas fini. « *The night was young and so were we* », eût dit Hemingway. Nous nous rendîmes donc dans un club de jazz, le Blue Note, rue d'Artois, où, miracle, nous entendîmes Stan Getz. Tard dans la nuit, après avoir bu des demis dans un café de la place Blanche, nous rejoignîmes enfin la rue des Moines, où le grand Crep's et moi dormîmes sur des coussins dans la salle de séjour. Le dimanche, nous fîmes la connaissance de Mme Petitjean, qui était africaine et qui nous servit un déjeuner épicé comprenant des haricots rouges, puis nous prîmes le métro pour la porte de Saint-Cloud, où avait lieu le rassemblement des élèves devant des autocars n'ayant de Rapid que leur marque. Décorés sur la carrosserie de décalcomanies représentant le clocher du bahut surmonté d'une flèche, laquelle symbolisait non sans superbe leur vitesse, ils nous reconduiraient tranquillement à destination, en raison d'une grève de la SNCF. Tous trois, faisant bande à part, vautrés sur la banquette arrière de l'autocar que nous avions réquisitionnée sous l'autorité du grand Crep's, nous nous racontions indéfiniment *Pierrot le fou* et *Blow-Up*. Nous étions des révolutionnaires, des anarchistes. Nous nous prenions pour de jeunes Rimbaud. Nos irions au bout du monde dans une Ford Galaxie modèle 1962. Nous ferions sauter la planète et nous avec. Puis nous partions dans de longs fous rires, heureux du bon coup que nous avions fait au monde, comme un enfant dans le dos.

Petitjean, j'ignore ce qu'il est devenu. À la fin de l'année, il quitta le bahut pour faire philo dans un lycée parisien, Jacques-Decour si je me souviens bien. Il entama des études de lettres à Nanterre, mais les interrompit bientôt, non pas qu'il se fût politisé comme Lambert, mais parce qu'il n'avait nulle intention d'enseigner. Nous nous revîmes de loin en loin, puis plus du tout. En cherchant son nom sur internet, je découvre aujourd'hui — et je ne puis retenir un mouvement d'admiration — qu'il a vécu fidèlement à sa passion d'adolescence et publié plusieurs livres sur des metteurs en scène, Rohmer, Renoir, Chabrol, Pialat, mais rien sur Antonioni ni Godard. Peut-être me laissait-il écrire ces livres-là. À moins qu'il ne s'agisse d'un autre Petitjean, car nous n'utilisions pas nos prénoms en ce temps-là et j'ai oublié le sien.

De Bouboule, je ne dirai pas grand-chose. Depuis la classe de sixième, il suivait le grand Crep's comme son ombre. Ils avaient redoublé ensemble la troisième avant de passer en seconde moderne. Bouboule parlait peu mais il approuvait toujours. Il était le *famulus*, l'homme de main, l'exécuteur des basses œuvres. Ses notes étaient très faibles dans toutes les matières, sauf en sport, car il était fort comme un bœuf, animal dont il avait l'encolure. On l'avait laissé passer en première, mais il y végétait et ses jours étaient comptés. Il n'y avait pas d'avenir pour lui au bahut, ni dans l'armée, vers laquelle, vu son indiscipline chronique, on se gardait de l'orienter, fût-ce vers une carrière de sous-officier. Il se trouvait à présent dans des sortes de limbes, bien conscient que tout effort scolaire eût été inutile et n'eût rien changé à son sort, l'éviction du bahut à la fin de l'année, sinon plus tôt, au premier faux pas. Le mieux que l'on pût lui souhaiter était une courte formation professionnelle qui lui permettrait d'acquérir un métier de technicien, car il n'était pas incompétent dans les travaux manuels, mais ses aptitudes pour l'abstraction étaient nulles. S'il n'avait vogué dans le sillage du grand Crep's, on aurait ri de lui, de son orthographe, de ses cuirs, de ses bévues, on l'aurait sûrement traité de « bas de plafond », mais son protecteur aurait sévi de manière implacable. Il y avait entre eux, les deux vétérans de la première moderne, le pacte du sang.

Plus curieusement, le meilleur mathématicien des quatre classes de première appartenait à l'entourage du grand Crep's, un dénommé Barnetche, prénom Vital — nous usions par exception de son nom de baptême, car il n'était pas banal —, le meilleur camarade du cancre Bouboule. Damiron lui arrivait à la cheville ; auprès de Barnetche, la Borne n'était qu'un piocheur, un chiadeur, un bon élève besogneux sans plus, pour ne rien dire de mes propres capacités. Barnetche avait atterri tout droit parmi les modernes, suivant ce que j'appris quand je m'étonnai discrètement auprès de Petitjean de sa présence parmi eux. Il était arrivé en quatrième de la banlieue parisienne, Bondy pour être précis, sans avoir jamais fait de latin, mais s'il excellait en maths et en physique, il était nul en français et n'avait pas plus d'orthographe que Bouboule. Il venait d'une lignée de marins, son père était premier maître. Barnetche était un drôle de garçon au physique plutôt disgracieux mais intéressant, avec des cheveux toujours en broussaille dans lesquels aucun peigne ne passait, un visage de travers et un nez tordu vers la gauche. Il arpentait le quartier le buste penché en avant comme l'homme des foules d'Edgar Poe, les pieds écartés comme s'ils étaient palmés — ce qui lui avait valu le surnom de « Canard » —, en frottant de haut en bas sa narine droite d'un mouvement perpétuel de l'index droit pour accompagner sa réflexion, habitude qui expliquait la déviance de son nez vers la gauche. Barnetche était empoté, bourru, grognon, mais sensible et même affectueux, une fois que l'on s'était familiarisé avec ses excentricités, lesquelles justifiaient qu'il dédaignât le commun des élèves et qu'il se sentît chez lui parmi les derniers de la classe. À la différence de Stendhal qui, de Civitavecchia, où il souffrait de la solitude, écrivait à Balzac en 1840 : « Il n'y a là de poétique que les douze cents forçats : impossible d'en faire ma société », Barnetche n'avait pas hésité à sauter le pas. À l'échelle de la petite société ñass caractérisée par une « hypocrisie de moralité », disait Stendhal pour traduire le *cant* anglais, la suffisance, le contentement de soi, la bêtise, tout aussi épaisse qu'à Civitavecchia, il avait délibérément recherché la compagnie des proscrits, incomparablement plus colorée que l'autre, celle des fana mili et autres guignols qui composaient la majorité silencieuse.

Car le bahut était un parfait modèle de société, une communauté microcosmique reproduisant le macrocosme civique dans tous ses détails. Qui aurait voulu s'initier gratuitement à la science politique n'aurait eu qu'à observer avec un peu d'attention les rapports du peuple, représenté par nous, les ñass, et de l'autorité, c'est-à-dire les gradés, sans avoir besoin d'ouvrir le *Discours de la servitude volontaire* de La Boétie. Tous les ressorts de la machinerie du pouvoir étaient en évidence devant nous : la lâcheté de presque tous, la fierté de quelques-uns, l'éternel conflit de la liberté et de la tyrannie. C'était un peu comme si un Dieu caché avait voulu nous mettre à l'épreuve, nous enseigner le grand monde, mais rares étaient ceux qui s'en rendaient compte. Comme eût dit le général de Gaulle, les ñass étaient des veaux, c'est-à-dire des victimes consentantes, mais aussi de futurs bourreaux.

Prononçant ces mots sans doute injustes, car on avait tout fait depuis des années pour les aveugler, et il y avait des exceptions, je m'aperçois que, comme Barnetche, et

101

renonçant à la réserve qu'aurait dû m'imposer ma situation non seulement de prétendant à la tête de classe mais encore de fils de famille, je choisis moi aussi la seule société fréquentable au bahut, celle des trublions et des cancres, graines de malfaiteurs, criminels en herbe, si l'on prêtait foi aux vaticinations de notre encadrement, classe dangereuse dont les gradés condamnaient la désinvolture, l'indépendance et l'originalité en les désignant à l'aide d'une expression passe-partout, commode et vague, qui suffisait à expliquer à leurs yeux l'hostilité que les ñass pouvaient entretenir à leur égard, à savoir le « mauvais esprit », qualité ou plutôt défaut indéfinissable, disposition pernicieuse à la réflexion — toute velléité de penser relevait du mauvais esprit, car un ordre ne se discute pas —, qui risquait de mener, avertissaient-ils en dressant l'index, à bien des déconvenues une fois sortis du bahut, dans l'armée comme dans le civil. Quant à moi, la décision de rejoindre la communauté des fortes têtes, j'en suis convaincu, me sauva pourtant la vie, à court et à long terme, et contribua plus à mon éducation que tous les enseignements officiels que je reçus cette année-là et qu'à dire vrai je me mis à négliger sous l'influence de mes nouveaux amis.

De notre confrérie d'agitateurs qui se réunissait derrière l'usine des eaux après le déjeuner, seuls Barnetche et moi serions admis en maths élem à la fin de l'année. Un ou deux autres associés mineurs de la bande du grand Crep's s'infiltrèrent de justesse en sciences ex, sauvés par la peau des fesses, mais aucun des chefs ne passa en classe terminale au grand bahut et seule ma camaraderie avec Barnetche se prolongea de l'autre côté de la ville. Nous fûmes affectés dans des classes différentes, mais toute la 4ᵉ compagnie, plus d'une centaine de garçons, couchait dans un dortoir unique, grandiose, au-dessus de la cour de Crédence, le plus immense que j'aie connu, avec d'interminables rangées de lits superposés, alignés sur trois colonnes, deux contre les murs, une au milieu, sous une haute nef à travers laquelle le moindre bruit (ronflements, gargouillis, halètements suivis de grincements de sommier, etc.) résonnait à la perfection. Damiron était de nouveau dans ma classe, toujours en tête, mais nous ne nous rapprochâmes pas davantage. Ayant perdu nos complices du quartier Gallieni, égarés dans les méandres d'un logis inconnu, esseulés parmi un grand nombre de nouveaux arrivants, nous passions, Barnetche et moi, beaucoup de temps ensemble, puis nous nous retrouvâmes en maths sup, où nous prîmes possession de deux tables voisines au fond de la salle, sous les casiers. Barnetche réussissait toujours aussi bien, je peinais davantage. Canard, la Borne et moi, nous étions à présent les seuls anciens du petit bahut en maths sup, puis en taupe. Nous croisions encore au réfectoire quelques rhétos qui avaient été aiguillés vers les prépas, à Navale ou à Salon, la Flotte et les Ailes, mais ceux qui avaient rejoint la corniche, comme Ger's, Brisacier ou Bonitatibus, nous les voyions peu. Leur existence s'organisait autour de la cour de Sébastopol, alors que nous allions et venions entre notre dortoir, notre réfectoire et notre salle de classe, qui donnaient tous sur la cour d'Alger, dite aussi d'Iéna parce qu'elle avait été jadis divisée en deux par un mur.

Dans la compagnie, plus personne ne connaissait nos vieux surnoms. J'étais bien le seul à apostropher Barnetche, d'un bout à l'autre de la cour d'Alger, sous le vocable de « Canard ». Le classement, lui, n'avait pas changé : Canard fut reçu à l'École normale, le prix d'honneur lui fut attribué. Le jour de la fête de Trime, il fut porté en triomphe dans les cours et le parc, hissé, place Henri-IV, sur la statue du roi, puis précipité dans le bassin du jardin du colonel. Damiron, lui, entra à Polytechnique avec un rang moyen. Je cubai, devenant le plus ancien de la taupe.

L'autre jour, je suis justement tombé sur Barnetche, rue des Écoles. Je ne l'avais plus revu depuis pas mal d'années, mais nous nous sommes reconnus tout de suite, avec joie, en tout cas de ma part. Il sortait du Vieux Campeur, où il avait acheté des pitons et une corde ; il retournait de ce pas à son labo de Jussieu. Sa passion de l'escalade m'était tout à fait sortie de l'esprit. Nous avions l'air tous pareils sous l'uniforme, la discipline nous aplanissait, la plupart avaient été laminés, vidés de toute personnalité, mais si certains, les plus coriaces, avaient survécu à l'ordre serré, aux rassemblements, aux consignes, aux commandements, c'était grâce à une marotte secrète, un amour clandestin, une manie plus forte que le règlement. Canard était de ceux-là. Il dessinait des courses dans les Pyrénées, pendant l'étude ; il avait été sauvé par l'alpinisme, auquel il n'avait donc jamais renoncé. Nous nous croisons de loin en loin ; chacun a vaguement connaissance de ce que l'autre devient ; nous saurions nous retrouver si nous en avions envie ou besoin. Nous bavardâmes un moment au coin de la rue des Écoles et de la rue Thénard, debout sur le trottoir, avant de nous quitter en nous promettant de nous appeler dès la rentrée, ce que nous ne ferons probablement pas, moins par indifférence que par timidité, attendant le hasard de la prochaine rencontre. Pour Damiron, c'est autre chose. Je préfère ne pas parler de lui ; je ne dirai un mot de ses équipées que lorsque je ne pourrai plus faire autrement.

Nous qui arrivions de Gallieni, le quartier Henri-IV nous dépaysa à peine moins que les bizuts. Quittant une caserne de la Troisième République sans mystère ni passages secrets, bâtie comme un tas d'autres par Freycinet pour renforcer la présence de la troupe sur l'ensemble du territoire et empêcher que la défaite de 1870 ne se répétât, désaffectée dans l'entre-deux-guerres, quand on fit confiance à la ligne Maginot, et convertie en annexe du bahut, augmentée de constructions scolaires de l'après-guerre en béton décoré de pierres meulières, sur un terrain situé en lisière de la ville, cerné à l'ouest par des terrains vagues aujourd'hui occupés par des lotissements aux noms de rues poétiques (impasse des Glycines, rue des Nymphéas) et par un immense centre commercial Leclerc comme on en trouve à la sortie de toutes les villes moyennes de France, sur l'ancienne route nationale déclassée en départementale voilà une trentaine d'années, nous déménagions vers un monument historique imposant et compliqué, installé en plein cœur de la ville. Avec sa succession de vastes cours — Austerlitz, Sébastopol, Alger, Iéna, Solferino, noms de victoires inscrits au plus profond de nos mémoires — entourées de hauts bâtiments aux murs de crépi, bordés d'un appareil et d'appuis de fenêtre en tuffeau, avec sa lumineuse chapelle baroque contenant le cœur d'Henri IV, ou du moins un cœur en or qui aurait contenu le cœur du roi jusqu'à la Révolution, avec son jardin à la française — le jardin du colonel, dont l'accès nous était interdit —

et son parc à l'anglaise, son manège et sa carrière, l'ancien collège de Descartes et de Mersenne nous intimida au premier abord. Le grand bahut possédait une ancienne et précieuse bibliothèque, mais celle-ci n'était pas ouverte aux élèves et jamais nous ne fûmes autorisés à y pénétrer, pas même pour la visiter. Elle ne contribua donc en rien à notre sentiment d'humilité, lors de notre entrée en classe terminale. Plus déterminant fut le constat qu'après avoir joué aux durs en rhéto, pour certains aux vétérans, nous étions à présent les jeunots, les bleus, les miteux, les bitos, que les élèves des prépas regardaient de haut.

Dans ce cadre solennel, les anciens se sentaient perdus au milieu d'une population non seulement renouvelée, mais aussi très différente par sa composition sociale et nettement plus bourgeoise, où les rejetons d'officiers supérieurs et d'ingénieurs de l'armement avaient éliminé les fils d'officiers sortis du rang ou de sous-officiers. Firent leur apparition parmi nous des garçons aux patronymes longs comme le bras, noms à particule de la petite aristocratie réfugiée dans la cavalerie depuis des générations, ou noms à rallonge sentant leur vieille famille de notaires et d'amiraux. Dans ma classe de maths élem, il y avait même le neveu d'un secrétaire d'État à la Marine qui se destinait évidemment à la Flotte. Ayant choisi mon camp l'année précédente, je me sentais mal à l'aise. En plus, alors que la laïcité l'avait emporté parmi nous en rhéto — jusqu'en première, on n'avait pas le choix, il fallait assister à la messe, sauf si les parents avaient expressément demandé que l'on en fût dispensé, si bien que les rhétos abusaient de leur nouvelle liberté —, les nouveaux, plus conventionnels dans l'ensemble, n'avaient pas abjuré. Nous étions rares à musarder au dortoir le dimanche matin à l'heure de l'office.

Les gradés n'étaient plus non plus de la même espèce : moins pitoyables, moins résignés, moins dépassés par les événements, ils affectaient en général des manières énergiques et professionnelles. Nos officiers et sous-officiers savaient apparemment mieux pourquoi ils étaient là. Ils avaient pour mission d'inspirer un esprit militaire à de futurs officiers des trois armes et ils entreprirent dès le premier jour notre instruction. Entre quatre et cinq heures, aussitôt le goûter expédié, nous nous rendions à l'armurerie, nichée dans les contreforts de la chapelle, et nous en ressortions équipés de MAS 36, vieux fusils qui n'avaient pas tiré un coup depuis des décennies, avec lesquels nous apprenions les mouvements élémentaires du maniement des armes : « L'arme sur l'épaule, droite », « Présentez, arme », « Reposez, arme », « L'arme, au pied », réflexes vite devenus aussi instinctifs que celui de débrayer ou de changer de vitesse et qui sont de ceux qui s'oublient en dernier quand on est frappé de gâtisme. Nous traversions les cours, nous nous enfoncions jusqu'au fond du parc avec l'arme sur l'épaule, avant de rassembler nos MAS 36 en faisceaux, le temps d'écouter la harangue d'un adjudant, ou du chef d'escadron Boivin, au nom prédestiné, qui était chargé de la préparation militaire. Lui aussi ancien de la 2e DB et lié à mon père, il lui rendait compte de mes progrès, en bien ou en mal. Puis nous revenions juste à temps pour l'étude du soir. L'insubordination n'était plus vraiment à l'ordre du jour, ni même la restriction mentale. Ce qui avait changé, c'était qu'il n'y avait plus de mauvais esprits parmi nous. Moi-même, je m'habituais aux ordres, je rentrais dans le rang, je rectifiais automatiquement la position quand je croisais dans la cour un officier ganté agitant son stick sous le coude.

Heureusement, l'élite des enfants de troupe rejoignit nos rangs un an plus tard, en maths sup. Ils débarquèrent par paires, une en provenance de chaque école militaire préparatoire, comme les animaux rassemblés par Noé sur son arche : il y eut le couple des Andelys, celui d'Autun, celui du Mans, celui d'Aix. En tout, ils furent une bonne dizaine, près d'un quart de la classe, proportion qui n'était pas négligeable du point de vue de la diversité sociale — on n'employait pas encore cette expression — qu'elle introduisit dans notre communauté. Je retrouvai auprès d'eux l'esprit de contestation qui me manquait depuis l'élimination des éléments douteux, à la fin de la rhéto. Amyot du Mans, qui venait du technique, était un as de la règle à calcul et du dessin industriel ; goinfre — le « Morfal », comme on l'appelait —, il voulait faire son chemin à tout prix, et il intégra Centrale, fit un beau mariage et réussit une belle carrière. Zulberti d'Autun, qui avait l'air d'un gros ours un peu voûté aux cheveux roux, tremblait devant sa copie lors des écrits de concours et perdait tous ses moyens à l'oral ; je n'ai aucune idée de ce qu'il est devenu. Millet d'Aix, vaillant « tchatcheur » devant l'Éternel, entra à l'École avec moi. Mais les deux meilleurs étaient Buvik et Daru des Andelys, « Vik » et « Rus », inséparables depuis la sixième, l'un fluet, l'autre athlétique, l'un myope sous d'épaisses lunettes et souvent caché derrière un livre, l'autre zézayant et marchant avec la souplesse d'un félin, la tête penchée en arrière comme s'il dansait, aussi gracieux que Nijinski, mais tous deux francs, attentifs et loyaux. Daru et moi, nous nous sommes escortés longtemps, intégrant la même année, partageant une chambre à l'École. Ayant choisi la même arme, nous fîmes ensemble notre instruction militaire, qui se termina par un cross, dans la forêt de Fontainebleau, un matin qu'il gelait à pierre fendre. Après avoir couru en tandem — Daru m'avait tiré tout le long du parcours —, nous emportâmes les deux premières places, ce qui nous valut pour récompense un beau tour de forêt sous la neige en hélicoptère. À Paris, je lui prêtais les clés de ma chambre quand sa petite amie lui rendait visite. Le cours de la vie nous a éloignés, mais nous nous voyons encore, déjeunons parfois ensemble, et nous savons que nous pouvons compter l'un sur l'autre. La dernière fois, Daru m'a parlé de ses enfants, maintenant adultes, et de la déception qu'ils lui causaient, ainsi que de sa femme — la petite amie de nos années de service militaire —, et de la routine qu'était devenue sa vie de famille. Je l'écoutais avec consternation, car il condamnait froidement quarante années d'existence au bout de quelques phrases, hormis ses succès professionnels, lesquels avaient été remarquables. Pour se changer les idées, il lui restait la pratique assidue du jogging dans le bois de Boulogne. Je me demandai à part moi s'il y trouvait d'autres distractions.

Les enfants de troupe en avaient bavé bien plus que les ñass du quartier Gallieni. Tous avaient des cadavres dans le placard. C'étaient des durs, des rescapés, que j'admirais pour cette raison. Ceux qui venaient d'Hériot avaient derrière eux une douzaine d'années d'internat, durant lesquelles certains, plus ou moins abandonnés, n'avaient quasi pas quitté l'uniforme. En leur compagnie, j'ai connu d'autres coins de Paris que ceux auxquels j'étais prédestiné. Buvik habitait à Nanterre, avec vue sur les bidonvilles. Comparés à eux, les bleus de maths élem et de maths sup avaient tout l'air de rosières. En ce temps-là, pour être un vrai ñass, il fallait avoir connu le petit bahut. Je n'y avais passé qu'un an, mais j'en avais vu assez. Les nouveaux, mis à part les enfants de troupe, je ne les ai jamais pris au sérieux. J'avais été définitivement vacciné par mon association avec le grand Crep's.

Buvik, Daru, Amyot et moi, nous avions découvert un passage à travers les combles qui, de notre dortoir situé entre la cour d'Alger et la cour de Sébastopol, nous donnait accès à la chapelle. Nous y débouchions à la hauteur de la galerie, à la droite du grand orgue. De là, nous redescendions dans la nef après avoir caressé le cœur en or d'Henri IV et nous rejoignions le chœur. Devant l'autel, une dalle point trop lourde à soulever masquait l'entrée de la crypte, où nous organisions des dînettes le dimanche soir — des « graillous » ou des « goulals » dans notre vocabulaire —, après nous être approvisionnés dans une charcuterie de la rue Carnot. Amyot, vrai chancre, dévorait des pâtés ; Barnetche, qui nous accompagnait parfois dans ces expéditions, raffolait des rillettes ; une autre spécialité nous revigorait, Daru et moi, avant que ne recommence la semaine : le boudin noir, que nous extrayions de sa peau et étalions en couches épaisses comme de la confiture de mûres sur des tranches de pain de campagne. Nous buvions modérément, conscients que le lendemain, à huit heures, le cours d'algèbre de M. Villiers requerrait toute notre attention. Mais un condisciple qui eut vent de nos ripailles du dimanche soir en fut scandalisé et les dénonça. Il y vit une intention blasphématoire semblable à celle des déjeuners gras de lard et de saucisses que Sainte-Beuve donnait à ses amis, le Vendredi saint — il ne fit pas lui-même cette comparaison, mais c'est ce qu'il voulait dire. Or nous agissions dans la plus parfaite innocence : nous n'avions nullement l'intention de blesser les croyances catholiques ; nous voulions simplement nous retrouver entre nous, en paix. Et nous ignorions les dangers que nous courions : quelques années plus tard, deux élèves trouveraient la mort dans cette crypte après avoir inhalé des vapeurs de gaz carbonique qui s'y étaient répandues.

Autun, Le Mans, Les Andelys, Tulle, ces écoles ont fermé leurs portes. Elles n'ont pas survécu longtemps aux guerres coloniales. Une poignée d'enfants de troupe réussissaient les concours chaque année. Que reste-t-il de ce royaume ? Orléans, Beaugency, Notre-Dame de Cléry, Vendôme, Vendôme... Parmi d'autres facteurs plus notables, la disparition des écoles militaires préparatoires a contribué au déclin de la promotion sociale dans les grandes écoles de France depuis deux générations. D'un point de vue égocentrique, si je n'avais pas eu quelques enfants de giberne à mes côtés pour prendre le relais des mauvais éléments de la 5e compagnie et nous moquer des autorités, moi aussi j'aurais fini par servir.

Je parcours trop vite les années, je rapporte par avance le destin des uns et des autres, Lambert, Petitjean, Barnetche, Daru, car le monde est petit et l'on se retrouve toujours. Même Buvik, dont je disais ne plus rien savoir, vient de me faire signe inopinément dans un courrier électronique où il me demande des conseils de lecture. En passant, il m'apprend qu'il a eu tardivement un enfant et qu'il est aujourd'hui un jeune père. Une des leçons de la vie, c'est qu'elle « repasse toujours les

111

plats », comme le claironnait l'adjudant-chef Vandal, ou plutôt Porcinet, qui était moins blasé et plus moraliste, quand nous ricanions de ses pataquès et que nos railleries le vexaient, même s'il se vantait d'être, lui, « bête mais discipliné », suggérant, mais sans préciser sa pensée jusqu'au bout, que ce n'était pas notre cas. Il voulait dire qu'il trouverait bien l'occasion de prendre sa revanche. « Dans la vie, dans la vie », s'écriait à tout bout de champ notre « serpatte-chef préféré » pour lancer ses aphorismes pompeux qui débutaient par cette formule légendaire avant de se perdre dans un bredouillement, comme s'il la connaissait, lui, la vie. Il en savait en tout cas plus long que nous, les miteux, les bleus, les bitos, les rhétos.

Mais j'anticipe en gâchant l'attente, j'enjambe l'essentiel en parlant déjà du grand bahut au lieu de m'en tenir à l'histoire de notre année de rhéto. Si je tergiverse, si je prolonge l'exposition et me perds dans les appendices au lieu de me précipiter vers les péripéties, si je saute par-dessus l'intrigue, c'est que j'imagine pouvoir arrêter le cours de l'histoire, conjurer le dénouement, empêcher la catastrophe. « Qui ira à 58, la mort, recommence au début. » Or il y a aussi des plats que la vie ne repasse jamais, des bifurcations qui ne se présentent qu'une fois — quand j'étais enfant, c'était ainsi que je voyais la Patte-d'Oie de Gonesse, que nous empruntions vers Compiègne ou la Belgique : si nous rations la bonne voie, je pensais que nous ne parviendrions jamais à destination, qu'aucun détour ne nous remettrait dans le droit chemin. Il y a des choix définitifs, irréversibles.

Nous étions serrés sur la banquette arrière, moi entre mes deux sœurs, à califourchon sur l'arbre de transmission, dans la vieille 203 lie-de-vin à lunette plate et à plaques anglaises avec laquelle nous étions revenus de Londres et dont les essuie-glaces, au lieu de se mouvoir parallèlement comme dans les voitures plus modernes, pivotaient l'un vers l'autre, se rapprochaient au point de se toucher au milieu du pare-brise, au sommet d'un triangle que, juste devant moi, leur balayage n'entamait pas, puis s'écartaient, se repoussaient comme sous l'effet d'une antipathie aussi puissante que leur attirance antérieure, répétant à l'infini un ballet ou un duel dont le battement avait pour moi quelque chose d'inexplicablement voluptueux et me semblait imiter le rythme même de la vie, faite d'attraits et de répulsions, d'élans vers l'autre et de replis sur soi, de générosités et d'égoïsmes, si bien que, hypnotisé par leur oscillation ambivalente, leur corps à corps d'amants ou d'adversaires, je me racontais — à l'époque, il pleuvait toujours, en tout cas dès que nous prenions la route — des histoires d'amour et de guerre pendant toute la durée de nos voyages vers Bruxelles ou Compiègne.

Le jour où Petitjean, à la sortie du réfectoire, me pria de rejoindre la bande du grand Crep's au fondus, j'étais au bahut depuis moins de deux mois. Mon bizutage n'était pas achevé. Redoutant à tout instant une raillerie, une corvée, un coup, une brimade, j'hésitai à suivre mon camarade. La semaine précédente, notre conversation au retour du Ciné-Club avait été cordiale, du moins m'avait-il semblé, et Petitjean n'était pas le plus agressif de leur gang. Je restai quand même sur mes gardes. Apercevant mon embarras, il ajouta : « T'as les jetons ? On te fera rien aujourd'hui ! » En prononçant ces mots, il me cogna de son poing fermé sur l'épaule gauche et me sourit. Puis il souffla de l'air vers son nez en avançant la lèvre inférieure, suivant une sorte de tic qu'il avait. Je le suivis, un peu rasséréné, jusqu'au bout du quartier, cette zone située derrière la station-service de la route du Mans et qui était vraiment la zone. Assis en rond au pied du grillage, au milieu des mauvaise herbes, il y avait là les habitués, tous des modernes : Bouboule, assis en tailleur, Barnetche, qui se frottait le nez, et bien sûr le grand Crep's, plus quelques acolytes, en tout huit ou dix garçons, la veste déboutonnée, la cravate relâchée, blaguant, s'esclaffant, s'interrompant, certains fumant, ce que je n'avais encore jamais vu faire au bahut. Il y avait aussi Wolff, dit « Vénusté », l'Alsacien rose et blond au nez grec qui prolongeait l'angle de son front, et aux cheveux ras qui, s'ils avaient été plus longs, eussent pu ressembler à ceux d'Alexandre dans *Les Noces d'Alexandre et de Roxane*, à la Villa Farnésine.

Le silence se fit comme j'approchais à la suite de Petitjean. Tous les yeux se posèrent sur moi. « On dirait qu'il va chier dans son froc ! » s'écria le grand Crep's de sa voix rauque, provoquant un mauvais rire général. Il n'était pas loin de la vérité. « On veut savoir ce que t'as dans le ventre », poursuivit-il, tandis que la rigolade redoublait. Je m'assis entre Barnetche et Petitjean, que je jugeais les moins malveillants, et je me fis tout petit. Apparemment, on ne s'intéressait déjà plus à moi. Tous parlaient en même temps, la cacophonie montait, jusqu'au moment où le grand Crep's, imposant le calme, se lança dans une tirade de son cru, puis improvisa un numéro d'imitation de l'adjudant-chef Vandal. Je découvrais des secrets dont je n'aurais jamais soupçonné l'existence. On les livrait devant moi sans craindre que je les répète. On m'avait prévenu : si je caftais, je le paierais cher.

Par exemple, le grand Crep's possédait le double des clés du bureau du pitaine. Il n'ignorait rien des secrets que renfermaient les tiroirs du Donald, ses fiches sur les élèves, ses lettres aux parents, ses dossiers sur les sous-officiers, sa correspondance avec le colonel Chenal et le commandant Conche, ses notes intimes sur ses états d'âme. « Le colon, il touche pas sa bille, celui-là », s'écriait triomphalement le grand Crep's. Apparemment, il n'hésitait pas à utiliser les informations auxquelles il avait accès, de cette manière inavouable, pour faire chanter ses victimes. Par ailleurs, il savait tout de la vie secrète du bahut grâce à un réseau serré d'informateurs dans les autres compagnies, chez les secondes et les troisièmes, auxquels des récompenses étaient promises. Pour les plus petits, les miteux, il était en contact avec leurs éducateurs, les pitous, ces bidasses qui logeaient dans des piaules situées au bout des dortoirs dans les nouveaux bâtiments et qui formaient un corps intermédiaire entre nous, les élèves les plus âgés, les rhétos, et la strasse.

Je n'en revenais pas. J'avais l'impression de brûler les étapes et de pénétrer sans préparation dans quelque chose comme l'antibahut. De même qu'il y a eu un antipape et un Antéchrist, je voyais soudain le grand Crep's comme notre anticolonel et notre authentique chef de corps, le fondateur d'une société secrète, le héros d'une *Histoire des Treize*, le grand maître d'une franc-maçonnerie d'initiés, le patron d'une armée des ombres agissant par complots, coups de main, embuscades, attentats inspirés par l'épopée de la Résistance. J'eus hâte d'entrer dans le jeu. On était à la fin d'octobre.

Vautrés dans l'herbe par cette belle journée d'automne, nous échafaudions les plans les plus sinistres sans que je comprenne s'il fallait les prendre au sérieux. L'exaltation était extrême. De l'autre côté du grillage, l'autre monde nous ignorait, insensible à nos fantasmes. Les voitures se doublaient en accélérant vers Le Mans. On avait envie de les suivre au moins jusqu'aux Belles Ouvrières, le premier lieu-dit sur la route, à l'entrée de Clermont-Créans. Les Belles Ouvrières ! Ce nom nous faisait rêver. Le soir, solitaires sous nos couvertures, c'était pour elles que nous avions une pensée.

Deux heures approchaient. Les vareuses furent reboutonnées, les cravates réajustées. Certains, par paresse ou par coquetterie, ne les défaisaient jamais, les enfilant le matin par-dessus la tête. Le nœud devenait de plus en plus réduit à force d'être serré tous les jours, ce qui constituait un signe de distinction. Nous reprîmes le chemin des dortoirs afin de regagner nos classes avant la sonnerie. Amusé, Petitjean me murmura à l'oreille comme nous rejoignions les rangs : « Avoue qu't'as eu les foies ! »

Mon existence changea du jour au lendemain. J'avais été initié aux mystères d'une secte. Lambert me prit à part et me mit en garde. Redoublant, il connaissait de réputation la bande du grand Crep's et me rapporta certains incidents regrettables qui s'étaient déroulés au printemps, à la fin de l'année scolaire, des bagarres, des chahuts, des insubordinations, suivis de copieuses distributions de PS et de PV. Damiron me fit la leçon sur un ton paternel, calqué sans doute sur les recommandations de son géniteur, lors de son incorporation : fréquente tes camarades de classe ; ne te compromets pas avec les modernes ; méfie-toi des fortes têtes. Porcinet, qui ne m'aimait pas, me traita de « mauvaise graine » au rapport, et le Donald me convoqua un jeudi.

Au garde-à-vous à trois pas de son bureau, lorgnant au-dessus de sa tête la devise désuète qu'il s'était avisé de nous donner, « S'instruire pour mieux servir », je ne pus m'empêcher de sourire en pensant que le grand Crep's lui faisait régulièrement les tiroirs. Le Donald le prit mal. J'ignorais que l'habitude que j'avais prise d'acheter chaque jeudi un journal d'opposition — tout journal eût probablement été d'opposition — l'indisposait sans qu'il osât me réprimander pour ce seul motif. Il crut que je me moquais de lui, essaya de se montrer autoritaire, fut simplement désagréable, cassant, pète-sec, et nous nous quittâmes sur un malentendu. Sans le vouloir, je m'étais créé un ennemi.

Même si nous étions peu faits pour nous accorder, les choses auraient pu tourner autrement. Je n'avais pas de point de vue déterminé sur la politique de la nation ; j'arrivais, plutôt légitimiste d'instinct. À l'ambassade de Washington, mon père s'était lié au ministre, qui avait été l'un des principaux acteurs des négociations avec le FLN. En visite chez nous, au bord de l'Océan, à Rehoboth Beach, dans le Delaware, où mes parents avaient loué une villa durant tout le mois d'août pour fuir la touffeur de la capitale, ils avaient eu de longues discussions au cours desquelles ce défenseur de la diplomatie secrète avait justifié toutes les décisions du Général. Assis derrière eux sur la plage, j'écoutais en silence, sans me manifester, ne perdant pas un mot de leur conversation, approuvant tacitement. Au bahut, je l'ai dit, comme partout dans l'armée, on se méfiait de De Gaulle. Je restais indécis, j'observais. Cet automne-là, le procès intenté à Jacques Laurent pour offense au chef de l'État m'amusa. Non sans humour, l'écrivain avait soutenu dans un pamphlet que si de

Gaulle n'avait pas existé, la face du monde n'en eût pas été changée : les Alliés auraient débarqué en Normandie, l'indépendance aurait été octroyée à l'Algérie, l'économie aurait connu la même croissance depuis la Libération grâce au plan Marshall. Le grand Charles comptait pour du beurre à l'échelle de l'histoire. Le crime de lèse-majesté scandalisait les thuriféraires du Général. Mauriac, dont la République venait de célébrer les quatre-vingts ans en grande pompe, avec Chaban-Delmas à Bordeaux et Pompidou à Paris, conspuait drôlement, dans son « Bloc-notes » du *Figaro*, cette « droite aux yeux crevés » qui avait soutenu l'OAS.

J'aurais bien demandé au Donald s'il était d'accord avec le Prix Nobel de littérature, partisan de l'indépendance de l'Algérie, censeur précoce de la torture, apôtre du Général depuis 1958, ou s'il se rangeait derrière Jacques Laurent, défenseur de l'Algérie française, apologiste des méthodes expéditives de l'armée, antigaulliste primaire, au demeurant l'auteur des *Caroline chérie* dont notre piston se délectait dans la solitude de son bureau, comme tant d'officiers désœuvrés dans leur caserne de province, pour tromper l'ennui de la garnison. Avec nous en tout cas, il ne paraissait pas ouvert à ce genre de discussions qui m'auraient plus intéressé que les filandreux panégyriques de la discipline du corps et de l'esprit dont il nous rebattait les oreilles. Je ne le voyais pas gaulliste et je l'imaginais encore moins de gauche. Au lieu de l'écouter, je m'interrogeais : pour qui s'apprêtait-il à voter ? Ni pour de Gaulle ni pour Mitterrand ; peut-être pour Lecanuet, par atavisme catholique, ou séduit par les dents blanches du candidat centriste ; mais plus probablement pour

Tixier-Vignancour, l'avocat de l'extrême droite, le défenseur de Salan et de Bastien-Thiry.

On n'en disait rien : le vote était secret ; celui des militaires était un droit récent, plus tardif même que celui des femmes ; ils l'exerçaient encore comme une vengeance. Mais Tixier-Vignancour était bien le candidat du bahut. Il se serait retrouvé à l'Élysée, après avoir été mis en ballottage par Marcel Barbu, le candidat des Français ordinaires, si le pays avait voté comme nous, en ce fatal jour de décembre où notre professeur d'histoire-géographie, M. Auberger, se risqua à sonder notre classe de première C2. Nous découpâmes de grandes feuilles de papier ; nous remplîmes les bulletins dans le secret de notre conscience ; il n'y eut quasi pas de bulletins nuls ou fantaisistes déposés dans l'urne, en l'occurrence le calot de Damiron ; et Tixier sortit du chapeau. Le pauvre M. Auberger, notre maire, républicain convaincu, démocrate-chrétien qui aurait été radical sous la Troisième République et qui avait osé signer une pétition contre la torture en Algérie, avec quelques autres professeurs du bahut (Cahen, un angliciste, Michelis, le mathématicien, et Lyotard, un philosophe), fut secoué par ce résultat que, naïvement, il n'avait pas prévu — j'avais été l'un des rares à donner malgré tout ma voix à la grande Zorah. Tixier, le président des ñass ! Il se demanda si nous blaguions ou si nous y pensions sérieusement, et il trancha pour la seconde hypothèse. Il n'avait probablement pas tort.

Au lieu de nous faire ouvertement la leçon, ce qui n'eût rien donné, il emprunta un détour et se décida à nous initier à la géographie électorale, discipline qui lui tenait à cœur comme professeur et comme élu. Il appela un élève au tableau. Par malheur, le sort tomba sur moi, assis sous ses yeux au premier rang, l'air niais. Afin d'illustrer les prédispositions historiques des différentes régions du pays à voter à droite ou à gauche (le Sud-Ouest radical, l'Ouest catholique, l'Est bleu), M. Auberger me demanda de tracer une carte de France au tableau. Derrière mon dos, tandis que j'ébauchais un vague hexagone à la craie, toute la classe, saisie d'une franche gaudriole, se mit à se bidonner comme un seul homme. M. Auberger se retourna, furieux : « Ça suffit, cette fois. Non contents de voter comme de petits fascistes, vous vous comportez maintenant comme des vauriens ! » Il ignorait apparemment, ou il l'avait oublié, ce qu'une carte de France voulait dire dans le jargon des soldats du djebel et dans notre dialecte à nous. Le vote pour Tixier n'était pas plus réfléchi que nos équivoques obscènes. Lambert, qui pouvait être malicieux, se leva : « Faut l'excuser, M'sieur, dit-il en me montrant du doigt, c'est sa carte qui nous fait rire. Il a pas révisé assez sa géo. » Lambert l'avait-il fait exprès ? Se moquait-il de moi ? Ou de M. Auberger ? Ça m'étonnait de lui. Ayant fait des progrès en vocabulaire depuis mon bizutage, je piquai un fard tandis que la classe ne retenait plus son fou rire. M. Auberger comprit cette fois l'allusion, rougit lui aussi jusqu'aux oreilles et nous libéra cinq minutes avant l'heure.

De fait, aucune lecture n'était bien vue de notre encadrement, ni *L'Express* ni le moindre papier imprimé, à de rares exceptions près comme les romans de Cécil Saint-Laurent ou de Jean Lartéguy. La lecture se pratiquant dans le silence et la solitude, elle était jugée aussi dangereuse qu'une drogue par nos gradés, car qui a lu lira. Un ñass qui lisait, qui s'absorbait dans les livres, les militaires avaient l'impression qu'il leur échappait, qu'ils ne contrôlaient plus sa pensée, qu'il tournait mal, qu'il était perdu pour le service. Au rapport matinal, après le lever des couleurs, mon nom commença de figurer sur la liste des punis. Coup sur coup, le Donald refusa de me signer deux livres que j'avais soumis à son *nihil obstat* et me les confisqua jusqu'à Noël (nous devions lui faire parapher tous les ouvrages que nous introduisions au quartier ; les volumes non signés trouvés dans nos petites affaires lors d'une inspection étaient saisis et, s'ils n'étaient pas purement et simplement détruits, ne nous étaient restitués que le matin du départ en vacances : « Pas de ces bougres de livres dans vos armoires, pas de mauvais journaux, pas de brochures surtout ; rien de la mauvaise presse », aurait pu clamer le Donald, s'il avait eu des lettres, en inspectant nos dortoirs). L'un d'eux était *Mémoires d'une jeune fille rangée*, que le Donald n'avait sûrement pas lu mais qu'il assimilait à la cinquième colonne — drôle de lecture, je l'avoue, que Simone de Beauvoir, mais je dévorais tout ce qui paraissait dans Le Livre de Poche — et l'autre un Sartre, je dirais bien *Les Mains sales*, à moins que ce ne fût *Là-bas* de Huysmans, histoire de messes noires et de succubes qu'il jugea, me dit-il un jour, scandaleuse, indigne d'un ñass.

Chaque dimanche après-midi, durant le quartier libre, entre deux et cinq heures, je me rendais à la seule librairie de la Grande Rue, tenue par la veuve Pulbis. M. Pulbis était mort peu auparavant. J'aimais le grand désordre de cette boutique où les livres s'entassaient n'importe comment sur les tables, et à même le sol, dans un fouillis instable dont je n'ai retrouvé l'équivalent, les hautes piles de livres à la verticale, que des années plus tard, dans le bureau de Georges Dumézil, rue Notre-Dame-des-Champs, avant de le reproduire chez moi. Mme Pulbis était une femme entre deux âges, sans doute dans sa cinquantaine, fort laide, bourrue et très moustachue. Elle brusquait les ñass qui fréquentaient son magasin, surtout les plus jeunes, convaincue, sans doute à raison, qu'ils lui chapardaient les articles de son rayon papeterie, crayons, règles et gommes qu'ils s'arrachaient en piaillant. Elle s'élançait au-dessus d'eux comme une sorcière et les dispersait en grondant. Ce n'était pas une mauvaise femme, mais la tenue d'un magasin était au-dessus de ses forces. Elle ignorait ce qu'elle possédait dans son fonds — en vérité des trésors que j'y dénichai par la suite — et elle déballait à peine les offices. Comme j'étais sinon un grand, du moins un rhéto, et que je devins vite un habitué en qui elle flaira un bon client, elle se montrait affable avec moi. J'entrais seul, feuilletais les nouveautés de la semaine. En ce temps-là, je n'avais encore jamais acheté de vrais livres, mais la production du Livre de Poche était si riche et si attrayante, sous ses couvertures criardes d'affiches de cinéma, que je m'en contentais aisément et lui prenais deux ou trois bouquins chaque semaine — des Gide, des Mauriac, des Balzac, des Martin du Gard, des Duhamel, des Hervé Bazin ou des Philippe Hériat, *Vipère au poing* ou *Les Grilles d'or* —, lisant tout et n'importe quoi, sans la moindre exclusive et dans le plus grand désordre, dépourvu de direction spirituelle et me faisant moi-même peu à peu ma religion. Au retour, je déposais mon butin chez le capitaine et le récupérais le lendemain, moins les titres qu'il avait censurés. J'enrageais, le maudissais dans ma tête, mais j'étais impuissant, j'apprenais la soumission, je m'exécutais.

Un livre enthousiasmait alors mes condisciples, *Le Matin des magiciens*, de Louis Pauwels et Jacques Bergier, sous une couverture éblouissante. La veuve Pulbis en avait toujours une pile près de sa caisse. Touchant à l'alchimie, à la gnose, aux mystères scientifiques, aux sociétés secrètes, ce gros bouquin avait ses fanatiques, qui s'en entretenaient la nuit dans les dortoirs, se demandant si tout cela était croyable, si vraiment le savoir absolu serait bientôt à notre portée. Je l'empruntai à Raymond, dit Ger's, gentil garçon qui, je l'ai dit, devait faire cogne comme son papa, atteindre le grade de général et commander la place de Paris. J'étais déjà trop raisonnable pour que cet ouvrage pût me persuader et il me laissa en vérité parfaitement sceptique, de même que les numéros de *Planète* qui passionnaient Ger's et que l'on se refilait. Le dimanche, il y en avait toujours un ou deux qui traînaient sur la table du dortoir, à côté des *Centurions* et des *Prétoriens* de Lartéguy dans des exemplaires écornés qui étaient passés par toutes les mains, d'un vieux *Allons z'enfants* sous une couverture sinistre, le roman d'Yves Gibeau sur les enfants de troupe, qui circulait en catimini malgré les objurgations de la strasse, ou de quelques-uns de ces jolis Jules Verne que Le Livre de Poche venait de lancer dans une série spéciale, *Les Cinq Cents Millions de la Bégum* ou *Le Château des Carpathes*.

Quarante ans plus tard, à l'occasion d'un jury de thèse, j'appris à mon immense surprise, dans un travail érudit sur le métaphysicien orientaliste René Guénon, que la librairie Pulbis, du temps de feu M. Pulbis, avait été un haut lieu de l'occultisme en France. J'étais passé complètement à côté. Les piles de Pauwels que la veuve du libraire caressait à la droite de sa caisse étaient les résidus d'une époque glorieuse, bien révolue au moment où les miteux lui fauchaient ses taille-crayons et où je lui piquais parfois un livre de poche que, l'air de rien, je dissimulais sous mon aisselle.

Un jour que je lui apportais un Barrès à signer, le Donald se risqua à un commentaire : « Très bien. Vous avez parfois de bonnes lectures. » Il n'aurait pas pu se tromper davantage et il ne se doutait pas du mal que ce livre me ferait, bien pire que tous les Sartre, Beauvoir et Huysmans du monde, car il s'agissait du *Culte du moi*, qui eut sur mon imagination l'effet que *Le Matin des magiciens* avait échoué à produire. J'en reparlerai plus tard, cette passion pour Philippe, l'« ennemi des lois » en qui je voyais un héros de Camus, un précurseur de *L'Étranger*, devant s'emparer de moi au printemps.

Une fois sorti de chez la veuve Pulbis, je me rendais au bar-tabac de la place de la Sous-Préfecture où la bande du grand Crep's tenait ses quartiers. Le haut du pavé bahuté hantait les cafés de la Grande Rue, La Civette, sur la place Henri-IV, Le Dauphin, au coin de la rue qui ouvrait en face de chez Pulbis, où la corniche prenait ses aises, ou encore le bar de l'Hôtel du Loir, tous lieux que nous évitions soigneusement. Nous snobions les cyrards — ils nous auraient d'ailleurs fait les gros yeux si nous avions empiété sur leur territoire, où ils ne toléraient que leurs féaux, tels Brisacier ou Bonitatibus — et nous préférions ce troquet, plus populaire, fréquenté par des petits employés, avec une salle en longueur, donnant par une porte étroite sur la place, qui était aussi celle du marché. Nous y jouions au flipper. La patronne s'inquiétait, rôdait autour de notre petit groupe, car certains d'entre nous, Bouboule et Petitjean pour ne pas les nommer, étaient devenus des as de la petite secousse au bord du plateau, délicate, par-dessous, qui faisait remonter la bille et prolongeait indéfiniment la partie tout en évitant le tilt qui aurait paralysé le compteur. Quelques-uns fumaient leurs premières cigarettes, des Gitanes, à moins que ce ne fussent des Boyard ou des Celtique. Ils les allumaient avec le Zippo, un vrai, que Wolff avait subtilisé à La Civette. Tout l'art consistait à l'ouvrir d'une seule main, d'un geste sec qui serrait le briquet entre le pouce et les deux premiers doigts de la main, et qui le faisait saillir. Nous nous entraînions pendant des heures au fondus, jusqu'au moment où la charnière du briquet cédait et où nous envoyions Wolff, l'as du vol à l'étalage, en dérober un neuf. Nos clopes frétillaient sur le plateau du flipper, où nous les posions ; elles se consumaient lentement en laissant des marques jaunes. Concentré sur son jeu, les deux mains occupées à actionner les flippers, Petitjean appelait Bouboule à l'aide : « Donne-moi une taffe », s'écriait-il. Bouboule ramassait le mégot et l'insérait entre les lèvres de Petitjean, lequel clignait des yeux à cause des volutes de fumée. À notre soulagement, la bille disparaissait enfin au bas du plateau, comme une jouissance trop longtemps attendue.

Nous alimentions régulièrement le juke-box pour nous moquer de Sheila ou de Mireille Mathieu, mais nous préférions le Scopitone et son grand écran glauque, moins pour les chansonnettes filmées de Richard Anthony et de Claude François que pour Johnny Hallyday fredonnant *Quand revient la nuit* habillé en bidasse, ou pour les calembours de Boby Lapointe et les sketches de Fernand Raynaud, ou pour Chantal Goya dans *Si tu gagnes au flipper*, comme par un fait exprès. Sans parvenir à épuiser nos parties gratuites, nous avalions des laits fraise, des diabolos menthe ou des panachés, jusqu'au moment où nous étions tous raides : « J'suis raké », s'écriait Bouboule en levant les yeux au ciel ; « C'est la dèche », répondait Petitjean ; « On se tire, statuait le grand Crep's. On met les bouts. » Je viens de tâter à nouveau de nos breuvages préférés, espérant qu'ils m'évoqueraient des souvenirs, mais je les ai trouvés douceâtres, affreusement sucrés et, pour tout dire, imbuvables. Nous jouions aux durs, aux tombeurs de rois, mais nous étions des enfants trop vite grandis. Le soir, au lit, quand nous avions une fringale, nous sucions des tubes de lait concentré Nestlé, comme des bébés leur biberon.

Tous les dimanches, nous revêtions notre tenue numéro un et quittions le quartier, après le déjeuner, avec notre béret et nos gants de peau. Par acquit de conscience, car il n'y avait vraiment rien à faire une fois que je m'étais arrêté chez la veuve Pulbis pour vérifier les arrivages, à moins d'aller s'enfermer au Palace, où passait *Le Corniaud* ou *La Grande Vadrouille*, mais les ñass en chaleur se déchaînaient tant dans la salle obscure, beuglaient, sifflaient, pschittaient et faisaient un tel raffut que même le jeu de Louis de Funès devenait inaudible. Malgré le tapage, je revis deux semaines de suite *Le Gendarme à New York*, où, je l'avoue sans honte, je retrouvais avec émotion Manhattan et le paquebot *France*.

Dans la Grande Rue, nous croisions des couples de miteux et de cornichons qui se rendaient dans les pâtisseries, en sortant de chez Pulbis, les poches pleines de taille-crayons volés. Les grands faisaient leur BA en promenant les petits, lesquels n'avaient pas le droit de quitter seuls le quartier avant la classe de seconde. Sans l'intervention d'un ange gardien, ils auraient replongé dans la semaine sans avoir pris l'air des pékins. Les miteux s'attachaient aux grands qui les sortaient le dimanche, comme j'en fis moi-même plus tard l'expérience. Au milieu de la semaine, ils vous envoyaient des mots touchants par le vaguemestre, vous rappelant qu'ils seraient prêts dimanche à deux heures et demie. Il aurait été inhumain de les décevoir. Aussi, traînant les pieds, je retournais au petit bahut, cette fois pour sortir un miteux, que j'emmenais goûter d'une religieuse ou d'un baba, faute de savoir comment nous distraire autrement. Quand je voyais ces petits et ces grands déambuler vainement dans les rues, je me disais que le monde était drôlement fait : nous vivions dans la même République, sous le même plan quinquennal, avec les mêmes SNCF, RATP et ORTF, mais nous n'avions pas la moindre idée de la « société des loisirs » que décrivait « Madame Express » avec enthousiasme. Ce serait difficile de s'y faire.

À l'époque du grand Crep's, après avoir bu notre lait fraise sur la place de la Sous-Préfecture, nous devancions l'appel faute d'idée pour tuer le temps. Désœuvrés dès que nous avions franchi les murs du bahut, nous battions la semelle encore un moment sur le boulevard Latouche, nous observions les joueurs de pétanque, nous nous asseyions au Bar de la Promenade, sous les marronniers, puis, sans nous être concertés, nous reprenions le chemin du quartier et y parvenions bien avant l'heure réglementaire. Nous nous rendions en ville par routine, mais nous rentrions de plus en plus tôt, et il ne serait pas exagéré de penser que nous étions soulagés quand une punition nous privait de sortie et nous épargnait l'artifice de la liberté. Une fois que nous avions remis la tenue de travail, nous

nous sentions de nouveau nous-mêmes. Nous prenions place autour de la table du dortoir et nous tapions le carton. Puis je laissais mes camarades devant la porte de la première M et je me dirigeais seul vers la salle de la première C2.

Le dimanche soir, un lourd couvercle de mélancolie pesait sur le bahut, l'épaisse tristesse de l'internat au moment de retomber dans une semaine identique en tout à la précédente. Pour comble d'ennui, durant l'heure d'étude qui précédait le dîner nous devions écrire à nos parents, ou, les orphelins et les nombreux cas d'espèce, à leurs substituts. De toute la semaine, c'était l'heure la pire, celle qui passait le plus lentement, le plus laborieusement. Si les anciens avaient été de vrais sadiques, ils auraient forcé les bizuts à écrire à leurs parents tous les soirs. Aucun supplice n'aurait été plus cruel. La preuve qu'ils étaient des tendres qui s'igno-raient, c'était qu'ils ne l'avaient pas imaginé. Je venais de me séparer des miens et je n'avais déjà plus rien à dire à mon père, à mes frères et sœurs, tant les deux mondes étaient étrangers l'un à l'autre. Pour mes camarades, relégués là depuis des années, et dont les contacts avec leur famille s'étaient distendus au point de devenir tout à fait formels, l'exercice devait être encore plus embarras-sant, à moins qu'ils ne l'eussent pratiqué comme un jeu littéraire, mais bien peu maîtrisaient l'art du pastiche. Nous jetions une première phrase sur le papier, puis musardions, le nez au vent, nous demandant bien ce qui pourrait être racontable de l'ordinaire de notre vie, ce qui pourrait avoir du sens pour des non-initiés : une note de maths, une pluie battante, une gelée tardive, une constipation, une punition. Cela n'en valait pas la peine. L'encre séchait dans mon stylo ; il me fallait le secouer, le réamorcer sur un buvard avant de déposer la deuxième phrase ; le contraste des couleurs sur la page prouverait qu'elle avait été écrite par intermittence. « Cher papa, Rien à signaler. Tout va bien. » En réalité, ça pouvait aller de mal en pis. « J'ai des notes correctes. Il fait plus froid depuis quelques jours. » Je me creusais la tête pour imaginer des variations sur la missive de la semaine précédente. « Comment se portent mes petites sœurs ? Je vous embrasse tous. »

Levant les yeux, je rencontrais le profil de Damiron, ou bien nous échangions rapidement un regard. Il se replongeait aussitôt dans sa bouquine. Lui seul savait quoi dire : il recopiait le texte du devoir surveillé de maths que nous avions eu la veille, il reproduisait sa démonstration, il s'enquérait de la note que son père lui aurait octroyée, il ajoutait en P.-S. qu'il attendait avec impatience son corrigé. Quand il se concentrait sur sa tâche, un bout de langue émergeait entre ses dents. En un sens, je l'enviais, car il ne manquait pas de matière, mais d'autre part je méprisais sa ferveur scolaire.

Nous remettions nos lettres ouvertes au pitou, les rhétos comme les miteux. De leur côté, nos parents devaient indiquer les noms des personnes qu'ils autorisaient à correspondre avec nous. Je rappelais à mon père de prévenir mon commandant de compagnie que j'attendais la missive d'une amie de Washington, tout en me demandant si j'oserais avouer à mon amie, élevée dans le culte de la liberté d'expression, l'habilitation préalable à laquelle j'avais dû soumettre son nom pour pouvoir communiquer avec elle. J'imaginais le Donald déchiffrant nos bafouilles à nos familles pour se faire une idée de notre état d'esprit, comme si des confessions rédigées dans ces

conditions pouvaient exprimer quoi que ce fût de sincère. Je me le représentais tirant la langue pour humec-
ter nos enveloppes une à une afin de les fermer
— dégradant labeur de vaincu de la vie.

Le 2S approchait, célébration d'Austerlitz et fin du
bizutage, présentation au drapeau, retour des cyrards
sous leur casoar pour une émouvante prise d'armes au
crépuscule. Il y eut une dernière bouffée d'avanies, un
ultime tour du dortoir à ramper sous les lits et les tables, à
se faufiler entre les tabourets, parcours agrémenté de
coups de pied au cul quand on émergeait entre les jambes
des anciens, mais j'étais devenu plus agile et réussissais à
éviter leurs raclées, ou bien ils s'étaient eux-mêmes lassés
de l'exercice, y compris le féroce Bonitatibus, et ne cherchaient plus à m'atteindre. Les dernières nuits, je fus tout
de même viré de mon pieu entre trois et cinq heures du
matin par un ancien qui allait pisser.

Un matin que je me réveillais avec une érection qui
dressait un monticule sur mon lit, mon voisin de dortoir,
l'Alsacien Hermann, originaire de Brumath, s'en aperçut
en se levant le premier pour aller aux lavabos, m'empoi-
gna la queue à travers la couverture et la tordit mécham-
ment, provoquant une douleur qui me tira les larmes des
yeux tandis qu'il riait aux éclats, ravi de son bon coup. Si
je n'avais pas été gêné par la situation où il m'avait surpris,
je lui aurais sauté sur la poitrine et nous aurions roulé à
terre en nous battant comme des hyènes. Hermann
n'avait rien d'un mauvais bougre, sinon qu'il était assez
fayot, et jamais jusque-là il ne s'en était pris à moi. Après
Damiron, Lambert et moi, il était l'un des meilleurs élèves
de la classe et nous surpassait parfois tous les trois en
physique et surtout en chimie. Cette agression soudaine

de la part d'un garçon qui semblait habituellement pondéré, sur la réserve et, déjà moustachu, plus mûr que la plupart, m'apprit les mystères de barbarie que recèlent les êtres humains les plus insoupçonnables. « Méfiance, disait Stendhal, ce mot devrait être inscrit sur la porte de toutes les maisons. » Plus jamais je n'adressai la parole à Hermann, lequel, on le verra, devait être la cause d'un accident bien plus grave qui m'arriva au printemps et qui, indirectement, provoqua son départ du bahut à la fin de l'année.

Bouboule, qui avait repris en main mon instruction militaire sur les ordres du grand Crep's, s'avéra un meilleur pédagogue que Porcinet. Le grand Crep's avait d'abord cru mon incapacité à marcher au pas aussi délibérée, mais plus discrète, qu'un refus d'obéissance ; il s'était figuré une résistance passive qui, me dit-il par la suite, l'avait intrigué. Quand il comprit qu'elle résultait d'une simple balourdise motrice ou d'un blocage nerveux, il décida que l'obstacle devait être levé. Pas question qu'un de ses affidés troublât l'ordre sans préméditation. Selon sa morale informulée, faire le mal sans connaissance de cause, par bêtise, cela lui semblait encore plus ignoble que de fayoter et une sorte de vice irréparable et inexcusable. Les insoumis se montrent souvent les mainteneurs les plus fermes des traditions, à la pérennité desquelles ils sont attachés afin de pouvoir continuer de les transgresser. L'une des raisons de leur ressentiment pour la hiérarchie, ainsi que de leur détermination à exercer contre elle des représailles, tient d'ailleurs au fait que les autorités tutélaires ne voient plus en général dans les usages qu'un protocole, une étiquette, un décorum, et non pas une question de principe, une discipline essentielle, à préserver contre vents et marées. Le Donald et Porcinet, en qui le grand Crep's voyait de simples figurants, avaient échoué à m'enseigner l'ordre serré parce qu'ils n'y croyaient plus eux-mêmes et ne commandaient plus que pour la galerie. Il y avait un défi à relever, une leçon à donner. Le grand Crep's n'eut de cesse que je n'exécutasse les mouvements les plus compliqués avec la virtuosité d'une ballerine. Sous la férule de Bouboule, ancien d'Hériot qui avait appris à marcher au pas en même temps que l'alphabet et les quatre opérations, et avait mieux assimilé les exercices militaires que les connaissances intellectuelles, l'ordre serré n'eut bientôt plus de secrets pour moi. Quand je me trouvai pris au jeu, les « Demi-tour... droite ! », les « Marquez le pas... marche ! » et autres subtilités ne me parurent pas moins amusantes que la valse ou le tango.

Le bizutage se termina — s'il n'avait pas endurci mon caractère, en tout cas il ne m'avait pas trop ébranlé — par un épisode carnavalesque durant lequel nous fûmes autorisés à prendre la place de nos tortionnaires et à les bahuter un moment. Je me livrai à ce jeu-là avec modération. Me contentant de montrer aux anciens ce dont j'aurais été capable, je leur ordonnai d'écrire une lettre à leur famille. L'intention échappa à la plupart — Bonitatibus, qui m'avait vite catalogué, haussa les épaules —, mais non pas aux plus éveillés, et Lambert me félicita de mon invention.

La veille du 2S, avant la cérémonie du baptême des corniches dans la cour d'honneur, nous fûmes prêts, Damiron et moi, pour la solennité bouffonne qui marqua la fin de notre initiation. On nous remit — je veux dire le grand Crep's, qui avait pris la direction de la liturgie — un « rhô » de laiton qui fut solennellement accroché à l'avant de nos calots, dans le repli de l'angle droit, un de ces rhôs et autres colifichets symboliques, comme l'epsilon des maths élem, l'ancre de la Flotte ou l'X des taupins, que la veuve Pulbis entreposait secrètement dans son arrière-boutique et distribuait au compte-gouttes, car elle était convaincue que les ñass les lui barbotaient. Les calots des rhétos exhibaient un liseré et un soufflet jaunes, parure dont certains anciens n'étaient pas peu fiers car ils avaient attendu longtemps cette promotion-là. Depuis la sixième, leurs bonnets de police étaient unis, monochromes, bleu marine comme un tableau d'Yves Klein, y compris le soufflet. La fesse jaune, c'était la toge virile du ñass, sorte de décoration éminemment méritée. En classe terminale, elle était verte, en taupe rouge, en corniche bleue, mais, au petit bahut, la couleur la plus noble était indiscutablement le jaune, objet du désir des miteux et prétexte à un rituel de passage. Nul d'entre nous ne savait ce qu'était exactement la rhétorique, vieillerie gréco-latine à ne pas confondre avec l'éloquence vraie, ni à quoi elle servait, s'il fallait la condamner ou l'honorer, et M. Formica, s'il avait son idée sur le sujet, s'était abstenu de nous la communiquer. Il nous semblait en tout cas pittoresque, ou distingué, que notre classe ne fût pas une simple première comme dans le pékin.

Si aucune fantaisie ne nous était permise dans le port de l'uniforme, la surface du calot était le seul espace où une certaine liberté d'expression individuelle était tolérée, sous la forme non seulement du rhô des premières fixé à l'avant de leur couvre-chef, mais aussi des attaches parisiennes que nous enfoncions dans le côté droit de notre coiffure afin d'indiquer le nombre de nos années d'ancienneté. On savait ainsi tout de suite à qui on avait à faire. Les vétérans comme Bouboule et le grand Crep's portaient une longue rangée de sept points dorés au long de leur calot, auxquels Bouboule ajoutait encore des agrafes pour ses années d'Hériot, ce qui alourdissait considérablement son couvre-chef et même l'affaissait, si bien qu'avec leur démarche fatiguée et leurs bras ballants, ils avaient l'air de revenir de campagne, tels des héros de Diên Biên Phu ou des paras de la bataille d'Alger, comme s'ils avaient cassé sept Viets ou autant de Ratons.

Ces points sur le calot, c'était un titre de gloire, un motif de fierté, une Légion d'honneur, une médaille militaire. On les exhibait comme un dépucelage. Lambert n'en avait que deux, discrets, le long du repli, et les nouveaux, Damiron et moi, nous n'avions droit à rien sur notre bonnet vierge. C'était déjà bien si l'on nous autorisait à porter un rhô. Au lieu d'aligner bêtement leurs points, certains, notamment les adeptes de *Planète* et les fous de l'île de Pâques, composaient un dessin savant, un triangle maçonnique, un carré magique, une étoile ésotérique. Je me souviens d'un point d'interrogation fait d'attaches parisiennes et porté par un moderne marginal de la bande des mauvais garçons, Stein, qui était bien le seul Juif parmi les rhétos, qui en plus laissait tomber son calot sur son sourcil droit et était déjà barbu, si bien que Porcinet lui menait la guerre pour qu'il se rasât le menton chaque matin. La barbe, le calot de traviole, le point d'interrogation, cela lui donnait particulièrement mauvais genre, d'autant plus qu'il réagissait en souriant paresseusement quand on lui faisait des observations. Son

ironie existentielle excédait les complaisances esthé-
tiques consenties par les militaires, auxquels il arrivait
d'inspecter nos couvre-chefs et d'imposer des aménage-
ments. Je ne crois pas que le point d'interrogation de
Stein ait tenu bien longtemps, pas plus qu'une sorte de
grande gidouille à la façon du Père Ubu reproduite par
Hermann sur son bonnet.

Sous leur uniforme et sous les effets de la discipline, du
traintrain, du renoncement, les ñass tendaient à perdre
toute personnalité, mais le peu qui leur restait de caractère se réfugiait dans le calot, non seulement dans sa
décoration mais dans la manière, unique à lui, dont chacun le posait sur son crâne. Même Damiron, qui incarnait
le comble de la convention, était reconnaissable de loin
au calot, qu'il portait de travers, bas sur l'œil droit, rimant
avec ses pieds rentrés en dedans. En vérité, on aurait pu
faire une physiognomonie du calot, une typologie des
tempéraments des ñass, une morphologie de leurs dispositions morales, une anatomie de leurs penchants secrets,
en fonction de l'inclinaison des calots sur les fronts, de
l'angle qu'ils faisaient avec la crête orbito-nasale ; on
aurait aisément élaboré une sorte de nouvelle calotologie
qui n'aurait été sans doute qu'une variante de la vieille
craniologie, quelque chose comme son homothétie,
puisque le calot épousait sur chaque tête les bosses et
les protubérances où un Broca ou un Bertillon reconnaissait les indices d'une individualité. Il y avait des calots
chafouins, des calots hautains, des calots humiliés, des
calots moqueurs, des calots obtus, des calots vicieux,
des calots ahuris, et même des calots calotins comme
celui de Couturier, qui le portait tout raide, intact, ce qui
donnait l'impression qu'il avait été empesé, que sa fente

avait été cousue, ou qu'il était tendu par une baleine de corset. Quand, assis sous le préau des modernes durant la récréation, je les regardais qui blaguaient, péroraient, bavassaient, j'avais l'impression d'être au spectacle et d'avoir devant moi, comme dans les *Métamorphoses* d'Ovide ou un tableau de Bruegel l'Ancien, toute une étrange humanité qui eût porté sur la tête les marques de son destin jusqu'au jour du Jugement dernier.

Le grand Crep's, avec ses sept attaches parisiennes en sautoir sur son bonnet de police, lequel, écrasé au milieu, étalait cyniquement son soufflet comme une vulve entrouverte, avait des allures de maréchal soviétique rescapé de Stalingrad. Le Donald, avec ses trois maigres galons sur les épaulettes et autour du képi, le zyeutait d'un air mauvais du fond de ses orbites, se demandant ce qu'il allait pouvoir repérer de répréhensible dans la tenue de son rival schismatique. Il se trouva que la vareuse du grand Crep's était en drap lisse d'officier, sorte de whipcord à fines côtes obliques, comme nos tenues de sortie, et assez cintrée, tandis que son pantalon, plutôt large et même presque bouffant, était en gros drap à poil d'homme du rang, moins foncé, rude et rêche, mais plus insolite, comme on en dénichait encore quelques-uns à l'habillement si l'on avait ses entrées. Ces pantalons, datant, pensions-nous, de la Grande Guerre, ou en tout cas d'avant 40, étaient très recherchés parce qu'en voie de réforme et que plus une seule veste appropriée n'était disponible. Ils donnaient à ceux qui les portaient une touche d'originalité, de dandysme pour ainsi dire. Plus tard, je devais en posséder un, auquel je m'attachai en raison de sa rareté et de sa chaleur, mais je ne le gardai pas longtemps : comme je grandissais encore, et vite, je changeais régulièrement d'uniforme. Un matin au rapport, Porcinet, qui venait de constater que mon pantalon de conscrit m'arrivait aux mollets, me traita de tous les noms et me priva de sortie.

Le Donald, levant l'index, fit cependant signe au grand Crep's de le rejoindre. Je revois leurs gestes, emphatiques comme dans un film muet : le doigt du Donald se recourbant à deux reprises vers le haut tandis que le grand Crep's étendait sa main ouverte sur sa poitrine avec un air d'innocence outragée, mais aussi comme s'il s'écriait : « Moi ? Fais gaffe à tézigue, le piston ! Si tu me cherches, tu me trouves. » Le grand Crep's, avec son calot impudique, sa veste ajustée et son pantalon de spahi, faisait songer à un troupier d'opérette. Ils s'éloignèrent tous les deux de notre groupe et devisèrent en marchant vers le stade. Comme s'il s'était agi d'un entretien au sommet entre deux puissances souveraines, nous regardions fixement dans leur direction, impatients de savoir ce qui résulterait de leur négociation pour notre sort à tous, par exemple une amélioration de la discipline, ou plus probablement son aggravation et une punition collective. Mais la cloche de la fin de la récréation sonna, le Donald rendit sa liberté au grand Crep's sans que celui-ci eût le temps de nous mettre au courant des clauses du traité. Nous apprîmes lors du dîner que le Donald s'était contenté de quelques commentaires sur son pantalon, lui recommandant, mais sans le lui enjoindre fermement, de l'échanger chez le fourrier à la première occasion. Le Donald n'osait rien ordonner aux fortes têtes, conscient qu'il valait mieux « y aller mollo ».

Le bizutage une fois terminé, je pus enfin cesser de prendre mes repas en face de Damiron au bout d'une table de la première C2, accoté au mur. Je fus convié — ou plus exactement sommé, l'injonction m'ayant été transmise par Petitjean cette fois encore — à la table du grand Crep's. J'étais toujours assis au fond, mais on me faisait passer du rabiot quand il y en avait et, comme les mauvais garçons n'étaient pas gloutons, c'était souvent le cas : « Pour le môme qui doit encore grandir », gueulait le grand Crep's. L'ordre régnait à sa table comme partout dans son entourage : personne ne se serait risqué à tricher — « On carotte pas, on crassusse pas », beuglait-il —, ce qu'il aurait sanctionné sur-le-champ plus durement et moins arbitrairement que nos fragiles gradés.

J'avais désormais mon couvert mis en face de Wolff, l'Alsacien au nez grec, dit Vénusté, qui n'avait que trois points au calot arrangés à la manière d'un fils de la Veuve, et qui se révéla un commensal distrayant, amateur de contrepèteries et d'obscénités. Plusieurs fois par jour, les plaisanteries les plus éculées étant les meilleures, il demandait à Barnetche, la grosse tête, qui se prêtait complaisamment à ce jeu débile : « Et toi, où t'habites ? — Bondy, Seine-et-Oise. — Ha ! T'habites Bondy ! T'habites à Bondy ! Ha, ha, ha ! » Mon admission à cette joyeuse table, j'allais dire ma promotion, signifiait que j'avais bien été reconnu comme un des leurs par les canailles de la première moderne. Je ne m'expliquais toujours pas pourquoi, mais je ne me plaignais pas et je ne m'aventurais pas non plus à leur demander leurs raisons. Il y a quelques années, je l'ai dit, comme j'interrogeais le grand Crep's à la buvette du palais, il évoqua l'habitude que j'avais prise dès mon arrivée d'acheter *L'Express*, le jeudi, à la Maison de la presse, avant de me rendre chez la veuve Pulbis. Je ne puis m'empêcher de penser que ce

138

genre de rationalisation était intervenu après coup, tant la réalité extérieure leur était devenue indifférente. Le malentendu qu'avaient suscité mes infractions à l'ordre serré aurait pu constituer un motif plus crédible de curiosité de la part de ces anciens revenus de tout, sauf de la désobéissance, à condition qu'elle fût volontaire, mais je n'y crois pas davantage, ou ce ne dut être qu'un mobile très accessoire.

On ne sait jamais d'où naissent nos sentiments les plus profonds, les plus durables. A priori, il n'y avait rien qui dût nous rapprocher, le grand Crep's et moi. Il était en première moderne, moi en classique ; il faisait beaucoup de sport, moi non ; j'avais des distractions plutôt cérébrales, pas lui ; mon père était général de cavalerie, le sien adjudant-chef de gendarmerie ; il était un dur, moi un tendre, etc. La liste des considérations qui auraient dû nous tenir éloignés l'un de l'autre n'aurait pas de fin. Or notre amitié fut la plus exigeante, la plus excessive que j'aie jamais connue. Il n'y a pas si longtemps, un soir que nous dînions ensemble, comme cela nous arrive « une fois dans une lune bleue », dit-on en anglais, et que nous reparlions de notre classe de rhéto, de Bouboule, de Barnetche, de Petitjean, de Wolff : « Tu étais différent, tu étais à part, me dit-il. Tu réfléchissais ; tu étais même le seul à réfléchir. Nous, on avait été vidés, on n'avait plus de vie privée, on n'avait qu'une peur au monde, c'était de se retrouver seul, face à soi ; on se déplaçait toujours en meute ; on blaguait à tout bout de champ pour ne rien dire, surtout pour ne pas penser. Toi, tu cherchais à t'isoler, tu lisais, tu te comportais comme si tu savais où tu allais. Tu nous impressionnais. » Du moins je faisais illusion. On est toujours sidéré, tel Ulysse pleurant en entendant

Démodocos chanter ses exploits, quand nous est renvoyée l'image que les autres se font de nous et qui correspond si peu à la manière dont nous nous voyons, comme s'il était possible de surprendre, à travers un miroir sans tain, l'oreille tendue derrière une porte, ou dans une lettre volée, ce que les autres disent de nous en notre absence, ce qu'ils pensent vraiment de nous. Parfois, on l'apprend des années plus tard, quand on n'y attache plus la moindre importance, quand il ne serait plus d'aucune utilité de corriger une méprise, et on en rougit encore. Comme le grand Crep's et sa bande m'en imposaient, jamais je n'aurais pu imaginer que moi aussi je les bluffais.

À table, il faisait mine de ne pas s'intéresser à moi. Je me taisais, encore intimidé de me trouver là, écoutant en silence les blagues usées de Wolff, les vannes indigentes de Bouboule, et affectant d'en rire. Il est exact que je les jugeais. La première fois, Porcinet, en distribuant le courrier, me chercha en face de Damiron. Son regard erra de table en table jusqu'au moment où, interloqué, il me repéra à celle des insoumis et y déposa une lettre de mon père en proférant une remarque désobligeante à mon égard, terminée par une menace. Barrant son front, on voyait la trace du kébour qu'il venait de retirer et, au-dessus, des gouttes de sueur alignées comme des grains de verre. C'était un vrai pignouf. Entre la bande du grand Crep's et lui, il n'y avait pas à hésiter. Aussitôt le repas avalé, nous nous retirions du côté de la station-service et de l'usine des eaux. Là-bas, nous nous laissions aller aux rêveries les plus folles, comme provoquer une émeute, faire sauter la baraque, incendier le quartier. Les jours de pluie, nous tournions en rond comme des animaux en cage.

Alors que je venais de laisser tomber la basane et que mes visites à la salle d'armes se faisaient de plus en plus irrégulières, on inaugura la piscine au fond du parc du grand bahut, entre le manège et la carrière. C'était un bâtiment moderne plutôt élégant. Avec sa charpente de poutrelles en bois lamellé collé, ses grandes baies vitrées asymétriques, et sa toiture d'ardoises tombant bas, presque jusqu'au sol, il donnait un coup de vieux aux autres constructions militaires (le gymnase, le foyer, les latrines), de style Freycinet. Tout le petit bahut se rendit en défilé à la cérémonie d'inauguration. Un frêle général à quatre ou cinq étoiles qui avait l'air d'un jeune vieillard et d'un bureaucrate paisible prononça une longue allocution où il faisait l'éloge de la modernité, nous expliqua les principes de la dissuasion nucléaire, et décrivit la future armée de techniciens dont la France avait désormais besoin. Sa thèse me frappa, même si je ne me rappelle pas comment il ménagea sa transition entre le bois lamellé collé de la piscine et la bombe atomique, probablement au titre de notre adaptation indispensable au monde moderne.

Nous tous tant que nous étions, debout au repos devant lui, nous balançant d'une jambe sur l'autre sans savoir sur quel pied danser, nous retardions d'une guerre, avertissait-il. Nous nous représentions le prochain affrontement comme s'il devait être conventionnel au lieu de nous préparer au conflit nucléaire du futur. Si nous avions les yeux fixés dans le rétroviseur, c'était moins par respect des traditions familiales que par manque d'imagination et inertie mentale, parce que dans notre tête nous avions toujours vécu cette guerre-là, qu'elle était notre élément naturel, que nous n'en étions jamais sortis.

Ce raisonnement aurait dû nous donner à réfléchir. Nés après la Libération, au pic de la natalité, nous avions tous des pères qui s'étaient battus en 40, avaient été blessés durant la Campagne de France, faits prisonniers, avaient séjourné cinq ans dans des oflags, ou bien avaient rejoint l'armée de l'Armistice, étaient passés à Londres ou en Afrique du Nord, avaient débarqué en Provence ou en Normandie, étaient partis pour l'Indochine dès août 1945 pour continuer la guerre contre le Japon, laquelle s'était transformée en une lutte contre le Vietminh, puis, défaits là-bas, s'étaient retrouvés en Algérie pour y poursuivre la guérilla coloniale, s'y étaient âprement divisés après 1958 entre légitimistes et rebelles, avec ce résultat que la plupart d'entre eux n'y comprenaient plus rien et qu'ils étaient à présent tout à fait déboussolés. Fallait-il quitter l'armée ? Y rester ? Leur réservait-elle encore un avenir ? Et nous, leurs rejetons mâles, étions-nous faits pour un monde de paix ? Quelle place y serait la nôtre ?

Mon père avait envisagé de démissionner à la fin de la guerre d'Algérie, de « filer dans le civil » à un âge où il aurait pu entamer une seconde carrière. À l'époque, j'avais surpris une conversation entre ma mère et lui à ce sujet. Au lieu de cela, par fidélité, crédulité, passivité, il était resté — je n'avais pas compris pourquoi, même si l'on avait dû lui donner des assurances de promotion, car je l'aurais sans doute préféré rebelle — et il s'était fait affecter aux États-Unis pour prendre du recul par rapport aux événements. Depuis qu'il était revenu d'Algérie, l'atmosphère était irrespirable à la maison. C'était juste après qu'une bombe au plastic déposée par l'OAS avait explosé sur le pas de la porte, sous la fenêtre de ma chambre. Comme cette nuit-là, celle de l'attentat raté contre de Gaulle à Pont-sur-Seine, avait été précédée de menaces proférées par plusieurs coups de téléphone anonymes, la porte cochère avait été verrouillée — d'ordinaire, depuis que les concierges ne tiraient plus le cordon, les immeubles parisiens restaient ouverts à toute heure de la nuit. Seuls mes parents dormaient dans l'appartement. Tous les carreaux sautèrent ainsi que quelques moulures haussmanniennes. Nous retrouvâmes le lendemain une rue livrée aux vitriers. Mon père me dit naïvement, sans doute pour mettre en valeur la sagacité dont il avait fait preuve en nous éloignant, ou bien parce qu'il était réellement ému, à moins que je ne me fusse plaint d'avoir manqué un événement qui sortait de l'ordinaire : « Si tu avais été là, tu aurais été défiguré. » Après cette mésaventure, il eut l'idée de nous mettre au vert et quelques mois plus tard nous avions déguerpi. À Washington, j'essayais d'oublier la guerre, la peur que mon père y fût tué, mais nous y arrivâmes juste avant la crise de Cuba, pour faire des exercices d'évacuation jusqu'à l'abri atomique le plus proche de l'école, emmagasiner des vivres et essayer des masques à gaz, et j'assistai bientôt au départ de mes aînés pour le Vietnam. Nous n'étions pas sortis de la guerre ; nous n'en sortirions jamais. Quand je retournai aux États-Unis au début des années soixante-dix — j'eus à mon arrivée le cauchemar que j'ai rapporté, m'imaginant que l'on m'agressait et réveillant toute la maison —, je découvris que certains de mes condisciples de Washington, ayant tiré un mauvais numéro, avaient été « appelés sous les drapeaux », et qu'au moins l'un d'eux n'était pas revenu. Au bahut, j'avais retrouvé le fantôme de la guerre d'Algérie, son horreur rétrospective. Tous

143

nos pères l'avaient faite, certains y étaient restés. À cause de cela, sans doute, nous nous confiions peu sur nos familles, ne parlions pas de nos paternels, sauf Damiron, plus déphasé que la moyenne. Nous avions honte de nos géniteurs, qu'ils aient survécu ou non. Il suffisait d'observer une minute nos gradés, le Donald, l'adjudant-chef Vandal, Porcinet, Pietri dit Bab El-Oued, l'adjudant-chef du service des sports, pied-noir irréconciliable avec la vie française, le commandant Conche, le colonel Chenal, pour perdre toute illusion sur nos pères, qui étaient pareils à eux. Quand ils étaient eux-mêmes incapables de s'adapter au nouveau monde créé par la fin des guerres coloniales, comment l'aurions-nous su, nous ?

Dans nos têtes, malgré les informations, il est vrai très parcellaires, qui nous parvenaient du dehors, la guerre restait notre sort inéluctable. Nous ne pouvions pas nous faire à un autre avenir. Un de mes cousins était mort en Indochine, un autre y avait été fait prisonnier. Nous rendions visite aux familles des soldats qui étaient morts en Algérie. À l'âge de huit ans, comme tous les garçons des années cinquante, je m'angoissais à l'idée que j'aurais parlé sous la torture, je me voyais prisonnier, blessé, invalide. En rhéto, j'avais pourtant compris — je réfléchissais, disait le grand Crep's, je jugeais — que nous ne ferions pas la guerre à vingt ans, contrairement à ce que je m'étais figuré depuis toujours. Il était temps de se préparer à un autre destin. Au bahut, même les plus petits y croyaient encore dur comme fer, s'imaginaient en officiers ou, faute de mieux, en sous-officiers, intégrant Saint-Cyr ou Saint-Maixent. Ils serviraient la France, combattraient loin de la métropole comme les générations précédentes, barouderaient dans les TOE, seraient blessés, décorés, promus, toujours pour la patrie, pour l'honneur, pour la gloire. Or nous basculions à toute vitesse dans une autre époque ; nous étions les enfants perdus de la Grande Muette. La France se retirait de l'Otan ; à Phnom Penh, de Gaulle condamnait la guerre du Vietnam. L'armée de terre, qui n'avait plus besoin, année après année, de formidables promotions de jeunes officiers d'infanterie coloniale à expédier dans le djebel, ne cherchait plus à ratisser large, les corniches étaient supprimées dans les écoles d'enfants de troupe, et ce petit général à lunettes nous encourageait à suivre des formations techniques poussées. Il parlait comme un haut fonctionnaire du commissariat au Plan plutôt que comme un commandant en chef, un soldat.

À un moment de son discours, mon regard tomba par hasard sur le Donald, lequel semblait extrêmement contrarié. J'aperçus son visage à la tête de notre section, entre les profils nonchalants de mes camarades. La bouche entrouverte sur ses dents écartées, il levait les yeux au ciel, remuait la tête de droite à gauche, comme s'il n'en croyait pas ses oreilles. Il ne devait pourtant rien ignorer de la démonstration que nous faisait le menu général visionnaire à la voix de fausset, sûrement pas un cyrard, probablement un X, et non pas un cavalier ou un biffin, mais un artilleur ou un sapeur, ou, pire, un transmetteur. On ne parlait dans les popotes que de la réduction des effectifs, de la professionnalisation de l'armée de terre. Mais être condamné à écouter ce poireau qui s'adressait solennellement aux élèves et traitait l'armée actuelle comme si elle devait passer par profits et pertes, c'était plus que le Donald ne le pouvait supporter. En trois ans, les cadres avaient été pratiquement divisés par deux. Au bahut, ils se trouvaient tous sur une voie de garage, ils resteraient pour toujours capitaine ou commandant, ils remâchaient les déboires de leur carrière sans avancement, ils prendraient bientôt leur retraite — ils « partiraient en retraite », comme ils disaient —, se retrouveraient dans leur pavillon de Bécon face à face avec leur femme — leur « épouse », comme ils disaient — à faire des patiences pour tuer le temps.

Ils niaient l'évidence, le Donald comme les autres. Je lisais sur ses traits la haine pour ce général à tête d'œuf qui leur disait leurs quatre vérités et les condamnait sans appel. Plus tard, au mess, pour l'apéritif, on boirait plus de Pernod qu'à l'accoutumée ; on maudirait l'état-major ; on qualifierait de traître ce grand manitou qui s'était opposé au putsch des généraux et avait proclamé le cessez-le-feu en Algérie. Les propos seraient affreusement séditieux. L'état-major le savait, mais n'en avait cure : le problème était transitoire ; il se résoudrait de lui-même par le durcissement des artères. Le gouvernement ne craignait plus l'Armée secrète, ramassis de laissés-pour-compte, dont l'un des chefs avait été le meilleur ami d'enfance de mon père, un original auquel je devais mon prénom. Entre les deux guerres, leurs deux pères, inséparables, avaient appartenu au même régiment de cavalerie dans une garnison de l'Est, l'un chef de corps, l'autre commandant en second, je ne sais plus dans quel ordre. Vers 1960, lorsqu'il rendait visite à mon père, tous deux entraient dans d'interminables conciliabules dont, de mon lit derrière la cloison, j'entendais presque tout. Le ton montait ; le colonel se fâchait ; mon père, toujours prudent, se réfugiant derrière la neutralité qu'il préten-

dait observer en tout, se réclamant de l'apolitisme traditionnel de l'armée, tentait de le raisonner, de le remettre
sur le droit chemin. C'était peine perdue. Il venait parfois
avec sa femme persane, qui bavardait de son côté avec
ma mère, mais elles aussi s'entendaient mal. Le colonel
partait en claquant la porte, puis il disparut, passa dans la
clandestinité, plus tard fut arrêté dans des circonstances
rocambolesques. Pour mon père, la décision qu'il dut
prendre à cette date fut sans doute la plus difficile de sa
vie, plus compliquée qu'en 1940 parce qu'il était plus âgé
et que les choix qu'il ferait ne l'engageraient pas seul.
Revenu d'Algérie, sédentaire, inoccupé, il devenait insupportable. Pour faire passer sa mauvaise humeur, il prétendait surveiller mes devoirs, alors que je m'étais débrouillé
seul, sans lui, pendant des années. Nous nous disputions
pour un rien ; je ne travaillais plus. Entre la semaine des
barricades, la junte des colonels, le référendum sur
l'autodétermination et le putsch des généraux, ce fut la
pire année de toute ma scolarité, année calamiteuse, que
j'ai retranchée de ma mémoire. Cet hiver, un gentil petit
vieux m'a abordé à la fin de mon cours : « Nous étions
ensemble en sixième », me dit-il en souriant. Son visage,
bien sûr, ne me disait rien, mais son nom pas davantage.
« Nous étions amis, ajouta-t-il ; nous sommes voisins sur
la photo de classe », preuve qu'il m'apporta la semaine
suivante. Devant l'évidence, j'admis les faits. On n'a pas
le droit de supprimer une année de sa vie. Un matin de la
fin avril 1961, alors que je me rendais au lycée, une voiture me renversa : en traversant la rue, je regardais en
l'air, guettant l'arrivée des paras. Toute réforme de
l'armée produit des demi-soldes, une soldatesque aigrie
et impuissante, noyant son chagrin dans l'alcool et le bla-

147

bla. Le plus sage était encore de les ignorer. Abandonnés à leur sort, ils se feraient une raison et rejoindraient plus vite le pavillon de Bécon.

Pour mon malheur, car cela ne fut pas du meilleur effet ni sur mes condisciples ni sur mes supérieurs, au terme de la cérémonie le petit général demanda que je lui fusse présenté. Il connaissait mon père, bien entendu. Tous deux s'étaient retrouvés du même bord sous l'Occupation, c'est-à-dire de plusieurs bords successifs, en France et au Maroc, puis de nouveau en Indochine et en Algérie. Il avait été souvent reçu par mes parents — je me souvenais de lui, un verre de whisky à la main, dans notre salon à Washington — et il n'ignorait pas la mort de ma mère. Lui-même ancien du bahut, il m'avait recommandé lorsqu'il avait été question que j'y vinsse. Gentiment, il voulait prendre des nouvelles de mes premiers pas de conscrit, me demanda si ce n'était pas trop dur. Nous avions à peu près la même taille et il s'adressa à moi sans façon, presque en camarade. Je doute qu'il eût été mis au courant de mes mauvaises fréquentations, lesquelles ne faisaient d'ailleurs que commencer. Puis il me renvoya avec une tape fraternelle sur l'épaule. J'aurais aimé pouvoir l'interroger plus avant sur le propos qu'il nous avait tenu et qui était sans doute destiné moins aux rhétos qu'aux prépas, en particulier aux cornichons, afin de prévenir les erreurs de vocation. À cette date, l'armée souhaitait ne plus s'encombrer de baroudeurs, mais espérait embaucher des ingénieurs, ainsi que quelques humanistes pour l'action psychologique.

Nous ne commentâmes pas entre nous le laïus du petit général, par pudeur, par principe, parce que nous évitions les sujets qui dérangeaient, qui auraient montré que l'on pensait, parce que nous craignions de nous ridiculiser en dévoilant des idées personnelles et que nous affections de n'en pas avoir, à moins que ce ne fût parce que personne ne l'avait écouté à part moi. Comme je n'osais même pas interroger Lambert ou Petitjean, les deux camarades avec qui j'avais eu des conversations un peu personnelles, j'ignorais si j'étais le seul que ses paroles eussent touché. C'était que je me posais des questions, comme le grand Crep's l'avait remarqué. Je me demandais comment justifier la décision que j'étais en train de prendre, ou qui mûrissait en moi sans que je me la fusse encore exprimée formellement, car je m'apprêtais à rompre avec la tradition familiale, à renoncer à la carrière militaire. À ce moment-là, je n'étais pas encore assez l'intime du grand Crep's pour lui confier mes doutes. Pourtant, s'il avait vu que je me posais des questions, c'était qu'il s'en posait autant que moi ; et s'il m'avait observé avec plus d'attention que je n'en donnais moi-même aux autres, c'était qu'il comptait trouver auprès de moi les réponses aux questions que nous nous posions tous deux. Mais nous nous connaissions à peine et jamais, ni sur le moment ni plus tard, je ne lui ai demandé s'il avait été sensible à l'argumentation du petit général. Celui-ci ne lui avait probablement rien révélé que son expérience du bahut ne lui eût déjà enseigné. Il m'aurait sans doute répondu que je « les lui gonflais », ou quelque aimable fin de non-recevoir de ce genre, et qu'il y avait belle lurette qu'il ne perdait plus son temps à « se laisser bourrer le mou par les huiles ».

Je gardai donc pour moi le choc que j'avais éprouvé. Tout juste arrivé au bahut, je ne me sentais pas de disposition particulière, aucune vocation bien établie. J'avais été tant de fois déraciné. Que ferais-je de ma vie ? De naturel docile, je serais entré dans le moule, si l'on m'avait présenté des modèles édifiants, si les officiers qui nous encadraient avaient eu le feu sacré, s'ils n'avaient pas eu des dégaines de perdants. Mon arrière-grand-père avait fait la guerre de 1870 dans l'armée de Bazaine ; mon grand-père avait fait Verdun ; mon père avait fait la guerre de 1939-1940, puis celles d'Indochine et d'Algérie. Après trois générations d'officiers, le moment était-il venu de faire une croix sur le métier des armes ? J'aurais pu être tenté de suivre si je n'avais pas découvert au bahut une armée en déroute — je m'en doutais depuis les visites nocturnes du colonel rebelle — et si le petit général ne m'avait pas fait comprendre pourquoi. Je venais d'une lignée de cavaliers et j'avais lâché le cheval, c'était tout dire. Ce soir-là, occupé par une idée fixe, je dormis peu : je me trouvais à un carrefour, ma section rassemblée derrière moi ; une estafette venait de me tendre un message capital pour la suite de la bataille, un commandement lourd de conséquences pour le déroulement de ma vie ; or, c'était un ordre de désertion, un avis de retraite. J'avais perdu toutes mes illusions. Comme les jeunes gens parvenus à l'âge adulte après 1815, sous la Restauration, nous rêvions de gloire. Entourés de demi-soldes, nous découvrions que nous n'aurions pas l'occasion de la conquérir. Nous éprouvions un mal du siècle à notre mesure. Au matin, je crois bien que j'avais décidé pour de bon de « changer mon fusil d'épaule », dirais-je, si l'image n'était pas inappropriée.

Une fois la piscine inaugurée, nous eûmes le droit de nous y rendre pour nous préparer aux guerres du futur. Je m'inscrivis au club de natation, à la fois pour de bonnes et de mauvaises raisons. Parmi les bonnes, j'aimais nager et je le faisais convenablement. Je l'avais appris en sixième, sans doute avec le petit vieux qui m'a récemment interpellé après mon cours. La natation était une nouveauté à l'Éducation nationale. Nous prenions chaque semaine le métro, déjà la ligne Nord-Sud, pour la piscine de l'Hôtel Lutetia, splendeur de l'Art déco, maintenant transformée en boutique Hermès. Y pénétrant cet hiver avec Syssia à la recherche d'un flacon d'*Un jardin sur le Nil*, je revoyais les galeries des cabines où nous nous déshabillions, le bassin désormais recouvert d'un plancher. La première fois que je visitai ces lieux me revint alors à l'esprit. Je croyais savoir nager parce que j'avais barboté sans peine dans la mer du Nord, l'été précédent. Voulant faire le brave, je sautai dans le bassin, mais l'eau ne me portait pas et je perdis tous mes moyens. Je bus la tasse, crus me noyer, jusqu'au moment où le maître-nageur me tendit une perche. Je racontai à Syssia cet autre souvenir humiliant d'une année terrible. À Washington, une fois l'année scolaire terminée, nous allions à la piscine tous les jours de l'été, qui était caniculaire. Là, au club militaire, je faisais inlassablement des longueurs qui me donnaient un sentiment de bien-être. J'avais pris des cours de plongeon. Nous apprenions à pénétrer dans l'eau sous un angle parfait après avoir bondi du plus haut tremplin. J'imaginais ce que faire l'amour devait être.

Voilà pour les bonnes raisons, si l'on veut : le plaisir de la nage. Pour les autres — mais étaient-elles si mauvaises ? —, la natation, à la différence de la basane ou du fleuret, nous procurait en prime une seconde douche hebdomadaire, une douche privée : on pouvait savonner son intimité à l'abri d'une cabine sans la crainte d'être scruté et, même si l'on ne pouvait pas régler la température, on obtenait un jet d'eau ininterrompu en appuyant de manière précoce sur le bouton poussoir aussi longtemps que le sous-officier ne nous rappelait pas à l'ordre. «Rassemblement dehors dans trois minutes», clamait-il férocement. Son hurlement provoquait un mouvement de panique dans les vestiaires. Nous nous précipitions vers les serviettes, les slips, les maillots de corps et les chaussettes de laine, difficiles à enfiler en quatrième vitesse sur des chevilles encore humides. Enfin, j'aimais le parfum de l'eau de Javel qui demeurait un jour ou deux sur la peau et chassait les odeurs du dortoir.

Je devins un adepte de la nouvelle piscine, symbole de modernité, partant, d'opposition. Notre tablée de «Vilains Bonshommes», comme je proposai au grand Crep's que nous la baptisâmes, en prit note. Tous étaient des sportifs accomplis, le grand Crep's lui-même, athlète aux pieds légers, Wolff, brillant lanceur de poids dans l'alignement de son front et de son nez, Petitjean, magnifique sauteur en hauteur et sauteur d'obstacles, Bouboule lui-même, court sur pattes, trapu, meilleur en course de fond qu'en course de vitesse. Seul Canard manquait de talent sportif, mais personne ne s'en étonnait — à cause de sa bosse des maths, on ne se moquait pas de son allure farfelue —, et nous qui le fréquentions savions qu'il passait l'été dans les Pyrénées à faire de l'escalade. J'aurais donc la natation pour spécialité, même si je ne devais jamais y exceller en compétition et que mon assiduité à la piscine s'expliquait par la décision à laquelle m'avait conduit la harangue du petit général, le jour de son inauguration.

Je ne saurais dire avec certitude dans quelles circonstances eurent lieu mes premiers apartés avec le grand Crep's. Celui-ci, au début, m'avait tourmenté avec un acharnement particulier. Puis, sans crier gare, il avait toléré, voire suggéré, que Petitjean m'invitât à rejoindre sa cour. C'était sans doute une marque de bienveillance, même si les rapports de forces ne m'avaient pas laissé la liberté de me défiler. « Inutile de serrer les fesses ! » m'avait-il dit ce jour-là pour me mettre à l'aise, puis il ne m'avait plus jamais adressé la parole. Durant nos rassemblements derrière la station-service, il parlait à la cantonade. De sa voix éraillée, il divaguait contre la strasse, maudissait Porcinet et le Donald, sans oublier Vandal, le juteux-chef. Quand il échafaudait des plans sur la comète, ses vassaux pouffaient à ses bons mots. Barnetche poussait un bref gloussement pour indiquer qu'il n'en pensait pas moins. Les brimades avaient persisté, mais perdu de leur agressivité initiale et pris un tour plus cordial. On ne cherchait plus à me blesser ; on voulait m'aguerrir. Pour m'appeler, on utilisait toujours le surnom qui me fâchait et que je devais garder encore quelques mois au petit bahut, mais sans plus faire monter le ton de la première à la deuxième syllabe ni prolonger celle-ci dans un sifflement. Si, un jour, j'avais refusé de les suivre, préférant aller jouer au ping-pong ou au baby-foot au foyer avec Lambert après le déjeuner, peut-être seraient-ils revenus comme un seul homme aux persécutions d'antan, à moins qu'ils n'en eussent été eux-mêmes fatigués. Ils laissaient Damiron en paix lui aussi, mais ce dernier ne les avait jamais rendus curieux ; ils n'éprouvaient ni sympathie ni antipathie pour lui, mais la plus parfaite indifférence. La Borne n'entrait pas dans leurs plans, alors que je les intéressais. Ils m'intéressaient aussi. Je n'aurais donc pas imaginé de leur faire faux bond, non par crainte de représailles, mais parce que, je puis bien l'avouer, j'étais attiré par eux, désireux d'apprendre ce qu'ils manigançaient, impatient des aventures qui m'arriveraient en leur compagnie.

Je prenais ma place à l'extérieur de leur cercle, à distance convenable ; j'écoutais ; je ne disais rien, trop bleu pour émettre un avis. Parfois Petitjean ou Wolff se tournait vers moi et me posait une question. Je répondais le plus brièvement possible, leur fournissant, si j'en étais capable et généralement je l'étais, le renseignement qui leur manquait. J'avais des connaissances plus étendues qu'eux. Puis nous nous disloquions et je rejoignais ma classe, de plus en plus étranger à celle-ci.

Quand même, je crois bien que ce fut sur le terrain de basket que je me retrouvai pour la première fois seul avec le grand Crep's, un dimanche matin, à l'heure de la messe. Ni lui ni moi n'y allions. On était alors en novembre, vers la Toussaint. J'avais perdu la foi un an plus tôt, peu après la mort de ma mère, ou même le jour de sa mort. Du moins était-ce ce jour-là que j'avais tiré cette conclusion. Nous nous étions recueillis autour de son lit. Puis j'étais retourné dans ma chambre et m'étais retiré dans la salle de bains. Tout en pleurant sous le jet d'eau, j'avais crié des injures à Dieu et constaté que je ne croyais plus en Lui. Les deux actes, les injures et le constat, avaient été simultanés et restèrent inséparables. Dans cette salle de bains, j'avais l'habitude de déclamer, ma voix étant couverte par le vacarme de l'eau, des vers de Shakespeare ou de Racine, avec une prédilection pour la tirade du roi déchu à l'acte II de *Richard II* :

Thus play I in one person many people,
And none contented: sometimes am I king;
Then treasons make me wish myself a beggar,
And so I am: then crushing penury
Persuades me I was better when a king;
Then am I king'd again: and by and by
Think that I am unking'd by Bolingbroke,
And straight am nothing: but whate'er I be,
Nor I nor any man that but man is
With nothing shall be pleased, till he be eased
With being nothing.

Ou bien celle d'Oreste à la fin d'*Andromaque* :

Que vois-je ? Est-ce Hermione ? Et que viens-je d'entendre ?
Pour qui coule le sang que je viens de répandre ?
Je suis, si je l'en crois, un traître, un assassin.
Est-ce Pyrrhus qui meurt ? et suis-je Oreste enfin ?

J'étais curieux de ce genre d'hommes hystériques, dévirilisés par leur histoire tragique, ignorant qui ils sont, renonçant à leur rôle, guettés par la folie. Je me tenais aussi à moi-même des discours sur toutes sortes de sujets, des allocutions politiques, des sermons moraux, habitude à laquelle j'avais été contraint de renoncer en pension. Ce jour-là, j'insultai Dieu et c'en fut à jamais fini de ma foi. Je m'abstins de prier le jour de l'enterrement de ma mère. Dans les mois qui suivirent, soucieux de ne heurter personne, j'accompagnai ma famille à l'église, mais j'étais décidé à cesser toute pratique religieuse dès que j'aurais acquis un peu d'indépendance. Au petit bahut, j'évitai l'aumônier, ecclésiastique populaire qui avait préparé nombre de futurs officiers à leur devoir durant les guerres coloniales. Si je me rendis parfois à la chapelle, l'un de ces baraquements de bois construits après la guerre par les prisonniers allemands, en marge du quartier, entre les douches et les salles de sciences naturelles, ce fut pour lire en paix, faute de bibliothèque.

Parfois, le dimanche, je suivais pourtant les élèves qui partaient au pas cadencé pour la messe de onze heures à la chapelle Saint-Louis, blanche, lumineuse, aérée. La grand-messe continuait de m'émouvoir à cause des chants en latin et de la musique d'orgue, mais c'était surtout l'occasion d'une sortie à une heure improbable. Sur le chemin, on découvrait l'activité de la Grande Rue, on apercevait des gens ordinaires qui faisaient leurs emplettes chez le boucher ou la queue devant la vitrine du pâtissier. L'après-midi, quand nous aurions quartier libre, la bourgeoisie digérerait, la plupart des boutiques seraient closes, les rues désertées. On nous les aurait abandonnées. Il n'y a rien au monde de plus cafardeux qu'une sous-préfecture de la province — dans son *Journal*, Gide, qui était passé par là en 1902, traitait la nôtre de simple « bourg » —, le dimanche après-midi. Mais en fin de matinée, défilant dans la Grande Rue, j'avais l'impression de pénétrer par effraction dans le monde normal dont nous étions exclus, comme si je volais un moment de douceur.

Le dimanche matin où je repérai le grand Crep's s'entraînant seul au basket, je déambulais dans les allées du quartier, hésitant entre la dépression et l'enthousiasme. J'avais glissé dans la poche de ma vareuse *Fureur et mystère*, le recueil de René Char que je venais de me pro-

curer chez la veuve Pulbis, à peine extrait de l'office hebdomadaire, sous une élégante couverture blanche traversée par un bandeau versicolore de photos d'identité du
poète, l'un des premiers titres d'une nouvelle collection
au format de poche. Char, que je ne connaissais que de
nom, m'avait aussitôt emballé. Ce serait, me disais-je en
me dirigeant vers le fond du quartier à la recherche d'un
peu de solitude, mon poète, le poète de la Résistance, le
poète de ma génération. La brièveté et la violence des
« Feuillets d'Hypnos » me coupaient le souffle. J'en savais
déjà quelques fragments par cœur, séduit par leur rébellion spirituelle et leur frappe souveraine : « Autrefois au
moment de me mettre au lit, l'idée d'une mort temporaire au sein du sommeil me rassérénait, aujourd'hui je
m'endors pour vivre quelques heures. » Char me parlait
de la guerre comme nul ne l'avait fait, de la vie et de la
mort, de la vie rendue plus intense au bord de la mort,
du courage et de la peur, mieux que tous les romans de
guerre empêtrés dans les mots.

Personne dans la bande du grand Crep's n'allant à la
messe — anticléricalisme qui indisposait particulièrement le Donald, homme d'un caractère peu dévot mais
très conventionnel, et, en souvenir de 1905, enclin à
concevoir la libre-pensée comme une variante de l'anti-
militarisme —, j'ignore pourquoi aucun d'eux ne l'avait
accompagné jusqu'au terrain de basket. Il était rare qu'il
se retrouvât seul, non seulement parce qu'il était un leader naturel, mais peut-être aussi parce que, comme tout
meneur d'hommes, il ne redoutait rien tant que d'être
livré à lui-même. Petitjean se rendait parfois dès le samedi
soir chez ses correspondants en ville, dans un pavillon
proche de la gare, mais Wolff, Barnetche et Bouboule ne

quittaient jamais le bahut, sauf en meute le jeudi ou le dimanche après-midi, quand ils n'étaient pas consignés. Si l'on était puni, on partait pour une marche forcée sous les ordres d'un sous-officier vers les coteaux de Saint-Germain-du-Val, mais le peloton disciplinaire avait lieu le dimanche après-midi.

Toujours est-il que, *Fureur et mystère* en poche, je m'approchai du terrain de basket, situé en lisière du secteur civilisé du quartier. Nous le traversions quotidiennement pour rejoindre la zone reculée où nous nous réunissions, avec vue sur la station-service de la route du Mans et l'usine des eaux, mais nous ne nous y arrêtions pas. Le grand Crep's dribblait autour de la raquette face à un adversaire invisible, ou bien il tirait habilement des lancers francs, qu'il réussissait souvent. Concentré sur son jeu, il ne me vit pas approcher. Je m'assis dans l'herbe en tailleur et le regardai s'entraîner. Après avoir couru d'un bout à l'autre du terrain, il remontait ses lunettes sur l'arête de son nez d'un coup rapide de l'index droit, sans interrompre son dribble de l'autre main. Il poursuivait le ballon avec une souplesse de renard, se ramassant pour franchir une défense abstraite, puis se détendant pour tirer la balle. Je ne me lassais pas d'observer l'élégance de ses passes fictives, que j'appréciais en connaisseur, ayant pratiqué ce sport aux États-Unis. Nous faisions du basket l'hiver, dans le gymnase de l'école, pendant que la neige rendait le terrain de football impraticable, et les autres saisons sur un stade municipal voisin.

Soudain, son ballon, au lieu de glisser délicatement à travers le filet, heurta l'arceau métallique avec un bruit sec et rebondit mollement sur le goudron dans ma direction, avant de s'immobiliser dans l'herbe non loin de l'emplacement où j'étais assis. J'esquissai un mouvement, m'apprêtant à me lever pour le ramasser et le lui relancer, les coudes écartés, les deux mains le projetant vers lui d'un déclic brusque des avant-bras, geste qui me serait revenu comme un automatisme bien que je n'eusse pas touché à une balle depuis le printemps, me débauchant depuis mon arrivée au bahut dans ces sports d'élite qu'étaient l'équitation et l'escrime. Plus rapide, il me devança, s'élança vers moi afin de récupérer son ballon, mais, au lieu de s'arrêter à l'endroit où celui-ci reposait, il se baissa pour le saisir, le recueillit sous son bras et, poursuivant son chemin comme s'il s'était seulement aperçu de ma présence, vint s'asseoir auprès de moi et entama une conversation.

« Tu viens avec nous, cet après-midi ? » me demanda-t-il, faisant allusion à nos sorties en ville, jusqu'au café-tabac de la place de la Sous-Préfecture, celui du flipper et du Scopitone, ou jusqu'au Bar de la Promenade, tout aussi déshérité, sur le quai de Montréal, expéditions rituelles auxquelles je m'étais déjà associé une fois ou deux. Je ne reconnus pas tout à fait sa voix cassée, dont le timbre me sembla plus voilé encore qu'à l'ordinaire pour s'adresser à moi sans s'égosiller. « Je ne sais pas, lui répondis-je. Je ne me sens pas bien. » Le lyrisme que les « Feuillets d'Hypnos » avaient soulevé en moi était retombé depuis que, assis sur la pelouse, je le regardais s'entraîner et revoyais le gymnase de Washington, quand je me tenais au bord du terrain et me préparais à entrer dans le jeu. J'étais repris par les idées noires que les poèmes de Char m'avaient fait oublier. Le grand Crep's me demanda ce qui n'allait pas. Je ne tenais pas à me confier à lui, ayant vite compris qu'ici on ne parlait de soi

159

à personne, ne faisait pas de chichis, de simagrées, chacun s'enfermant en soi dans une carapace, dissimulant
ses chagrins, ses angoisses intimes, sous une jovialité affec-
tée et des blagues de répertoire. C'était ainsi que l'on
devenait des hommes. Pas question de se mettre à pleurer
devant un camarade. Je résistai un moment, mais me laissai faire : « C'est rien, lui dis-je, juste un coup de cafard. Je
déteste le dimanche. » Puis, me reprenant, haussant la
voix et me mettant à parler dans le style de la maison,
jouant au dur : « Je me fais chier dans ce trou. — T'as pas
à te plaindre ! Qu'est-ce que tu dirais si tu étais là depuis
la sixième comme nous ? » me répondit posément le
grand Crep's, avant d'ajouter, comme je ne disais rien :
« Tu n'aurais pas été expédié dans cette taule si tu n'avais
pas perdu ta mère. » Ses deux phrases étaient contradic-
toires, la première m'excluant de leur condition, tandis
que la seconde m'assimilait aux éclopés de la vie. Mais je
ne fus pas sensible à cette incohérence sur le moment et
m'abstins donc de l'interpréter, parce que je fus avant
tout surpris et humilié que le grand Crep's connût ce
point de mon passé auquel il avait fait allusion et que je
gardais comme un secret. Je balbutiai une demande
d'explication. « Ah ! Oui, j'étais rancardé », répliqua-t-il
du même ton imperturbable, comme si la chose était de
notoriété publique et n'avait pas la moindre importance.
Il avait sans doute parcouru mon dossier dans les tiroirs
du Donald ; il n'ignorait rien de ce qui me concernait.
« On en est tous là, trancha-t-il ; on en a tous plein le cul.
Mais ce n'est pas une raison pour broyer du cirage. Faut
pas flancher ! Faut tenir tête ! Rebiffe-toi ! Résiste ! »

   Puis il changea de sujet : « Tu joues au basket ? »
poursuivit-il en étendant le bras autour de mes épaules,

comme pour me réchauffer, puis en me soulevant malgré moi. Je me retrouvai debout à ses côtés. Il me dominait d'une bonne tête. Plus d'une année nous séparait. Ayant redoublé, il avait un an de retard tandis que j'en avais un d'avance. Je sortais de l'enfance, grandissant toujours ; il était presque un homme. Nous nous dirigeâmes vers le terrain, lui en tenue de sport, short bleu marine court comme on les portait en ce temps-là, et veste de survêtement, moi en uniforme et brodequins. Je tombai quand même la veste, desserrai ma cravate, et nous jouâmes ensemble un bon moment, moi à l'attaque et lui à la défense. Plus grand, plus fort, avec des jambes démesurées et des bras tentaculaires, jamais il ne me laissait passer. Sa main se trouvait toujours bien placée et m'empêchait de lancer le ballon vers le panier, mais, au lieu de s'en emparer, il me le rendait et notre ballet recommençait. J'étais en sueur. Pour finir, exténués, nous tirâmes des lancers francs à tour de rôle. Nous disions : « faire des paniers ».

« Tu as encore beaucoup à apprendre », conclut sentencieusement le grand Crep's sur le ton du moniteur ou du grand frère. Ce fut ainsi que nous nous liâmes plus particulièrement. « Réagis ! Ne t'allonge pas ! » avait-il encore ordonné en m'entraînant vers le terrain. Réagir contre quoi ? Contre qui ? Il y avait tant de choses auxquelles résister : la dépression, la mélancolie, le mal du pays — mais quel pays ? —, l'ennui, la routine, l'aliénation, la servitude, l'ordre, la facilité, et surtout cette irrésistible apathie mentale qui prenait possession de la plupart des ñass avec la privation de liberté et qui leur ôtait tout esprit d'initiative, les dressait à l'obéissance et les rendait à jamais dépendants. Revenant vers les dortoirs, dribblant le long de l'allée qui reliait les bâtiments scolaires et la caserne, entre les constructions basses où se trouvaient les salles d'armes et de judo, ainsi que le foyer, accélérant ou ralentissant notre progression en nous renvoyant le ballon, attaquant tour à tour, revenant en arrière pour déjouer une défense, nous aurions pu donner l'impression que nous nous connaissions depuis longtemps. Je m'étais fait un ami et je me sentais mieux, même si cet ami était le plus imprévisible de tous mes condisciples et que tout nous opposât. Comme nous allions nous engouffrer dans l'escalier qui m'était cher parce que son odeur humide me rappelait les vacances où j'avais appris à lire auprès de ma mère, le grand Crep's me donna dans le dos une si forte bourrade qu'il faillit me renverser sur les marches. Je trébuchai, me rattrapai contre la rampe. C'était sa façon à lui de me signifier son affection.

Le premier trimestre tirait à sa fin. Le colonel se déplaça afin de nous lire le palmarès. Damiron reçut les félicitations et fut nommé sergent ou même sergent-chef. On m'attribua les encouragements, de même qu'à Hermann et Lambert, et je reçus des galons de caporal, à moins que ce ne fût de caporal-chef. Je ne me rappelle plus bien comment tous ces grades rouges et dorés, entre lesquels je me perdais encore, furent répartis parmi nous, cette fois-là. « Oh, le joli cabot-chef ! » s'écria le grand Crep's quand il me vit galonné, mais on ne se moqua pas trop de moi. Heureusement, je n'étais pas le seul gradé des Vilains Bonshommes. Si Bouboule avait fini bon culot, Barnetche était lui aussi sergent. Je ne l'ai jamais vu moins récompensé, même si nos distinctions furent souvent diminuées d'un rang ou deux pour indiscipline. Il m'arriva de me retrouver première classe, dignité ridicule que signalait un simple chevron rouge et à laquelle nous donnions le nom d'« élite ».

Le fourrier cousit mes chevrons sur les manches de ma tenue de sortie. Cela me rappela la croix que je portais sur la poitrine en neuvième, pendue à un ruban bleu sur mon tricot. Dans le vieillot cours privé où j'ai passé quelques années d'école primaire, ces croix en sautoir étaient décernées après le concours hebdomadaire, sorte de grand oral public où nous nous affrontions devant nos mères, massées au fond de la salle comme au spectacle des gladiateurs. Au bahut, j'ai souvent porté des galons de brigadier, de brigadier-chef ou de sergent, plus rarement de sergent-major, décoré tel un arbre de Noël de quatre sardines dorées remontant jusqu'au coude, plus une grenade d'or sur l'épaule pour avoir été inscrit au tableau d'honneur. Je me suis promené avec ces parures dans les rues de la ville, sans fierté, plutôt avec gêne. Rien à voir avec Damiron, qui bombait le torse, roulait des mécaniques, roucoulait d'orgueil sous les dorures.

Quand j'arrivais à la gare Montparnasse — bientôt la nouvelle gare, à l'ombre de la tour, qui avait effacé le souvenir de la Libération — et que je devais traverser Paris par le métro, je ne savais pas où me mettre et je tordais mes bras vers l'intérieur pour dissimuler mes galons. Les passagers, me semblait-il, ne voyaient qu'eux ; leurs yeux remontaient vers mon visage ; ils se demandaient si j'appartenais à l'Armée du Salut ou si je me rendais comme figurant au tournage d'un film, car on avait changé d'époque et la société se libérait. Il devenait rare de croiser des uniformes dans les rues. On profitait de la croissance, ignorant que le chômage frapperait vite.

L'armée, qui était peu appréciée, se faisait de plus en plus discrète. Depuis la fin de la guerre d'Algérie, on avait cessé de penser qu'un garçon n'était pas vraiment un homme tant qu'il n'avait pas fait son service militaire, et qu'il ne deviendrait jamais un homme s'il y était déclaré inapte au terme de ses trois jours. Comme les soldats étaient maintenant autorisés à se mettre en civil avant de quitter la caserne pour une permission, un uniforme dans les transports en commun devenait une curiosité. Je rougissais, évitant les regards inquisiteurs, aspirant à disparaître sous terre.

Dans le train qui nous conduisit vers Paris pour les vacances de Noël — train spécial composé de vieux wagons prêts à être mis au rancart : les deux voitures de l'autorail du Mans n'auraient pas suffi pour nous tous et, craignant pour leur tranquillité, on préférait nous séparer du commun des voyageurs —, nous nous isolâmes dans un compartiment à nous, chacun y allant de ses plans pour les deux semaines à venir, projets longuement mûris, invraisemblables, gargantuesques et donjuanesques, qui n'auraient pas le moindre début de réalisation, mais auxquels se conformeraient les récits qui auraient lieu dans le tacal du retour.

L'adjudant-chef Vandal et Porcinet faisaient les cent pas dans le couloir du wagon attribué à la 5ᵉ compagnie, essayant bien, mais sans conviction, de maintenir l'ordre, ou du moins de dompter le brouhaha : « Quel raffut ! Quel bin's ! On dirait des gonzesses en chaleur », s'esclaffait Vandal, qui en avait vu d'autres et ne s'en faisait pas pour si peu, car nous étions entre nous, à l'abri des pékins. Ces trains de départ étaient l'occasion de défoulements surexcités qui s'exprimaient dans des chansons parfois martiales et souvent obscènes. La plupart des élèves, y compris ceux qui se montraient les plus soumis en toutes circonstances hormis celle-ci, parvenaient à Paris sans voix. Philosophe, de naturel peu expansif et chantant faux, je restais sur la réserve, j'observais. D'un commun accord, les Vilains Bonshommes regardaient ces agitations épisodiques, dans les limites tolérées, comme des preuves supplémentaires d'aliénation, et les méprisaient. Je n'y avais pas encore assisté, mais je n'ignorais pas que les mauvais esprits préféraient provoquer du tintamarre hors des moments carnavalesques où il était accepté. Aussi notre compartiment était-il l'un des plus paisibles durant ces rituels d'émancipation.

La redécouverte de Paris au bout de quatre mois d'internement fut déroutante : j'avais perdu l'habitude de la grande ville, du bruit, des voitures, de la foule. Franchir le boulevard semblait une épreuve dangereuse où l'on craignait de perdre son béret dans le caniveau. Dans les couloirs du métro, notre détachement, les grands surveillant les petits, s'assurant qu'aucun ne s'égarerait en route, ne passait pas inaperçu. Je lisais la commisération dans le regard de certaines femmes, la réprobation chez d'autres. Nous provoquions sur notre chemin quelques méchants « Mort aux vaches ! », mais aussi de plus sympathiques « La quille, bordel ! » ou « C'est du peu au jus ! », témoignant que nous n'étions pas bien identifiés.

J'avais abandonné mes camarades. Le grand Crep's se rendait à Lyon, Petitjean aux Batignolles, Barnetche à Bondy — car il y habitait pour de vrai —, Bouboule à Châteauroux, où son père était employé à l'arsenal, tandis que Wolff dit Vénusté, l'Alsacien au nez grec, nous avait faussé compagnie dès Le Mans pour bifurquer vers

Vannes, où son père était quartier-maître. Lambert, qui descendait à Marseille, me serra la main gravement à Montparnasse et me souhaita de bonnes fêtes.

Nous fûmes quelques-uns à prendre le train de nuit pour Strasbourg, y compris Damiron, car les garnisons de l'Est contribuaient fort au recrutement du bahut. Après avoir avalé un jambon-beurre et une limonade au buffet de la gare, installé dans un coin du compartiment, près du couloir, ayant relevé le col de ma capote et baissé mon béret sur les yeux, je n'eus pas le loisir de repasser dans ma tête les événements du trimestre écoulé : je m'endormis sur-le-champ, comme un enfant, ou comme on dit que s'endorment les gens dont la conscience est tranquille. Combien de trains de nuit n'ai-je pas pris, au cours des années qui suivirent, via Culmont-Chalindrey ou Woippy, assis sur une banquette dure ou sur un sac de paquetage ? Impression du corps oubliée que celle du réveil au petit matin, la langue pâteuse, le cou de travers, le dos frissonnant, les reins broyés. On se frotte les yeux et se passe les doigts dans les cheveux, aspirant à un grand bol de café noir, « un caoua et une tartine beurrée » au zinc du buffet de la gare. Ce trajet-là inaugurait la série des nuits ferroviaires qui devaient m'emmener plus tard dans le Midi, en Espagne, en Italie, vers la Grèce, la Turquie, plus loin encore, jusqu'à l'Iran du Shah et l'Afghanistan du roi, sur le toit d'un camion cahotant vers des trésors que tant de guerres allaient détruire.

3

Ils se déterminent plutôt par le beau
côté d'une action que par son utilité.
Ils se conduisent plutôt d'après leur
caractère moral que d'après le calcul;
or le calcul tient à l'intérêt, et la vertu
à ce qui est beau.

ARISTOTE, *Rhétorique.*

À Strasbourg, m'attendaient une 403 noire et son chauffeur, un appelé qui me conduisit à Baden-Baden, dans la
résidence que mon père occupait sur la Zeppelinstrasse,
à la lisière de la forêt. La maison me parut aussi anonyme
qu'un hôtel de passage. Elle s'anima dès que tout le
monde fut arrivé de son internat et que nous eûmes repris
les bruyantes habitudes d'une famille nombreuse, avec ses
jeux, ses cris, ses larmes, ses disputes et ses réconciliations.
Nostalgiques de la douceur du foyer, nous restions longtemps à bavarder autour de la table, après le déjeuner,
une fois notre père retourné à l'état-major. Nous avions
tous des histoires à raconter. Ma sœur aînée sur les hypo-
khâgneuses de Victor-Duruy, ma sœur cadette sur les
demoiselles de la Légion d'honneur, moi sur le Donald et

Porcinet, Damiron et le grand Crep's. Notre vieille domestique — vieille par le nombre des années où elle nous avait accompagnés de poste en poste — nous houspillait. Bretonne, elle était montée à Paris pour chercher un emploi de bonne à tout faire, après la mort de ses parents, quand son frère avait repris la ferme familiale, s'était marié, et n'avait plus eu l'usage de la force de travail de sa sœur. Longtemps, comme nous, elle n'avait pas voulu voir que ma mère allait mourir, mais depuis sa mort elle gouvernait la maison d'une main de fer.

Chacun reprenait avec naturel, apparemment sans effort, le rôle qu'il avait toujours joué auprès des autres, comme, rentrant le soir chez soi, l'on a plaisir à glisser son corps dans un vêtement fatigué. Mais quelques mois avaient suffi pour que chacun allât son chemin, commençât de vivre sa vie. Nos conversations manquaient de sincérité. Je n'allais plus à la messe ; j'y retournai la nuit de Noël, ne voulant pas déclencher une scène. Nous étions sûrement plusieurs dans ce cas, ayant pour les autres des égards qui nous faisaient leur dissimuler les distances que nous avions prises. Nous devenions des étrangers, même si nous restions solidaires.

Je lus, je lus beaucoup, d'abord ces louches *Mémoires d'une jeune fille rangée* que le Donald m'avait restitués le matin du départ en me recommandant de consulter mon père à leur sujet, ce dont je ne fis rien, personne n'ayant jamais surveillé mes lectures à la maison, puis *Les Chemins de la liberté*, de Sartre, dans lesquels je découvris — loin dans le troisième volume, je crois, m'étonnant moi-même à présent d'être parvenu jusque-là dans ce copieux roman, et vraisemblablement de l'avoir terminé ensuite — que les érections qui me surprenaient chaque matin au réveil étaient naturelles et que je devais moins m'en inquiéter que les prisonniers du roman chez lesquels, après la défaite de 40, elles devenaient de plus en plus intermittentes, particularités anecdotiques qui, semble-t-il, m'ont marqué plus durablement que les grandes idées politiques composant le message engagé de l'auteur. Enfin, suivant l'exemple de Rousseau dans les *Rêveries* et me prenant pour un poète romantique, j'entrepris de longues promenades sur les coteaux, en fin de matinée.

Au cours de ces randonnées solitaires dans les sous-bois, je fumais une cigarette blonde dérobée dans la boîte en argent qui était posée sur la table basse du salon. C'étaient mes premières cigarettes. Elles me montaient à la tête parce que j'étais à jeun. Elles me rappelaient le professeur d'anglais que j'avais eu pendant trois ans, à Washington. Son enseignement m'avait passionné. Nos rapports avaient pourtant très mal commencé. Mr. Mulford m'avait atrocement meurtri, le jour de la rentrée. Chacun devait se présenter tour à tour, décliner son nom, ou plutôt son prénom, dire quelques mots de soi, s'exprimer, se raconter. Fraîchement débarqué d'Europe, tout déboussolé par mon premier cours de latin en anglais, avec miss Hosick, je comprenais à peine le baragouin de Mr. Mulford, d'autant qu'il s'exprimait à travers un mégot toujours suspendu aux lèvres, et j'étais resté bouche bée, l'air idiot ; il avait éclaté de rire, se moquant visiblement de mon impuissance et entraînant toute la classe dans son hilarité. Je lui en avais voulu à mort. Le soir même, relatant avec rage l'incident à ma mère, je m'étais promis de manifester une indifférence hautaine à ce mauvais maître. Mais il s'était rendu compte de sa maladresse et, par la suite, il se montra toujours aimable avec moi, obligeant, encoura-geant, invariablement cordial, comme pour corriger la vilaine impression qu'il m'avait faite au départ. Par prin-cipe, il faisait toujours valoir le bon côté de ses élèves, au lieu de les rabaisser, comme en étaient coutumiers les professeurs que j'avais connus en France. En septième, notre maîtresse, femme impérieuse, que je détestais, nous rendait nos devoirs en commençant par les plus basses notes pour remonter jusqu'aux meilleures, méthode cen-sée accroître l'émulation, maintenant que nous étions grands, et nous aguerrir pour l'examen d'entrée en sixième. Au bahut, M. Villiers, le professeur de maths, ren-drait les trois ou parfois les cinq premières copies dans l'ordre, en indiquant les noms de leurs titulaires et en faisant un commentaire, avant de jeter le reste du paquet avec dédain sur une table vide, au dernier rang, autour de laquelle nous nous ruions comme des sauvages.

Quelle mouche avait piqué Mr. Mulford, le jour de la rentrée, pour qu'il se fût montré si déplaisant? Il était irrité à l'idée de reprendre le collier; il recommen-çait une année scolaire mal payée devant des petits cré-tins qui ne parlaient même pas l'anglais. En tout cas, nos rapports changèrent bientôt, s'inversèrent même du tout au tout. Mr. Mulford était laid, boutonneux, avachi, bien peu séduisant. Je le revois comme un homme d'âge mûr, mais il n'avait probablement pas beaucoup plus de vingt-cinq ans, sortait à peine des études. Il conduisait une petite voiture anglaise, quelque chose comme une Austin Healey. Son corps informe, mou, enveloppé, tendant vers l'obésité, me fai-sait penser à celui d'un phoque, car il portait aussi des bacchantes.

Le cours d'anglais avait lieu juste avant le déjeuner. Assis au premier rang — ou plutôt au premier cercle, car nous disposions non pas de tables mais de fauteuils, de ces sièges particuliers aux salles de classe américaines, meubles insolites, munis d'un accoudoir qui s'élargit à la dimension d'un pupitre —, tout près de lui, j'aspirais la fumée qui tombait de sa cigarette et buvais ses paroles. Mr. Mulford me procura d'inoubliables émotions intellectuelles, comme en ce jour — j'avais douze ans — où il nous raconta le mythe de la caverne. J'étais stupéfait, comme ivre. Je concentrais mon attention sur les volutes blanches derrière lesquelles il disparaissait comme un magicien, mais ma tête se mit à tourner, sans que je sache encore aujourd'hui si ce fut de faim ou à cause du trouble où me jetait son récit, qui bouleversait ma vision du monde. J'allais tomber dans les pommes : il s'en aperçut, fit quelques pas vers moi et me rattrapa au moment où je perdais connaissance.

Cette année-là, le premier livre qu'il nous fit lire en entier fut un roman qui m'ébranla et devait laisser en moi des traces à peu près aussi indélébiles que le mythe de la caverne. Je me rappelle mon émotion quand je parvins à la dernière page : j'avais lu un vrai livre en anglais d'un bout à l'autre ! Il s'agissait de *Lord of the Flies*, le roman de William Golding, *Sa Majesté des mouches*, fable sur la fragilité de la civilisation, terrifiante allégorie de la nature humaine. Nous devions rédiger une note de lecture : mon essai sur *Lord of the Flies* fut le premier texte un peu long que je rédigeai en anglais. Mr. Mulford me félicita de mes progrès. J'adhérais totalement à l'intrigue, collais naïvement aux personnages, souffrais avec l'enfant le plus frêle, binoclard et malingre, malmené par ses camarades. Une petite colonie de garçons naufragés sur une île déserte se transformait en mauvais sauvages. Sous les ordres de l'un d'entre eux, charismatique et extroverti, ils se muaient en brutes et mettaient à mort les plus sages, ceux qui incarnaient la raison et cherchaient à protéger les libertés. Au bahut, je devais repenser souvent à cette histoire. Instruit par elle, je n'osais imaginer ce qu'il serait advenu si nous nous étions retrouvés seuls. Nous serions-nous comportés comme les naufragés de Golding sur leur île déserte ? Comme des barbares ? Au fond de moi, j'étais convaincu que oui. Les gradés, en dépit de leur médiocrité, de leur insuffisance et de leur aveuglement, nous sauvaient au moins de nous-mêmes. Ils empêchaient par leur simple présence que ce qu'il y avait de plus malfaisant en nous s'exprimât ouvertement. Ils nous représentaient un adversaire extérieur qui nous en imposait malgré eux et malgré nous, qui était à la fois différent de nous et identique à nous, quelque chose comme notre double autoritaire, contre lequel il nous était donné de nous insurger et qui nous évitait de nous entretuer.

Mr. Mulford nous provoquait constamment. Jamais les cours de M. Formica ne me donnaient de vertiges ni d'angoisses semblables, même lorsqu'il commentait les *Pensées* de Pascal ou *Les Fleurs du mal*. L'écoutant, je ne me sentais pas concerné aussi personnellement par les textes. C'était comme s'il voulait nous épargner, éviter que les livres nous troublent, nous mettent en cause trop rudement. Mais alors, à quoi bon les lire ? Je regrettais Mr. Mulford, qui m'avait encore ouvert les yeux à tant d'œuvres bouleversantes, de Shakespeare, Milton et Swift à Jane Austen, Dickens ou Dostoïevski, et qui m'avait éveillé à bien d'autres questions métaphysiques que celles de la réalité de nos sensations ou de l'origine du mal. En lisant avec lui les tragédies de Shakespeare, en réfléchissant à la nature du pouvoir et de l'autorité, de l'obéissance et de la trahison, nous avions reçu nos premiers rudiments de science politique, bagage qui m'avait bien servi à mon arrivée au bahut.

Pour compléter son emploi du temps et bien qu'il n'eût rien d'un sportif et fût le contraire même d'un athlète — je ne l'ai jamais vu habillé autrement que d'une veste de tweed et d'une cravate écossaise, toujours les mêmes, trouées par les cendres incandescentes de ses cigarettes, qu'il omettait, absorbé par sa propre parole, de faire tomber à temps —, notre professeur d'anglais était aussi notre entraîneur de basket. Tous les professeurs, quelque inaptes qu'ils fussent, devaient assurer leur part de responsabilités au-delà des heures de cours. On aurait difficilement imaginé spectacle plus cocasse que celui de Mr. Mulford, en veste, cravate et chaussures de ville, des *wingtips* très britanniques — il avait adopté, de pied en cap et une fois pour toutes, cette tenue académique râpée —, nous haranguant depuis le bord du terrain, sa Camel aux lèvres. Autant dire qu'au basket ses instructions étaient toujours restées des plus abstraites, à l'opposé de sa méthode quand nous lisions *Richard II* ou *King Lear*, dont il nous faisait appliquer les leçons à la vie contemporaine. Il ne nous avait jamais montré comment lancer un ballon dans le panier. Je ne l'avais même jamais vu en toucher un. Convaincus par sa maïeutique, nous nous exercions entre nous, avec les encouragements d'Arnold Dantziger, notre capitaine, mais nous perdions tous nos matches contre les écoles

173

du voisinage, Saint Albans, Woodrow Wilson, Sidwell Friends, entraînées par des moniteurs autrement professionnels.

Au cours de ces promenades en forêt, j'étais partagé entre plusieurs sentiments : la nostalgie d'un passé libre, heureux et stimulant, dans l'évocation duquel je me réfugiais ; l'éloignement de la vie de famille avec laquelle nous renouions sans y croire tout à fait ; enfin, de façon plus surprenante, le regret d'être éloigné de mes camarades. À Baden-Baden, j'étais comme frappé d'insensibilité. Je parlais toujours avec ma sœur aînée des livres que je lisais, je bricolais avec mon frère, je jouais avec mes dernières sœurs, puis, inoccupés, nous nous rassemblions autour d'un jeu de société, mais notre intimité avait quelque chose de forcé. Je maudissais le bahut, l'idée d'y retourner après les vacances me faisait horreur, et pourtant ce monde-là me manquait, comme si je lui appartenais, comme si désormais la vraie vie était ailleurs. Je comptais les jours, sans savoir de quel côté le bilan était le plus enviable.

J'écrivis trois lettres au cours de ces vacances, l'une à Lambert, à Marseille, la deuxième au grand Crep's, à Lyon, la troisième à Damiron, à Metz ou à Nancy. Pourquoi Damiron ? Parce que ce garçon bien élevé, parfaitement consciencieux, qui s'était enquis de mon adresse avant le départ, m'avait adressé ses vœux. Je n'aurais pas voulu qu'il pût se flatter que je ne lui eusse pas répondu. Avec Lambert, dont les parents n'avaient pas quitté le Cambodge et qui passait les fêtes chez sa grand-mère, près de Marseille, je plaisantai, je fanfaronnai. Je me livrai davantage dans ma lettre au grand Crep's, laissant entendre quelque chose du sentiment d'étrangeté que je ressentais en famille.

L'après-midi du jour de Noël, nous fûmes invités à la résidence du commandant en chef des troupes françaises en Allemagne. Mon père, qui avait combattu sous ses ordres en 1944, puis en Indochine, puis en Algérie, était à présent son chef d'état-major. Sa femme, ancienne ambulancière de la 2ᵉ DB, connaissait aussi mon père depuis toujours et prétendait régenter notre existence, maintenant qu'il était veuf. Leurs deux enfants, de l'âge de ma sœur et de mon frère cadets, étaient devenus leurs partenaires de jeu obligés. Le général, ancien du bahut lui aussi, me prit à part dans son bureau, où nous nous assîmes côte à côte, en face d'un mur couvert de photographies du général lui-même en compagnie de De Gaulle, Leclerc, Eisenhower, Montgomery, Bigeard, etc. Il avait un remarquable visage de condottiere, aux traits rudement taillés, un nez proéminent, un menton en galoche, un gilet rouge, une moustache drue et noire, et un tic nerveux dans l'œil droit, tous traits si exagérés qu'ils lui donnaient l'air de se caricaturer lui-même. Le personnage était redoutable — sa femme encore davantage —, mais il pouvait aussi se montrer doux et affectueux. Soupe au lait, naïf, il me faisait penser au général « Buck » Turgidson, dans *Dr. Strangelove*, et je ne parvenais pas à le prendre tout à fait au sérieux, malgré son œil noir, sa voix de basse et les ribambelles de décorations pendues sur sa poitrine. Il voulait m'interroger sur les bizutages au bahut. Je niais qu'ils fussent excessifs, dépassassent les bornes de la camaraderie virile, de l'initiation traditionnelle. Je n'ignorais pas que des doléances remontaient régulièrement jusqu'à la tête de l'armée. Le général doutait de leur bien-fondé, soupçonnait l'action de la cinquième colonne. Mon expérience ne me permettait pas de le contredire ; cela le rassura, sans qu'il parût se rendre compte que, la réalité eût-elle été différente, je n'aurais certainement pas osé le détromper.

Il ne faisait pas de doute pour lui que je suivrais la voie paternelle. C'était la raison pour laquelle il faisait confiance en mon jugement, m'imaginant sain d'esprit. Je me battrais, je recevrais des blessures, je serais décoré. Lui-même, malgré les responsabilités qui étaient les siennes, avec sa hauteur de vue, ses relations au sommet de l'État, il n'avait donc pas compris que la guerre était finie. Je me tus, mais ma décision était prise et je lui rapportai, un peu perversement, c'est-à-dire non sans deviner les effets qui pourraient résulter de mon compte rendu, les propos que nous avait tenus le général à tête d'œuf, le jour de l'inauguration de la piscine. Il balaya toutes ces considérations d'un large revers de la main, mais je vis bien qu'il était agacé : le sujet était plus compliqué que je ne le pensais ; il n'était pas d'accord ; cette vision de l'armée n'était pas la sienne ; la guerre serait toujours la guerre.

Puis le général me fit un cadeau, que je possède encore : il m'offrit une bille d'agate, qu'il prit dans le tiroir de son bureau. Elle ne l'avait pas quitté, me dit-il, depuis le temps qu'il était cornichon, et elle lui avait porté bonheur. J'empochai la bille sans broncher, me demandant si j'oserais la montrer aux Vilains Bonshommes et leur raconter l'incident. Son épouse nous servit du kougelhopf et du chocolat chaud pour le goûter. Tous ces héros idéalisaient l'Alsace, qu'ils avaient libérée, où ils avaient perdu des compagnons, et dont beaucoup d'entre eux, dont les hauts faits avaient bercé mon enfance, étaient revenus qui amputé d'un bras ou d'une jambe, qui avec un œil ou un rein en moins. Ce qui manquait à mon père était moins apparent. L'Alsace leur permettait de garder le silence sur l'Indochine et l'Algérie. Leurs chars trônaient sur le pont de Kehl, des rues portaient leurs noms dans tous les villages, depuis le mont Sainte-Odile jusqu'à Strasbourg, et ils mangeaient du kougelhopf dans les grandes occasions. Le kougelhopf et le chocolat chaud étaient délicieux. Je les dégustai en caressant ma bille d'agate dans la poche de mon pantalon. « Ça vaut mieux qu'une bite d'attaque », aurait marmonné mon camarade Wolff. Me porterait-elle bonheur à moi aussi ? Qui avait raison ? L'énergumène au béret rouge et à la tenue léopard, ou le petit artilleur adepte de la dissuasion ?

Je repris le chemin du bahut. En famille, les rares moments où je m'étais senti honnête étaient ceux que j'avais passés auprès de mes deux plus jeunes sœurs. Elles n'avaient pas l'âge de raison. Je ne me lassais pas de jouer avec elles. Je ne me plaisais avec personne d'autre. Le mensonge régnait partout. Tous les adolescents pensent à peu près de la sorte, au moment même où ils rêvent d'échapper aux lieux communs. Parmi les lectures que Mr. Mulford nous avait prescrites, l'été précédent, figurait *The Catcher in the Rye*, choix qui n'avait pas manqué de susciter les protestations de certains parents en raison des vulgarités et obscénités de Salinger. Je ne devais pas revoir mon professeur à la rentrée, mais je lui avais quand même envoyé un dernier rapport de lecture, qu'il m'avait retourné avec ses commentaires. Pour boucler le cercle de nos relations, il se moquait à nouveau de moi, non plus à cause de la pauvreté de mon anglais, mais en raison de mon sentimentalisme et de la naïveté avec laquelle je m'identifiais au héros du roman, Holden Caulfield, adolescent fugueur et un peu fou qui finissait quand même par retrouver le chemin de la maison paternelle après quelques nuits d'errance dans New York. Je retins la leçon. Durant les derniers jours que j'avais passés en Amérique, seul au mois d'août à Manhattan, j'avais néanmoins suivi Holden Caulfield à la trace, dans Park Avenue, à Grand Central et vers Washington Square, jusqu'au Metropolitan Museum et au manège de Central Park, où le roman s'achevait. Maintenant, je regardais mes petites sœurs avec les yeux qu'avait Holden Caulfield pour la sienne, Phoebe, son seul amour, sa bouée de sauvetage.

Cette fois, la voiture me conduisit à Strasbourg de bon matin et me déposa devant la gare bien trop à l'avance, selon les directives toujours excessivement précautionneuses de mon père — dans toute entreprise, si l'on en croyait son expérience, il fallait tenir compte des imprévus, des aléas, des impondérables, des embûches, comme si l'on progressait partout en territoire ennemi —, et sans que j'eusse rien à faire pour passer le temps. Un malin génie me tenta et je pensai sérieusement à disparaître, à prendre le train pour Marseille au lieu de Paris, ou à filer en auto-stop n'importe où, à m'engager comme matelot et à faire le tour du monde. Je disposais d'un peu d'argent de poche pour le trimestre. Mais je n'avais sur moi que mon uniforme, avec ces galons de mascarade sur les manches. Il aurait fallu d'abord me débarrasser de mon accoutrement et me procurer une tenue plus discrète. J'étais jeune. On ne m'aurait pas pris au sérieux. Assis au buffet devant un lait fraise, ma boisson préférée, j'envisageais diverses hypothèses, je levai en imagination tous les obstacles, je me demandai ce que Holden Caulfield aurait fait à ma place. Il n'aurait pas hésité. Cependant j'étais gêné qu'il fût revenu chez ses parents, comme un fils prodigue. Je rêvais de partir sans retour. L'heure passa : je montai dans le train pour Paris, où je retrouvai les élèves des garnisons de l'Est ou des Forces françaises en Allemagne, mais je n'étais pas d'humeur à causer.

À la gare Montparnasse, notre petite bande se reconstitua et s'empara d'un compartiment. J'examinai mes nouveaux camarades du coin de l'œil, Bouboule, Petitjean, Canard, le grand Crep's, me demandant si ma famille, les miens, c'étaient eux maintenant, et si je tenais vraiment à eux. Cette réflexion me rendit morose ; je n'avais pas envie de prendre part à leur conversation, de me vanter moi aussi d'exploits imaginaires accomplis ces quinze derniers jours, de mentir à mon tour, de tenir mon rôle. Je faisais comme si la vérité avait de l'importance, alors que je ne pouvais pas ignorer que personne ne croyait aux aventures que nous nous attribuions, chacun sachant qu'il n'y avait pas plus faux que les siennes. La réalité était plus simple : il s'agissait de se raconter des histoires pour s'occuper, pour oublier que ce soir nous serions de nouveau coffrés. « Et toi ? me demandait-on. — Oh, rien ! Rien de spécial. J'ai lu. Je me suis promené. » J'aurais voulu être ailleurs. La vie, c'était donc ça maintenant : je n'étais nulle part à ma place.

Je passai dans le couloir au moment où surgirent à l'horizon les clochers de la cathédrale de Chartres. Ils se découpaient sur la plaine de la Beauce. Je murmurai les vers de Péguy :

> *Ô Vierge, il n'était pas le pire du troupeau.*
> *Il n'avait qu'un défaut dans sa jeune cuirasse.*
> *Mais la mort qui nous piste et nous suit à la trace*
> *A passé par ce trou qu'il s'est fait dans la peau.*

Le grand Crep's me rejoignit : « Fais pas cette gueule d'enterrement ! Tu n'as donc toujours pas appris à réagir ? » me dit-il en grondant. J'aurais bien voulu, mais c'était plus facile à dire qu'à faire. « Tiens, poursuivit-il, je t'ai rapporté un cadeau. » Et il me tendit un livre de poche défraîchi qu'il avait ramassé dans le train entre Lyon et Paris. Je contemplai la couverture : *Les Merveilleux Nuages*, de Françoise Sagan. Je me mis à rigoler. Je ne savais pas grand-chose, mais j'étais sûr que Sagan, ce n'était pas de la grande littérature. (Vingt ans après, lorsque je me suis retrouvé sur le plateau d'« Apostrophes » en face d'elle et qu'elle me dit, si je me souviens bien, que je lui semblais un peu jeune pour avoir écrit le petit récit qu'elle venait de lire, je me rappelai le cadeau improvisé du grand Crep's et je me repris à rire intérieurement.) J'avais lu *Bonjour tristesse* à Washington ; j'en avais même appris par cœur les premières pages, pour faire le pitre. Le grand Crep's ne savait pas ce qu'était la littérature. À moins qu'il n'eût pensé au poème auquel le titre de Sagan faisait référence — avec son « extraordinaire étranger », sans famille, sans patrie, sans amis, rêvant de beauté et d'infini —, mais il était peu probable que *Le Spleen de Paris* lui fût jamais tombé entre les mains. Baudelaire ne faisait pas partie de sa culture, ni rien d'autre. À Strasbourg, le matin même, j'avais été tenté de me faire la belle. C'était ça : il avait deviné mon projet de fugue.

Je me dis que j'aurais dû moi aussi lui offrir quelque chose, mais je n'y avais pas songé. Confus, je saisis au fond de ma poche le cadeau du vainqueur du Fezzan et je le lui tendis : « Tiens, une bille d'agate. — Une bite d'attaque, comme dirait Wolff », repartit le grand Crep's du tac au tac. Nous étions bien sur la même longueur d'onde. « C'est l'une de mes plus belles billes, un trésor d'enfance », ajoutai-je sans sourciller. L'épisode, surtout mon mensonge spontané et inexpliqué, m'égaya pour le reste du voyage.

Deux distractions rendirent mon existence moins monotone au bahut, après les vacances de Noël. La première fut l'affaire Ben Barka, qui me passionna. Elle avait éclaté à l'automne, sans éveiller mon attention ni celle de la plupart des Français, alors accaparés par la campagne présidentielle. Même si le ballottage de décembre m'avait laissé assez indifférent, l'actualité pouvait prendre possession de moi. Périodiquement, un événement me semblait « faire époque » ; j'avais l'impression de vivre un moment historique et je voulais en pénétrer tous les détails. Je me rendais bien compte que c'était aussi une manière de ne pas vivre vraiment, ou de vivre par procuration, comme on le fait dans les livres, mais, au bahut, il n'y avait pas le choix : c'était ça ou rien. Les immenses manifestations pour Bourguiba sous nos fenêtres, à Tunis, devant la porte de Bab Saadoun, les allées et venues sous escorte armée entre la maison et l'école — en montant dans les vieux camions GMC, surplus de l'armée américaine, nous nous battions pour nous asseoir à l'arrière, auprès des soldats, parce qu'ils nous laissaient toucher leurs MAT 49 —, puis notre départ précipité, lors de l'Indépendance, ce sont les circonstances qui m'avaient fait comprendre, pour la première fois, que quelque chose d'important se jouait autour de moi, que nous étions emportés par le mouvement de l'histoire. Ce sentiment revint, en 1958, alors que mon père se trouvait en Algérie et qu'avec ma mère nous vivions pendus aux nouvelles de la radio. Nous écoutions en silence les allocutions du général de Gaulle, de «Je vous ai compris» à «Oui à la France et à l'Algérie». Cela ne suffisait pas. Pour revivre l'actualité, nous achetions un nouveau mensuel qui se présentait sous la forme d'un fin cahier à spirale contenant, entre des articles sommaires, quelques disques en plastique souple. Lancé à point nommé, le premier numéro de *Sonorama* portait sur les événements de mai. Sa couverture reste pour moi inoubliable : une jeune femme, appuyée sur un tourne-disque de la marque La Voix de son maître — le même que le nôtre, venu avec l'abonnement à la Guilde internationale du disque —, tenait à la main un numéro de *Sonorama*, dont la couverture représentait une jeune femme appuyée sur un tourne-disque et tenant à la main... Je réclamais chaque mois quelques vieux francs et courais jusqu'au kiosque du coin de la rue chercher *Sonorama*, dont la parution s'arrêta après les accords d'Évian. Ces petits 33-tours, qui se distinguaient des disques classiques de la Guilde par leur couleur blanche, tournaient en grésillant sur le pick-up où nous les avions fait repasser tant de fois qu'ils étaient devenus inaudibles. Auprès des discours de De Gaulle, on y entendait les chansons de Gilbert Bécaud, de Paul Anka et de Dalida ; j'y découvris aussi la voix de la Callas.

À l'époque, seuls avec ma mère, à Paris, nous nous contentions — elle et ses quatre, puis cinq, puis six enfants — de délassements simples, comme encore « Quitte ou double », le jeu radiophonique de Zappy Max. Le mercredi, nous y avions droit après le dîner, car le lendemain nous n'avions pas classe, en attendant le coup de téléphone de ma grand-mère, qui appelait ce soir-là de Bruxelles, à neuf heures moins le quart, dès la fin de l'émission. Une autre distraction rituelle de ces années maussades, bizarrement, tenait aux récits, toujours les mêmes, comme les légendes, que nous faisait notre mère, tandis que nous dînions, de son séjour en prison pendant la guerre. Peu avertie des réalités de la vie, elle s'était fait arrêter à vingt ans. Le jour de la Fête nationale belge, elle avait arraché une affiche de propagande pour le travail en Allemagne ; des soldats l'avaient rattrapée ; elle avait eu le temps, au dépôt, avant son interrogatoire, d'avaler les tracts qu'elle portait. Plus tard, quand j'ai connu la recommandation biblique de manger le livre pour assimiler la parole de Dieu, et quand j'ai appris que Montaigne décrivait la lecture comme une innutrition, je revoyais en arrière-fond ma mère ingurgitant son mauvais papier de ronéo pour se sauver la vie. En cellule, elle avait découvert le monde auprès des détenues de droit commun, les unes hautes en couleur, d'autres misérables, qui en savaient infiniment plus qu'elle, et c'était ce qu'elle avait appris des vies aventureuses de ces femmes, protectrices envers elle, ou odieuses, qu'elle nous racontait pour nous amuser. La prison lui avait servi d'université. J'aimerais pouvoir donner des détails, mais — c'est l'un de mes grands regrets —, je ne retrouve rien d'autre. Si ma mère avait vécu plus longtemps, je lui aurais fait répéter ses récits à un âge où je m'en serais souvenu. Seule leur invariable conclusion me reste en mémoire : chaque semaine, un train emportait des prisonnières en Allemagne ; la sélection faite, s'installait un terrible silence, disait notre mère qui l'entendait encore, ce silence de la prison la nuit précédant le départ en déportation.

Ensuite, il y eut la semaine des barricades, le putsch des généraux, puis Charonne, les accords d'Évian. Nous n'avions pas la télévision, mais la radio était rarement éteinte à l'heure des informations, un gros poste Ducretet-Thomson en faux acajou, posé sur la commode du salon, orné de son diapason doré et de l'œil magique qui verdoyait tant que la station n'était pas réglée. Je réclamais d'aller chaque semaine au Cinéac de la gare Saint-Lazare. Ma mère et moi y entrions n'importe quand pour voir les actualités filmées, nous représenter de Gaulle à Alger, la mort de Pie XII, le mariage de Baudouin et de Fabiola. Une fois aux États-Unis, les événements se situèrent sur une scène autrement vaste : crise de Cuba, assassinat de Ngô Dinh Diêm, puis de Kennedy, limogeage de Khrouchtchev un jour où, souffrant d'une bronchite, je ne m'étais pas levé. La fièvre était un prétexte pour manquer l'école, rester à la maison, apercevoir encore ma mère, qui devait mourir quelques jours plus tard. J'appris la nouvelle de Moscou sur la petite radio que j'avais sur ma table de chevet. J'aurais voulu comprendre, je lisais la presse — plusieurs journaux arrivaient à la maison —, j'écoutais la radio et, aux États-Unis, je regardais la télévision, mais je me sentais toujours dépassé par les événements, idiot devant eux.

Au bahut, je l'ai dit, nous étions privés de toute information. On nous avait à l'œil si nous cherchions à savoir ce qui se passait au-dehors. Si l'on nous mettait en quarantaine, c'était avec les meilleures intentions du monde, pour nous protéger des mauvaises influences, nos gradés étant persuadés que le désordre politique, l'anarchie intellectuelle, la corruption morale, la décadence spirituelle régnaient de l'autre côté des murs, chez les civils,

184

société sans honneur. Leur opinion était ridicule, mais peut-être moins absurde que nous ne le pensions, puisque notre confinement avait permis que les schismes qui divisaient l'armée ne perturbent pas trop la vie quotidienne des élèves, à la fin de la guerre d'Algérie. Leurs pères se traitaient de vendus ou de félons, étaient à couteaux tirés, s'envoyaient des bombes, mais les rejetons, le fils Zeller et le fils Pâris de Bollardière, par exemple, cohabitaient dans une paix des braves, se contentant d'éviter de se croiser au foyer. De rares élèves se vantaient d'être Algérie française, d'autres OAS, comme Metzger qui, au vu et au su de tous, avait collé une photo de Bastien-Thiry dans son casier, mais c'était par affectation plus que par conviction. Il avait bien sûr voté Tixier, le jour où M. Auberger nous avait sondés, mais l'aurait-il fait dans l'isoloir s'il avait été majeur ? Il est plus probable qu'il n'eût pas voté du tout, par haine de la démocratie.

Ben Barka avait été enlevé devant la Brasserie Lipp avant de disparaître à jamais. Je me figurais cet établissement sur le modèle de la Chope Danton, située plus bas, boulevard Saint-Germain, au carrefour de l'Odéon, et aujourd'hui disparue, où nous nous rendions parfois avec mon père durant ses permissions d'Algérie : le fils du propriétaire ayant été tué sous ses ordres, nous étions accueillis comme si nous faisions partie de la famille. Une fine équipe de policiers dignes d'un roman noir avait été mêlée à l'affaire, ainsi que des truands aux noms qui me faisaient rêver : Souchon, de la brigade mondaine, qui avait participé à l'enlèvement, Lopez, inspecteur principal à Air France et honorable correspondant du Sdece, Figon, repris de justice, découvert mort dans son studio au moment où on allait l'arrêter, Boucheseiche, ancien membre de la Gestapo et du gang des tractions avant. La complicité des truands et des commissaires faisait penser à un film de Melville. Souchon mettait en cause Foccart, l'homme de l'ombre, le conseiller de De Gaulle. Les journaux publiaient quotidiennement des informations sur les rebondissements de l'enquête. En plus de *L'Express*, dont une couverture mémorable, «J'ai vu tuer Ben Barka», avait relancé l'affaire, je me mis à acheter chaque jeudi *Le Canard enchaîné*, initiative que le Donald dut noter sur ses fiches. Chaque livraison apportait ses révélations et sa brouette de soupçons. Dans une conférence de presse, le général de Gaulle ne vit rien que «de vulgaire et de subalterne» dans cette affaire, et nia avec hauteur que le Sdece ait pu y être mêlé. Mais il se trouva bientôt contredit : les services secrets étaient compromis ; un député UNR, l'avocat de Figon, était au courant et fut radié du barreau. Je demandai à mon père, dans une lettre, ce qu'il pensait de tout ça. Cette affaire, me répondit-il typiquement, est sans importance, voire «montée de toutes pièces» ; les journalistes la gonflent pour vendre de la copie. Il ajouta que je ferais mieux de travailler à mes compositions.

(Ici, je pourrais être plus précis. Entre le moment où j'ai commencé d'écrire ces lignes et aujourd'hui, mon père est mort. C'était un homme méticuleux, qui conservait tout. Dans ses papiers, nous avons retrouvé, classées dans l'ordre chronologique, toutes les lettres que je lui écrivais péniblement chaque dimanche soir de cette maudite année. De même pour mes frères et sœurs. Compulsant avec gêne cette petite pile de feuillets hebdomadaires, comme on entrerait en soi par l'escalier de service, ce sont d'abord les fautes d'orthographe qui me frappent, si abondantes qu'elles semblent faites exprès, mais ces lettres me remettent aussi en mémoire des incidents totalement oubliés, par exemple une chute et une fracture dans la nouvelle piscine, dont je ne me rappelais que les bons côtés. Cette correspondance me permettrait de dresser une liste juste de mes lectures, du moins celles que je lui confiais — je lui réclamais par exemple *Le Silence de la mer*, de Vercors —, ainsi que des événements qui m'intéressaient en France et dans le monde, impliquant des personnalités dont les noms ne me disent plus rien, ou rien de remarquable, comme le conflit indo-pakistanais et la mort suspecte du Premier ministre indien, Lal Bahadur Shastri, à Tachkent, où Kossyguine l'avait convié, ou le remaniement ministériel à Paris, marqué par le départ de Giscard d'Estaing, le retour de Debré, Edgar Faure à l'Agriculture et François Missoffe à la Jeunesse, ou encore le retrait de l'Otan, la guerre du Vietnam, à laquelle je ne pensais pas être déjà aussi sensible, ou la « crise de la chaise vide », allusion dont je n'ai plus la moindre idée aujourd'hui. Peut-être parlais-je de tout cela pour tirer à la ligne. Sur l'insignifiance de l'affaire Ben Barka, j'exprimai en tout cas franchement mon désaccord avec mon père. Mais je ne citerai pas ces documents qui n'entraient pas dans mon plan. Je préfère inventer ce que je ne sais plus. La fidélité me semble préférable à l'exactitude.)

Comme cadeau de Noël, mon père m'avait offert le transistor Grundig que je lui réclamais avec obstination. Ce qui me plaisait surtout, dans ce petit appareil, c'était l'écouteur, que je m'enfonçais dans l'oreille pour maintenir le contact avec l'univers, au cours de la nuit, sans déranger personne, quand je ne dormais pas. J'avais du mal à trouver le sommeil, ayant pris l'habitude, à l'époque où j'étais maître de mon temps, de lire très tard, au-delà de minuit, de gros romans comme *Crime et châtiment* ou *Guerre et paix*, qui me tenaient éveillé longtemps après que je les avais refermés. Ici, l'extinction des feux se faisait avant dix heures, beaucoup trop tôt pour mon goût. Elle était suivie d'un assez long moment de tapage, puis le calme retombait, interrompu, juste au moment où j'allais m'endormir, par des ronflements, puis par les sifflements qui tentaient de les réduire. Les heures sonnaient sans fin au clocher de Saint-Germain-du-Val.

Le petit Grundig fut d'un miraculeux secours. France Gall fredonnait doucement à mon oreille *Poupée de cire, poupée de son*, air qui m'enchantait. On interviewa le parolier, un certain Serge Gainsbourg, dont je devins bientôt fanatique, et qui était tout autre chose que les yéyés poussant la chansonnette sur de pauvres textes. Nous n'avions pas droit à « Salut les copains », diffusé pendant nos heures d'étude, mais le « Pop-Club » commença de bercer mes nuits. Je m'assoupissais régulièrement, mon écouteur fiché dans l'oreille :

> *Vingt-quatre heures sur vingt-quatre*
> *La vie serait bien dure*
> *Si on n'avait pas le Pop-Club*
> *Avec José Artur.*

Les transistors étaient encore une innovation que l'encadrement regardait avec méfiance, car ils rompaient notre isolement. La bande du grand Crep's fit profession d'enthousiasme pour Lucien Jeunesse. Nous précipitions notre déjeuner afin de remonter à temps au dortoir pour

« Le Jeu des mille francs », que nous écoutions pieuse-
ment, à moins que ce ne fût pour certains d'entre nous
avec ironie, même si nous nous y instruisions d'une masse
de petits renseignements apparemment inutiles, mais
précieux pour notre culture. Puis nous emportions notre
transistor derrière la station-service de la route du Mans.
Il fut vite convenu que l'on pouvait l'emprunter dans
mon armoire, à condition de me le rendre si je souhaitais
l'écouter. La convention m'allait, même si je n'osais pas
réclamer mon poste durant les matches de foot, que je
me mis, contraint et forcé, à suivre moi aussi. Ils débordaient le dimanche soir sur l'horaire du « Masque et la
plume », émission dont je devins assidu : elle mit un peu
d'ordre dans mes idées sur la littérature et le cinéma,
m'incita par exemple à lire Proust.

Le second changement qui affecta profondément ma
vie au bahut fut mon intimité croissante, inattendue, avec
le grand Crep's. De jour, nous nous retrouvions sur le terrain de basket, de nuit dans les lavabos. L'extinction des
feux, je l'ai dit, annonçait moins une cessation immédiate
des activités que le déplacement de leur terrain et leur
poursuite dans la clandestinité. Dès que le sous-officier de
garde s'était éloigné, qu'il se fût retiré dans les bureaux
de la compagnie ou qu'il eût rejoint le poste de police, de
l'autre côté de la cour d'honneur, l'agitation reprenait. On
quittait les lits, des groupes se formaient, renouaient une
conversation ou poursuivaient un jeu de tarots à la lumière
des bougies ou sous le faisceau d'une lampe de poche,
appendice indispensable du pensionnaire avec le couteau
à cran d'arrêt. Quelques bonnets de nuit se plaignaient du
bruit et réclamaient haut et fort le silence. On parlait plus
bas, chuchotait, mais le tintamarre s'élevait de nouveau.

Soudain l'alerte était donnée par un guetteur à la fenêtre ou dans les escaliers : « Tuss, tuss, tuss ! » Le sergent-chef avait été aperçu dans les parages. On se dispersait hâtivement. Les cartes à jouer disparaissaient sous les couvertures, les lampes de poche étaient assourdies. On entendait encore le léger susurrement produit par le glissement amorti et précipité des pantoufles sur le plancher. Et quand le sous-off poussait la porte du dortoir, chacun avait rejoint son couchage, dissimulait son regard derrière des paupières mi-closes, tous les souffles retenus, quelques-uns qui venaient de se faufiler sous les draps feignant même de ronfler. Le sous-officier faisait le tour des lits, projetant le rayon de sa torche vers chaque polochon pour s'assurer qu'une tête y reposait, s'attardait sur un traversin vierge tandis que se rapprochait le pas traînant du dernier retardataire, lequel n'avait pas fait le mur mais revenait des gogues et se justifiait par un besoin pressant. Quand il s'éloignait pour de bon, la rumeur recommençait, affaiblie cette fois, car plusieurs bavards notoires s'étaient endormis durant l'intervalle. Les derniers chuchotements soulevaient encore quelques protestations : « Au pieu ! — Vos gueules ! — Éteignez les lichte ! — Il est tard ! — On veut dormir ! » Alors les ennemis du sommeil se réfugiaient dans les lavabos.

Peu à peu, au lieu de m'endormir avec mon transistor, j'allais y retrouver le grand Crep's, venu de son dortoir situé de l'autre côté du palier, depuis que nous avions découvert que nous souffrions tous les deux d'insomnies, et nous y restions les derniers, assis côte à côte dans deux cuvettes, ou l'un assis dans la cuvette la plus éloignée de la porte, l'autre sur le radiateur fixé sous la fenêtre. De ce nid de pie, on jouissait d'une vue imprenable sur la cour éclairée toute la nuit par plusieurs réverbères ; pas un mouvement à l'intérieur du poste de police n'échappait aux observateurs des lavabos. Et on entendait parfaitement le grincement des marches dans les escaliers. Quand le gradé de service quittait son repaire et se dirigeait vers l'escalier des dortoirs, nous avions tout le loisir de disparaître, chacun de son côté. De plus, le grand Crep's n'ignorait pas les heures des rondes. Bientôt je les connus aussi.

De quoi parlions-nous, chaque nuit jusqu'à deux ou trois heures du matin ? Je serais bien incapable de reconstituer nos interminables entretiens. Le grand Crep's s'exprimait bien plus que moi et sur un rythme précipité, haletant, ponctué de silences, de raclements de gorge. Je l'écoutais surtout, je le laissais parler, me contentant en général d'approuver. Nous ne nous disions pas grand-chose sur nous-mêmes ni sur nos familles. Je savais qu'il passait ses vacances dans une caserne de la gendarmerie territoriale dans la banlieue de Lyon, ce qui ne devait pas trop le changer du bahut, qu'il avait un frère aîné inscrit en propédeutique à la faculté des lettres — l'enseignement supérieur commençait de se démocratiser —, mais qu'il n'était pas très proche de lui, non plus que de ses parents. Six années de boîte l'avaient détaché d'eux et rendu indifférent. Lui non plus ne mentionnait jamais l'existence de sa mère.

Nous nous montions la tête avec des lubies de grand départ, des chimères d'escapade au bout du monde, au Brésil, au Népal ou à Madagascar. Le grand Crep's me racontait des heures durant les légendes du bahut, me les confiant avec le même sérieux que s'il devait me revenir un jour de les faire connaître. Depuis son arrivée, il avait emmagasiné dans sa mémoire autant de récits qu'un conteur folklorique. Le temps était venu de transmettre cette histoire orale à un épigone et, sans me le dire, il m'avait choisi. Il en savait long sur tous les officiers, sous-officiers et professeurs passés entre ces murs. Burin, le professeur de maths, simple licencié, avait été recruté sous l'Occupation, quand l'école s'était repliée à Briançon et que les agrégés, mobilisés puis faits prisonniers, avaient manqué ; on l'avait gardé à la Libération, malgré son évidente médiocrité. Pietri, dit Bab El-Oued, le sous-officier des sports, pied-noir s'affichant Algérie française, avait tout perdu et ne s'en remettrait jamais ; il se vantait d'avoir pratiqué la gégène après l'avoir essayée sur lui-même ; il jugeait les effets de l'électricité anodins. Thomas, le professeur d'allemand, d'extrême droite, aurait collaboré sous l'Occupation, mais personne n'en était sûr. Bidon, le prof d'anglais, aurait, lui, résisté, mais personne n'en était sûr non plus. Michelis, mon futur prof de maths élem, aurait été très lié à Cahen, un professeur d'anglais qui avait été à l'initiative du comité Maurice-Audin — du nom de l'assistant communiste de la faculté des sciences d'Alger, disparu en 1957 entre les mains d'officiers du 1er régiment de chasseurs parachutistes — et qui, lui, avait vite déserté ces murs. Il nous semblait fantastique et même invraisemblable que certains de nos maîtres eussent été mêlés à la protestation contre la torture en Algérie, mais, après tout, Marcel Drouin, le beau-frère de Gide, professeur de philosophie au bahut vers 1900, n'avait-il pas été un dreyfusard engagé, signataire de la pétition de *L'Aurore* au lendemain de « J'accuse » ? Sur tout cela, il aurait fallu enquêter. J'en apprenais aussi de belles sur les soldats-professeurs : Duvert, qui, dans le dernier discours de distribution des prix, au lieu de parler de Descartes et de La Tour d'Auvergne comme à l'accoutumée, avait déconcerté les élèves et scandalisé les gradés en citant Léo Ferré ; Guibal, qui était probablement communiste et tenait des propos défaitistes durant la guerre d'Algérie. Le grand Crep's ne tarissait pas ; il détenait une anecdote sur chacun ; il incarnait la mémoire du bahut. Chenal, le colonel, avait fait de la prison en Indochine pour trafic de stupéfiants. Conche, le commandant, avait perdu un rein en sautant sur une mine à la frontière tunisienne. Vandal, notre juteux-chef, sautait, lui, des petites filles à Saigon, tandis que Vaysse, le marab, absolvait à titre préventif les officiers qui ordonneraient des exécutions sommaires, la « corvée de bois ». Rien de tout cela n'était garanti.

Je découvris aussi que le grand Crep's s'était récemment inventé une passion, mais que celle-ci restait largement inassouvie : il avait eu l'année précédente la révélation du jazz ; il enrageait de ne pouvoir en écouter ni en jouer à l'école. En entrant en sixième, du temps où il était un élève modèle et ne se posait pas trop de questions, il s'était inscrit à la fanfare, dont il avait été pendant quelques années un pilier et où il avait appris la trompette, puis le trombone. À l'époque, il excellait partout, en classe et sur le terrain de sport, en ordre serré et à la fanfare. Discipliné, grand pour son âge, il était l'homme de base idéal : on avait collé sa photo saluant le drapeau en couverture d'une brochure du ministère des Armées. Son bel entrain s'était brutalement brisé en troisième : il n'avait plus supporté ni les professeurs ni les militaires, s'était braqué contre toute autorité et avait redoublé. Sans doute cette rébellion avait-elle été en partie déterminée par sa propre évolution — le terrain psychologique était, comme disait le major, favorable —, mais les circonstances avaient dû y contribuer elles aussi, en détériorant l'ambiance à l'école. Il avait commencé de se révolter au moment où il lui était apparu que l'armée n'aurait plus besoin de gosses comme lui, quand il avait pressenti que le rêve de son père, lequel ne l'avait jamais imaginé à vingt ans autrement qu'en cyrard, ne se réaliserait pas.

Il avait été renvoyé de la fanfare après plusieurs absences injustifiées, bagarres et fausses notes, mais il avait gardé le goût des cuivres. À Lyon, l'été précédent, son frère l'avait présenté à des étudiants amateurs de jazz. Déjà familier de la trompette et du trombone, le grand Crep's s'était essayé au saxophone ; toutefois il n'avait pas les moyens de s'acheter un instrument. De retour au bahut, il avait bien tenté de former un quintette avec d'autres anciens de la fanfare, mais lorsqu'ils avaient demandé à emprunter des instruments pour répéter le soir, l'adjudant Hauchecorne, le chef de la fanfare, leur avait opposé une fin de non-recevoir méprisante et définitive. Le grand Crep's en avait conçu un motif supplémentaire d'exaspération contre les gradés, qui entravaient toutes ses initiatives. Tout ce qu'il possédait, c'étaient les quelques précieux disques qu'il avait écoutés du matin au soir pendant les vacances de Noël, mais qu'il n'avait pas rapportés, puisque nous ne disposions pas d'un pick-up. Sa passion pour le jazz lui donnait peu de joie et beaucoup de contrariétés. Je fus quand même soulagé d'apprendre qu'il s'intéressait à quelque chose quand il n'était pas au bahut, où tout l'agaçait et le démoralisait, où il se sentait persécuté.

Faute d'un instrument et d'un électrophone, réduits à imaginer la musique, l'un des premiers jeudis qui suivit la rentrée de janvier nous nous rendîmes chez la veuve Pulbis, où le grand Crep's voulait acheter un livre dans lequel, disait-il, je comprendrais le jazz, un bouquin qu'il avait parcouru au moins dix fois, lui qui lisait peu. C'était *La Rage de vivre*, de Mezz Mezzrow, à la fois épopée de quarante ans de jazz et vie d'un homme qui avait tout pour nous plaire : Juif né à Chicago, il s'était pris de passion pour la musique noire ainsi que pour la cause des Noirs, qu'il avait défendue à ses risques et périls ; il avait aussi fait de la prison pour trafic de drogue. Le jazz, la clarinette et le saxophone, mais aussi l'alcool, la marijuana, l'opium, la prison : il y avait là tous les ingrédients d'un mythe qui avait envoûté le grand Crep's. Je tombai moi aussi sous le charme. Le grand Crep's décida de prendre en main mon éducation jazzique : Miles Davis, Thelonious Monk, John Coltrane, Julian Cannonball Adderley, j'apprenais tous ces noms de trompettistes, pianistes, saxophonistes qui sont restés mes musiciens préférés. Nous nous mîmes à lire ensemble *Jazz Hot* et, comme il fallait prendre parti, nous détestâmes *Jazz Magazine*, car entre les deux revues l'hostilité était fratricide. Dans cette querelle des anciens et des modernes, nous prenions d'instinct le parti des plus puristes.

Le grand Crep's concevait mal qu'arrivant d'Amérique je ne fusse pas plus familier de la musique de jazz et que je ne n'eusse pas son rythme dans la peau. J'étais pourtant allé jusqu'à La Nouvelle-Orléans : « Putain ! Qu'est-ce que t'as foutu là-bas ? » J'avais treize ans, lui expliquais-je pour tenter de me justifier ; nous étions en famille ; nous avions entendu du Dixieland pour touristes blancs, dans une arrière-salle du quartier français. J'avais tout raté, à La Nouvelle-Orléans, mais je me rattrapais en lui décrivant dans le moindre détail les émissions de télévision du « Ed Sullivan Show », où j'avais vu non seulement les Beatles dans leurs apparitions historiques de 1964, jusqu'à l'apothéose de *I Want to Hold Your Hand,* mais aussi de nombreux musiciens noirs comme Diana Ross ou Sammy Davis Jr. Quand je me lançais dans ce genre de récit, je tenais ma revanche. Le grand Crep's, envieux mais bon public, m'écoutait les yeux baissés.

Le problème restait entier. C'était bien beau de s'intoxiquer avec Mezz Mezzrow et *Jazz Hot,* mais comment écouter du jazz au bahut ? Le grand Crep's fit jouer ses relations, à la fois officielles et confidentielles. Il apprit qu'un appelé, le dénommé Padovani, pitou du dortoir des miteux de sixième, était non seulement l'heureux propriétaire d'un tourne-disque, mais encore qu'il était disposé à nous accueillir chez lui, car, par chance, il était lui aussi amateur de be-bop. Le grand Crep's se fit aussitôt envoyer de Lyon par son frère quelques-uns de ses disques favoris. Un samedi soir, après le dîner, l'extinction des feux étant plus tardive ce jour-là, nous nous rendîmes en bande chez Padovani. Je me rappelle ma surprise en entrant dans sa chambre, où un couvre-lit de grosse toile rouge était étendu sur le couchage. Je n'imaginais pas qu'un accessoire aussi inutile, frivole et raffiné pût faire partie de l'équipement de qui que ce fût au bahut, où l'on se méfiait du confort et où nous étions condamnés à faire tous les matins notre lit au carré, les deux couvertures soigneusement pliées au pied du matelas, les deux draps consciencieusement roulés et arrangés en croix de Saint-André sur les couvertures, le polochon posé dessus, dans le sens de la longueur du lit. Nous protestions rituellement contre cette corvée qui, deux fois par jour, nous faisait perdre de précieuses minutes. Porcinet, en peine de la justifier, invoquait le règlement de discipline générale dans les armées et sévissait si l'alignement n'était pas calculé au millimètre. Or Padovani disposait d'un dessus-de-lit rouge. Cela voulait dire qu'il n'était pas forcé de défaire son lit chaque matin et de le refaire chaque soir. Je lui enviai ce privilège.

Nous nous serrâmes les uns contre les autres, car la pièce n'était pas grande, Wolff, Barnetche et Petitjean assis sur le couvre-lit rouge, Bouboule, le grand Crep's et moi accroupis par terre, en face d'eux, dans l'étroite ruelle qui séparait le sommier de la cloison. Padovani s'installa au pied du lit sur le tabouret métallique qui, avec la table réglementaire et l'armoire métallique, identiques aux nôtres au dortoir, composait tout le mobilier de sa cellule. Sur le mur, au-dessus du lit, une affiche vantait le tourisme en Corse, tandis qu'une reproduction de *Guernica* était punaisée au-dessus du bureau. Alors que de vieilles affiches publicitaires des provinces françaises, que l'on ne remarquait même plus tant les couleurs avaient passé, étaient fixées aux parois de nos dortoirs par des baguettes de bois — elles portaient témoignage, m'avait-on appris, d'une initiative du Vandal, quand il était arrivé comme adjudant de compagnie, et reflétaient sa conception hexagonale de la décoration intérieure —, les pitous étaient donc libres d'orner leur turne à leur guise. Padovani avait disposé son appareil sur la table. Le grand Crep's lui présenta ses deux disques, des 33-tours que nous fîmes passer plusieurs fois de suite. Le premier était *A Love Supreme*, de Coltrane, avec un premier morceau à la limite du free jazz, *Acknowledgement*, qui grinça dans nos oreilles. Sur le second album, était gravé *Kind of*

Blue, de Miles Davis, avec Coltrane, Adderley, et Bill Evans au piano. Pas un mot ne fut prononcé ; personne n'osa se livrer à un commentaire qui aurait couvert la musique. Nous écoutâmes dans un silence dévot. Padovani, qui tenait le rôle du *deejay* et qui se montra un hôte accompli en la circonstance, posa pour finir un disque à lui sur le plateau de l'électrophone ; il nous fit entendre Nat King Cole dans son premier enregistrement de *Route 66,* air qui symbolisait pour moi le bonheur, la route, la liberté et l'espace :

> *It winds from Chicago to LA,*
> *More than two thousand miles all the way.*
> *Get your kicks on route sixty-six.*

J'étais aux anges. Le pitou n'aurait pas pu me faire plus plaisir, même sans le savoir. Le monde n'était donc pas si mal fait. Content lui aussi de sa soirée, Padovani nous invita à revenir écouter notre musique chez lui, ce que nous fîmes parfois, le frère du grand Crep's lui ayant envoyé de Lyon d'autres pièces rares de sa collection, comme *The Shape of Jazz to Come*, d'Ornette Coleman, nos goûts devenant plus audacieux.

Dans notre enthousiasme pour le jazz, d'abord celui du grand Crep's, bientôt le mien, totalement conquis à mon tour, entraient des sentiments embrouillés : nous aimions sincèrement cette musique, c'était incontestable, en particulier le be-bop, moins le swing, qui nous paraissait déjà trop conventionnel ; nous abominions Dave Brubeck et ses *Take Five* et *Blue Rondo à la Turk*, rengaines auxquelles il était alors difficile d'échapper quand on tournait le bouton du poste et qui représentaient à nos yeux la récupération d'une musique minoritaire par la « société de consommation », expression que nous ignorions à l'époque puisqu'elle venait d'apparaître et n'avait pas encore touché des régions aussi reculées que la nôtre. « Avec un titre comme *à la Turk*, c'est forcément de la musique de gogues », s'exclamait Bouboule, qui se croyait spirituel. Padovani, plus instruit que nous, familier des clubs de jazz du quartier Latin, qu'il fréquentait au lieu de suivre ses cours à la Sorbonne — il y préparait une licence d'histoire, pour laquelle lui manquait le certificat de géographie —, nous rendit sensibles au message politique porté par cette musique. Avec lui, nous éprouvions une sympathie instinctive pour les Noirs américains : ils comblaient notre élan vers la révolte. Padovani insistait sur la présence de jazzmen noirs à Paris depuis les années vingt, ainsi que sur les intentions révolutionnaires du free jazz. Nous n'étions pas politisés, même si notre engouement pour cette musique tenait lieu d'un début d'engagement, étanchait en nous quelque chose comme une soif inconsciente de contre-culture dans la citadelle de la tradition où nous étions parqués.

Cette année-là, nous ne fûmes pas très attentifs aux péripéties de la guerre du Vietnam. Nous n'étions pas les seuls. Les informations manquaient encore et le tournant de la stratégie américaine restait inconnu de l'opinion. (Si je voulais faire œuvre d'historien, je devrais nuancer ce propos après avoir lu les lettres, juste retrouvées, que j'écrivais alors à mon père et où je commentais l'escalade américaine au Vietnam.) Le commandant en chef venait de faire adopter par le président Johnson la décision de se substituer à l'armée sud-vietnamienne et de passer à l'offensive. Si nous l'avions su, je me serais senti concerné, car ce grand général n'était pas pour moi un inconnu : je l'avais rencontré avec mon père dans un immense camp militaire de Géorgie. Mais, ce printemps-là, les échos des premières manifestations parisiennes contre les bombardements du Vietnam du Nord nous parvinrent à peine.

En revanche, nous cherchâmes à en savoir plus sur les émeutes de Watts, qui dataient de l'été précédent, et nous en parlions, le grand Crep's et moi, durant les nuits aux lavabos, parce que des Noirs américains en étaient les acteurs. Nous suivions avec curiosité la carrière de Cassius Clay, devenu Muhammad Ali après sa conversion à l'islam, et j'offris au grand Crep's *L'Autobiographie de Malcolm X* dès qu'elle parut en traduction française. Quand nous nous séparions enfin, vers deux ou trois heures du matin, tombant de sommeil, nous nous donnions un fort coup de poing sur l'épaule, comme des gangsters.

Auprès d'Ornette Coleman, incarnation du be-bop, notre seconde idole de l'hiver fut Gainsbourg, emballement lui aussi symptomatique de notre résistance à l'ordre qui régnait au bahut. Aimer Gainsbourg, c'était ruer dans les brancards, même si le personnage n'avait pas encore établi sa réputation de mauvais garçon. Ses chansons d'alors gardaient quelque chose de la facétie. Après les avoir beaucoup entendues au « Pop-Club », je me mis en quête de son dernier album, *Gainsbourg Percussions*. Il fallut le commander au petit disquaire de la rue Saint-Jacques, plus habitué à vendre Vivaldi, Charles Trenet ou Yvette Horner. *Gainsbourg Percussions* contenait quelques chefs-d'œuvre mêlant le jazz et les rythmes exotiques, comme *Pauvre Lola, Quand mon 6.35 me fait les yeux doux, New York USA*, ou *Couleur café*. L'album devint notre disque fétiche. Gainsbourg s'y montrait narquois, parfois cruel, mais toujours drôle.

J'ai vu New York
New York USA
J'ai vu New York
New York USA
Je n'avais rien vu d'au
Je n'avais rien vu d'aussi haut
Oh ! C'est haut, c'est haut New York
New York USA.

Cette vision de Manhattan, même courte, me touchait. Nous allions écouter notre disque après le déjeuner, avec ou sans les autres Vilains Bonshommes, dans la piaule de Padovani, toujours obligeant.

Les derniers airs de Gainsbourg devenaient inquiétants, sardoniques ou même sataniques : *Qui est in, qui est out* et *Docteur Jekyll et Monsieur Hyde* en particulier.

Docteur Jekyll il avait en lui
Un Monsieur Hyde qui était son mauvais génie
Mister Hyde n'disait rien
Mais en secret n'en pensait pas moins.

Je fis l'erreur d'offrir au grand Crep's le 45-tours où ces deux chansons venaient d'être enregistrées. Elles n'eurent pas un bon effet sur lui. Il se prit de plus en plus pour le personnage de Stevenson. Il s'imaginait qu'il avait lui aussi un double, un mauvais génie qui l'influençait, s'emparait par moments de sa pensée et agissait à travers lui. Ainsi s'expliquaient ses angoisses, ses humeurs, sa révolte ; c'était

la raison pour laquelle il dormait peu, souffrait de cauchemars, de rages, de haines. Le grand Crep's avait peur. La
rengaine de Gainsbourg n'arrangea pas les choses en lui
faisant craindre un dénouement tragique :

> *Mister Hyde, ce salaud,*
> *a fait la peau du docteur Jekyll.*

Il y eut bien pour nous distraire l'intermède des
Sucettes,

> *Annie aime les sucettes,*
> *les sucettes à l'anis,*

paroles à double sens écrites par Gainsbourg pour France
Gall, alors âgée de dix-huit ans, qui n'y avait vu que du
feu, disait José Artur entre deux ricanements. Elle n'avait
pas soupçonné, assura-t-elle ensuite, que les couplets
décrivaient une fellation. Ce terme savant n'était prononcé ni par José Artur ni par nous, qui l'ignorions et
utilisions une expression plus argotique. Nous avions du
mal à croire à sa naïveté, nous qui, à l'exception de
Lambert, n'avions aucune expérience sexuelle, mais à qui
on ne la faisait pas en matière de jeux de mots scabreux.
Que la môme Gall ait oui ou non perçu l'allusion, toujours est-il qu'elle en voulut à Gainsbourg de l'avoir ridi-
culisée devant la France entière :

> *Lorsque le sucre d'orge*
> *Parfumé à l'anis*
> *Coule dans la gorge d'Annie,*
> *Elle est au paradis.*

202

Fanatiques d'équivoques et de contrepèteries, nous n'avions pas été dupes un instant et nous rigolions niaisement chaque fois que *Les Sucettes* repassait sur le transistor, faute de pouvoir nous esclaffer lorsque France Gall poussait sa chansonnette avec son air de première communiante au « Discorama » de la première chaîne, émission dont l'horaire coïncidait malencontreusement avec notre déjeuner dominical.

Le jour, nous nous retrouvions sur le terrain de basket dès que nous avions un moment de libre. Nous nous entraînions comme des maniaques, ou, plus exactement, je m'entraînais contre le grand Crep's. Comme il avait dix centimètres et vingt kilos de plus que moi, je ne pouvais pas grand-chose contre lui, sinon m'épuiser vainement. Jamais je ne perçais sa défense et je ne résistais pas mieux à ses attaques. Pour finir, nous tirions inlassablement des paniers, qu'il réussissait plus souvent qu'à son tour. Mes muscles se renforçaient, mais nous délaissions la bande des modernes, lesquels commençaient à m'en vouloir.

Padovani, le pitou des miteux, me croisa un après-midi dans la cour du quartier et me prit à part. Plus âgé que nous de quelques années, et nous observant depuis plusieurs semaines, il percevait mieux la situation et craignait qu'elle ne tournât mal. Il me mit en garde : « Fais gaffe avec le grand Crep's, me dit-il à brûle-pourpoint. Ce mec, tu sais, il est carrément allumé ; il a un coup de marteau sur la cafetière. Et il compte sur toi pour s'en tirer. Si j'ai un conseil à te donner, casse-toi vite fait ! » Je ne savais pas de quoi il voulait parler ni d'où lui venait son pressentiment. Sur le moment, je ne vis pas où était le mal. Le grand Crep's était mon aîné, il m'avait adopté pour ami ; nous passions des heures et des heures ensemble ; je partageais son enthousiasme pour le jazz et le basket. Bref, je faisais confiance au camarade, presque un frère, qui m'avait rendu la vie au bahut moins monotone.

Plusieurs incidents plus ou moins graves émaillèrent les mois suivants. Le premier opposa le grand Crep's au professeur de dessin, le dénommé M. Clémençon, mais nous oubliions souvent la cédille. Cet homme se prenait pour un artiste, portait beau, était fier de ses cheveux gris dressés dans une banane à la manière d'Elvis Presley, une *pompadour*, dit-on en anglais, et déambulait nonchalamment dans le quartier sous un chapeau et une cape à la Bruant qui faisaient sourire les militaires et pouffer les ñass. Le grand Crep's, qui dessinait bien, avait été son chouchou du temps où il était bon élève, mais leurs rapports s'étaient aigris depuis qu'il se montrait indocile. Comme je n'ai pas assisté à la scène, je ne fais que rapporter ce qui se serait passé. Clémençon aurait reproché sa dissipation au grand Crep's ; celui-ci aurait répondu avec impertinence et le ton serait monté ; il aurait traité Clémençon de con ; Clémençon l'aurait giflé. Ils en seraient venus aux mains si Bouboule et Petitjean — mon informateur du détail de l'altercation — ne les avaient pas séparés et s'ils n'avaient pas maîtrisé le grand Crep's, qui donnait des coups de pied de tous les côtés. Celui-ci avait, suivant l'expression de Petitjean, « pété un câble », ne se contrôlait plus, piaffait, jurait, cognait. Clémençon l'avait mis dehors en l'avertissant qu'il aurait de ses nouvelles.

Comme ce cours de dessin était le dernier de l'après-midi, nous nous retrouvâmes tous autour de la table du goûter, puis nous nous retirâmes derrière la station-service pour aviser. L'affaire était sérieuse et modifiait subitement les rapports d'autorité qui régnaient entre nous. Au lieu de s'incliner comme d'habitude devant son prestige, Bouboule et Petitjean prirent un ton solennel pour faire la leçon au grand Crep's. Nous nous interrogions sur les suites que Clémençon donnerait à l'affaire. Il avait de quoi envoyer le grand Crep's devant le conseil de discipline. Au mieux, celui-ci récolterait quelques jours de PV ou d'arrêts de rigueur ; au pire, si la strasse sautait sur l'occasion pour lui régler son compte, on l'exclurait du bahut. Entre ces extrémités, d'autres sanctions étaient concevables, comme un renvoi temporaire chez ses parents, à Lyon. Quant à lui, il répétait qu'il « s'en tapait », qu'il n'en avait « plus rien à foutre », et même qu'il espérait « se faire lourder », pour en finir avec cette « boîte de merde » et pouvoir « coincer la bulle ». Nous n'avions aucune envie de le perdre provisoirement, encore moins pour toujours. L'ambiance était donc morose.

Le soir, après le dîner, je me dirigeai seul avec le grand Crep's vers le terrain de basket. « Pourquoi l'as-tu injurié ? lui demandai-je. — Il me tapait sur les nerfs, ce con-là. — C'est pas une raison. — S'ils m'avaient pas retenu, je lui cassais la gueule, je me le faisais. — À quoi ça t'aurait avancé ? — À rien, mais au moins j'étais sûr d'être viré. » Cette idée me blessa. Je mesurai combien je m'étais attaché à lui. Nous jouâmes un moment au basket dans l'obscurité, sans conviction de ma part, encore moins de la sienne, puisque je parvins à marquer un panier contre lui.

Tard dans la nuit, encore plus tard que d'habitude, nous eûmes pour la première fois un entretien sérieux sur son avenir. Il savait qu'il ne serait pas au bahut l'an prochain, qu'on ne le garderait pas en sciences ex.

Alors, autant en finir tout de suite. Il arrêterait les études, s'engagerait dans la Légion ou essaierait « n'importe quoi, manœuvre, OS, n'importe quoi », disait-il. D'ailleurs, il n'avait plus envie de vivre. J'étais embêté, ne sachant plus quoi dire ni faire. Je repensais à l'avertissement de Padovani. J'avais jusque-là considéré le grand Crep's comme une force de la nature ; je découvrais soudain — j'aurais pu m'en rendre compte plus tôt — qu'il était en réalité instable, vulnérable, livré à ses hantises. Je me jugeais fragile, et pourtant, même si, au basket, il me dominait de tout son haut, si sa culture jazzique était incomparablement plus développée que la mienne, s'il contrôlait le bahut par en dessous, l'équilibre de notre amitié était en train de basculer. Je croyais être en son pouvoir, mais je prenais conscience qu'il dépendait de moi.

Pour finir, Clémençon, qui avait du style et n'était pas un mauvais type, s'abstint de donner suite à ses menaces. La semaine d'après, il mit le grand Crep's à la porte de sa classe en lui notifiant qu'il n'y entrerait plus tant qu'il ne se serait pas excusé par écrit de son insolence. Nous débattîmes de l'attitude à adopter. Par fierté, obsédé par le sens saugrenu de l'honneur que les militaires lui avaient inculqué, le grand Crep's refusait de s'abaisser dans une lettre. Il reconnaissait qu'il avait exagéré ; il aurait cédé sans faire de façon si Clémençon avait exigé des excuses orales, mais l'idée de laisser une trace écrite l'humiliait trop. Barnetche réussit à le raisonner : il prétendit qu'il aurait été plus infamant de devoir faire amende honorable devant toute la classe. Nous nous mîmes aussitôt à la lettre, Petitjean et moi, les meilleures plumes de la bande, rédigeant quelques lignes sobres qui se terminaient par une formule de politesse à peine moins grossière, pour qui connaissait les usages, que l'expression que le grand Crep's avait utilisée de vive voix. Clémençon s'en contenta : soupçonnant que les autorités attendaient ce genre d'incident pour faire un exemple, il n'avait nullement l'intention de leur livrer une victime. Nous en fûmes quittes pour une belle peur, mais nous avions reçu une semonce : notre confrérie était menacée de dissolution ; d'ailleurs, elle battait de l'aile depuis que le grand Crep's s'isolait de plus en plus avec moi.

La seconde mésaventure me concerna et ce fut une grosse bêtise. Hermann, l'Alsacien taciturne qui m'avait froissé la queue un matin de l'automne, était le meilleur chimiste d'entre nous. Damiron, Lambert et moi, nous pensions trop avec la tête et pas assez avec les mains, ce qui délimitait nos aptitudes, mais Hermann était un expérimentateur-né, intrépide, excessivement audacieux. Notre professeur de physique-chimie, dont j'ai déjà parlé et qui m'avait surpris au début par sa désinvolture et son franc-parler, l'avait vite repéré. Le cours de M. Legrand était le plus vivant de tous, c'est-à-dire digressif, et c'est ainsi qu'il fut sans le vouloir à l'origine de l'accident. Il portait une moustache, forçait son accent parigot, plaisantait. La liberté de ton avec laquelle il s'adressait à nous était inhabituelle et s'expliquait, je l'ai dit, par le fait qu'il nous recevait dans les salles de physique. Il garait sa voiture devant sa porte, en dépit du règlement, comme s'il était chez lui, une Fiat étrange munie de courts ailerons, un de ces modèles sans avenir à une époque où les constructeurs hésitaient entre les formes aérodynamiques et les ornements chromés. Sa blouse de nylon blanc, toujours sale, était constellée d'une foule de trous ronds de quelques millimètres de diamètre, exactement dessinés, cernés d'une ligne marron, et provoqués par les cendres de sa cigarette, qu'il répandait étourdiment quand il parlait. Damiron ne nous dominait pas en physique, il y était moins constant qu'en maths, parce que l'intuition lui manquait. Je me débrouillais en général mieux que lui, à égalité avec Lambert, mais en chimie Hermann nous battait tous les deux à plate couture.

Depuis quelque temps, suivant une recette que M. Legrand nous avait imprudemment indiquée, Hermann se procurait en ville du nitrate de potassium dans un magasin d'engrais de la rue Grollier, le mélangeait à du sucre et confectionnait des fumigènes ainsi que d'élégantes petites fusées de carton qu'il lançait le soir depuis le préau des salles de classe. Sans l'encourager ni le dissuader, nous assistions à ses expériences, nous contentant de faire la claque et applaudissant après chaque pétarade. Il avait récupéré des tuyaux d'Eternit dans un chantier destiné à la réfection des égouts du quartier et il s'en servait comme de rampes de lancement. Il augmentait les doses de poudre au fond du tube. Ses fusées de carton montaient de plus en plus haut, ce qui suscitait l'admiration des élèves rassemblés dans la cour, jusqu'au jour où le tube, au lieu de propulser la fusée, explosa, bourré à l'excès du mélange détonant, avec un bruit foudroyant qui nous assourdit, aussitôt suivi d'un silence épouvanté, tandis que les ñass s'escampaient en tous sens, un peu comme les moines de Carpaccio à la Scuola Grande di San Giorgio degli Schiavoni fuyant devant saint Jérôme qui revient suivi d'un lion.

Je ne sentis rien. Ce fut Lambert, debout à mes côtés à la porte de notre salle de classe, qui me regarda et blêmit.

Je portai la main gauche à ma gorge. Elle était poisseuse du sang qui giclait. La rampe de lancement d'Eternit s'était brisée en mille éclats qui avaient été projetés en toutes directions. Lambert m'accompagna à l'infirmerie, qui se trouvait à l'autre bout du quartier. Il devait être autour de neuf heures. L'infirmier, un appelé, ouvrit mon col, observa ma blessure, l'étancha. Puis on me retira ma veste et on s'aperçut qu'un second projectile m'avait atteint au bras droit, que j'avais sans doute porté devant mon visage pour le protéger. Je n'avais rien senti de plus qu'un coup sec, mais le sang se répandait davantage de ce côté-là.

Un de ces 4 × 4 Renault kaki, haut sur pattes avec une croix rouge sur le toit, qui revenait d'Algérie, me conduisit jusqu'à la clinique de la Providence, de l'autre côté du Loir. Dans le cou, la blessure était superficielle, mais une radio ayant montré que l'éclat avait pénétré dans le bras presque jusqu'à l'os, une opération serait nécessaire pour le retirer. Tout avait été très vite. Je me retrouvai déshabillé, seul dans une chambre blanche, sous des draps blancs et une couverture blanche, après que l'on m'eut fait avaler un calmant qui m'endormit bientôt. Le lendemain matin, sans avoir eu le temps de me rendre compte de ce qui m'arrivait, je passai de l'anesthésie à la table d'opération, avant d'être renvoyé dans ma chambre.

Au réveil, les vrais ennuis commencèrent. L'incident aurait été fâcheux s'il n'y avait pas eu de victimes. Avec un blessé — le mauvais sort avait voulu que ce fût moi —, il devenait grave. On avait prévenu mon père, qui allait débarquer d'Allemagne toutes affaires cessantes. L'encadrement était indéfendable, car ce n'était pas la première explosion. Jusque-là, contre tout bon sens, on avait laissé faire Hermann, lequel avait eu le loisir d'augmenter peu à peu le dosage de son mélange, jusqu'à l'expérience funeste. Je reçus plusieurs visites, le Donald, le commandant Conche, le colonel Chenal, tous patelins, plus mielleux l'un que l'autre, lâches, visiblement inquiets pour leur avancement. Le colonel avait moins fière allure que lorsqu'il traversait la Grande Rue, juché sur la selle de son canasson, toisant les pékins. Ils auraient voulu me faire parler, mais ils ne savaient pas comment s'y prendre, se montraient gênés. Je compris qu'ils ne connaissaient pas encore l'identité des coupables — ils parlaient d'eux au pluriel —, mais je devinai aussi qu'ils se demandaient s'il ne valait pas mieux continuer de l'ignorer. S'ils apprenaient leurs noms, ils seraient contraints d'entamer contre eux une procédure disciplinaire ; leur propre impéritie deviendrait flagrante, et la hiérarchie mettrait en cause leur responsabilité. Ils hésitaient donc sur la tactique à adopter. Moi aussi, puisque j'étais coupé de mes camarades.

Le soir même, le Donald, tiré de chez lui par Vandal après dîner, avait fait rassembler les rhétos dans la cour. Il s'était emporté, les avait invectivés, s'en était pris aux meneurs, mais sans parvenir à faire parler quiconque, peut-être sans le chercher tout à fait. Puis il les avait fait tourner au pas cadencé autour du stade, tard dans la nuit. Le colonel, que l'on apercevait rarement au petit bahut, n'avait pas tardé à paraître. L'air sombre, comme à la veille d'une opération décisive, battant la mesure avec son stick, il leur avait tenu un discours musclé mais confus. En tout cas, les militaires s'y étaient mal pris, ou bien ils n'avaient pas véritablement insisté. Lambert et le grand Crep's avaient eu le temps de sermonner les plus influençables et d'intimider les plus dociles, tous les béni-oui-oui qui avaient pour habitude de faire du zèle auprès des gradés et qui auraient volontiers parlé, par exemple Couturier ou Damiron. En dépit de mon inimitié pour Hermann, depuis son attaque gratuite de l'automne, et malgré le plaisir que j'aurais eu à me venger, je ne serais pas non plus celui qui le donnerait. D'ailleurs, nous étions tous coupables, car nous aurions dû l'arrêter dans ses expériences avant qu'elles ne finissent mal ; au lieu de quoi, nous y avions assisté en curieux, l'encourageant par nos acclamations. J'étais blessé, je n'avais pas eu de chance, mais les dommages auraient pu être pires, si l'un de nous avait été touché à l'œil, si j'avais été atteint à la carotide. Je m'en tirais bien, avec quelques cicatrices. En somme, les dégâts étaient mineurs et je me taisais.

Après les gradés, Lambert, le grand Crep's et Petitjean furent autorisés à venir me voir. Ils se tenaient debout autour de mon lit, en tenue de travail, l'air penaud, comme intimidés par ce cadre inhabituel, tordant leur calot entre leurs mains. Lambert avait pris la tête de la délégation. Il avait sollicité auprès du Donald cette visite, qui lui avait été accordée au motif qu'il s'était trouvé auprès de moi lors de l'explosion et m'avait accompagné à l'infirmerie. Le grand Crep's se balançait d'un pied sur l'autre, troublé par une situation qui lui échappait. Il n'était pas dans la cour lors de l'événement ; méprisant ce genre de transe collective, il avait déjà rejoint les dortoirs. Pris d'angoisse, il n'avait pas dormi de la nuit. Petitjean, lui, souriait en silence, ayant glissé son calot sous son épaulette et sagement posé ses deux mains sur les barreaux au pied de mon lit. Je les regardais tous les trois, Lambert entouré de Petitjean et du grand Crep's.

Ma tendresse pour eux était accrue par mon état de faiblesse. Je redevenais sentimental. J'étais heureux qu'ils aient obtenu du Donald la permission de me rendre visite.

Lambert, le plus petit, avec ses joues roses et son nez rond, qui aspirait toujours l'air entre deux membres de phrases, comme s'il était arrivé en courant, mais qui, cette fois, semblait plus essoufflé qu'à l'ordinaire, était très agité. Il me racontait les événements de la veille comme si je n'avais pas été là ; il tenait à ce que je sache comment il les avait vécus de son côté : l'explosion retentissante, l'obscurité soudaine, le silence épais, puis le regard qu'il avait posé sur moi et sa terreur en voyant le sang autour de ma gorge. Il n'était toujours pas revenu de ce choc. Le grand Crep's me serrait la main gauche sur le drap : trop ému pour ouvrir la bouche, il s'exprimait comme il pouvait. Je me sentis soudain très fatigué. La tête me tournait. Je ne les vis pas quitter la chambre.

Mon père débarqua le lendemain matin d'un hélicoptère, tremblant pour la santé de son héritier, redoutant qu'il fût estropié à vie. On le rassura vite sur mon état et nous pûmes négocier les suites de l'affaire. Par fierté ou par orgueil, sentiments sans doute mal placés en l'occurrence, je n'étais pas disposé à avouer ce que je savais, mais déterminé à tout faire pour éviter que des élèves fussent punis, en particulier Hermann, considérant, peut-être à tort, que la mésaventure lui servirait d'avertissement. De son côté, mon père, même s'il jugeait notre encadrement fautif, ne comptait pas exiger que des gradés fussent sanctionnés. Nous formions un corps ; une fois de plus, nous étions solidaires, les élèves et l'encadrement, inséparables dans le crime comme devant le châtiment. Pour moi, ce fut une nouvelle leçon de philosophie politique, illustrant la dépendance réciproque, constitutive de tout pouvoir, qui lie le roi et ses sujets, le chef — le chef de corps, comme on dit à l'armée — et ses subordonnés, le leader et ses troupes : l'un ne peut rien sans les autres ; ils sont destinés à tomber ensemble ou à survivre ensemble ; leur duel est la condition du prolongement de leur existence.

> *Deux guerriers ont couru l'un sur l'autre ; leurs armes*
> *Ont éclaboussé l'air de lueurs et de sang.*
> *Ces jeux, ces cliquetis du fer sont les vacarmes*
> *D'une jeunesse en proie à l'amour vagissant.*

Ne devant percevoir l'essence de cette dialectique que bien des années plus tard — Mr. Mulford m'avait seulement mis sur la voie quand nous lisions *Richard II* et *Henri IV* —, sur le moment j'agis de manière intuitive. Je n'avais pas envie de dénoncer des camarades, quelque déplaisants qu'ils me fussent. Si des élèves passaient en conseil de discipline, l'histoire remonterait à la région militaire. Se présentant mal pour l'encadrement, elle n'en resterait pas là et atterrirait au ministère, à la Direction des écoles, où on prendrait des sanctions. Des coupables se trouvant de part et d'autre, les têtes tomberaient des deux côtés. L'affaire, qui n'était pas tragique, ne valait pas ce dénouement. Nous nous entendîmes sur cette base, mon père et moi, pour qu'il n'y eût pas de suites. Il ferait simplement savoir que si des élèves étaient punis, il porterait plainte contre l'établissement. Il repartit pour l'Allemagne après une visite au colonel au cours de laquelle il l'informa qu'à ces conditions nous en resterions là, tirant un trait sur l'épisode. J'imaginai le soulagement du colon, pour qui mon mépris s'accrut d'autant plus qu'il me reçut une fois que j'eus quitté la clinique et qu'il me remercia au nom de tous. Il m'assura que l'ensemble des protagonistes saurait tirer la morale de l'histoire, ce dont je ne le croyais pas capable en ce qui le concernait.

Durant les quelques jours que je restai à l'hôpital, je reçus d'autres visites de camarades. Celle de Damiron m'étonna. Par la force des choses, nous nous étions fréquentés durant nos débuts au bahut, à l'époque où il me transmettait les conseils de son père. Ses recommandations ne m'avaient pas été toutes inutiles, comme celles qui portaient sur l'effort nécessaire pour aller régulièrement à la selle dans des conditions hostiles. Il m'était arrivé de regretter que mon propre père ne m'eût pas muni de tels préceptes. Depuis la fin du bizutage, nos relations s'étaient distendues et nous avions à peine échangé trois phrases en plusieurs mois. Toujours assis au premier rang auprès de lui, aux places que les anciens nous avaient assignées à la rentrée et qui resteraient les nôtres jusqu'à la fête de Trime, j'avais pu l'observer à loisir depuis six mois et il me surprenait autant qu'au premier jour. Quand il était absorbé dans son travail, durant les trois heures de l'étude du soir, il ne relevait pas un instant la tête de ses feuilles ; sa concentration était extrême, rythmée par ses hennissements réguliers. Parfois, il remuait mécaniquement les lèvres : c'était qu'il peinait sur un exercice. Hermann aurait pu faire péter ses fusées à côté de lui qu'il ne s'en serait pas aperçu. Dans cet état second, il méritait vraiment son surnom de Borne. On le respectait à cause de ses succès scolaires, mais il ne s'était pas fait d'amis dans la compagnie. Ses certitudes l'isolaient de nous.

Lors de la visite de politesse qu'il me rendit à la Providence, nous eûmes une conversation posée sur nos projets d'avenir, du moins les siens. Damiron se comportait comme s'il savait qui il était, ce qu'il valait, jusqu'où il irait. Moi qui me demandais de quelle étoffe j'étais fait, qui n'en avais qu'une très faible idée, qui changeais de vocation après chaque livre que je lisais, chaque film que je voyais, moi que la dernière chanson de Gainsbourg ou un air de Miles Davis lançait sur une nouvelle piste, je me disais qu'il ne changerait, lui, jamais. La sagesse et la raison étaient de son côté. Je l'enviais, car, son destin étant fixé, il ne se torturait pas l'esprit. Il me semblait l'être le plus mûr, le plus sûr de lui, le plus inflexible que j'eusse jamais rencontré. Je ne l'avais jamais vu rire, son reniflement spasmodique n'ayant rien d'une expression de gaieté. Devant lui, brillant sujet, modèle d'ambition et de ténacité, je me sentais comme son envers, un garçon immature et volage, une girouette, l'incarnation même de la légèreté, de la versatilité, de la tromperie sur soi-même, un enfant qui ne grandirait pas, n'atteindrait jamais l'âge adulte. Ayant lu *Hamlet* avec Mr. Mulford — « *I know not "seems"* » —, ne savais-je donc pas ce qu'il en coûte de confondre l'être avec le paraître ? Abrité derrière la fumée de sa cigarette, il avait fait défiler sous nos yeux tous les clichés sur le monde comme théâtre, comme prison, comme songe, folie, cimetière, jeu, livre, mensonge, désert, mécanisme, croix, comédie, miroir, et je regardais à présent le bahut comme mon royaume de Danemark. De son côté, M. Formica venait de nous faire expliquer une page de Montaigne : « La plus part de nos vacations sont farcesques. *Mundus universus exercet histrionam.* Il faut jouer deuement nostre rolle, mais comme rolle d'un personnage emprunté. » Le monologue de Richard II m'avait fasciné — celui que je claironnais sous la douche à Washington —, et je connaissais le châtiment auquel s'exposait un monarque désireux de rester un homme. J'étais partagé. Autant je pensais comprendre la leçon des livres en matière de métaphysique ou de pensée politique — je simplifiais sûrement les analyses —, autant elle me semblait abstraite, difficilement applicable à la conduite de la vie. Vers la date où Damiron me rendait visite à la Providence, Picasso, que l'on avait omis d'inviter à l'inauguration de la grande exposition fêtant ses quatre-vingts ans, envoya un télégramme dépouillé au ministre d'État chargé des Affaires culturelles : « Me croyez-vous mort ? » Malraux lui répondit sur le même ton : « Me croyez-vous ministre ? » — repartie dont, si je l'avais connue à l'époque, l'ironie m'aurait parfaitement échappé, car j'étais encore à un âge qui répugne à distinguer la chemise de la peau.

Lambert et moi, nous nous regardions comme des pairs en amitié ; nous étions pour ainsi dire de plain-pied l'un avec l'autre. Il me racontait ses aventures de Phnom Penh, mais sans m'en imposer, malgré l'avance qu'il avait sur moi en ce domaine, et nous parlions d'égal à égal. Avec le grand Crep's, la tension était toujours palpable. Les positions se renversaient sans cesse, comme un roque aux échecs, et on ne savait plus jamais qui avait le dessus. Mais en face de Damiron je mesurais ma néantise. Ce jour-là, appuyé au montant de mon lit, puis déambulant auprès de moi dans les couloirs de la clinique, il en vint même à m'entretenir de son futur mariage. Je n'en revenais pas. S'il y avait une chose qui ne m'était pas passée par la tête, c'était bien celle-là. Je ne me figurais pas de quoi serait faite ma vie adulte, et je ne m'étais jamais vu en époux, le jour de ses noces, échangeant un anneau avec une jeune femme au pied de l'autel ou à la mairie. Damiron, lui, savait déjà que, son diplôme en poche, il se marierait à la sortie de l'École, qu'il fonderait un foyer, aurait des enfants, une famille ; il ne pouvait pas concevoir sa vie autrement. Je l'écoutais avec un mélange d'admiration sincère pour sa volonté de parvenir et d'épouvante devant sa détermination, car je pressentais qu'il n'hésiterait pas à supprimer tout ce qui ferait obstacle à la réalisation de son projet. Par ailleurs, je me demandais s'il trouverait chaussure à son pied aussi aisément qu'il le pensait, c'est-à-dire comment une femme pourrait tomber amoureuse de lui. Bêtement romantique, je n'avais peut-être pas bien appréhendé toutes les raisons très diverses pour lesquelles on se marie.

Comme les jours rallongeaient, chaque soir, après le dîner, Damiron revêtait son short et son maillot de sport et se dirigeait vers le stade avec ses chaussures d'athlétisme — de belles pointes de sprint pour mieux accrocher en crissant la cendrée — liées par leurs lacets et jetées comme en palanche sur l'épaule. Là-bas, il courait avec une énergie enragée des cent mètres et des deux cents mètres, jusqu'à ce qu'il n'en pût plus. Il en voulait à son corps, dont il acquérait de la sorte la maîtrise, en lui imposant des efforts et des souffrances. Il se forçait pour atteindre un but, être le meilleur, comme en maths. Juste avant l'extinction des feux, il nous revenait épuisé, subissait un ou deux quolibets de la part des joueurs de tarots, nonchalamment attablés autour de leurs cartes et qui me faisaient penser, en plus jeunes, aux personnages bleuissant d'un tableau de Cézanne. Fourbu, il se jetait sous les couvertures et, feignant de n'avoir rien entendu, s'endormait comme un sapeur. Sa mine renfrognée aurait eu de quoi inquiéter. Sa façon particulière de marcher, les pieds rentrés en dedans, de même que le hochement de son cou, quand il se concentrait, lui donnaient l'air de regarder toujours par en dessous. Quand il piquait ses sprints, il avait une drôle d'allure, asymétrique, boiteuse, pareille à celle d'un crabe ou bien d'un canasson déferré d'un pied. Un gamin qui aurait eu des difficultés motrices et qui les aurait surmontées par une résolution impitoyable, me disais-je, courrait de la sorte, avec efficacité mais sans élégance. Damiron était le plus rapide de tous les élèves de la première C2, mais ses enjambées n'étaient pas jolies à voir ; elles donnaient l'impression de l'effort, non de l'aisance, de la persévérance, non du génie, de l'acharnement, non de la grâce ; elles ressemblaient à ses démonstrations de mathématiques, comparées à celles de Barnetche.

Lambert, qui était pourtant un garçon affable, généreux et conciliant, se méfiait de Damiron et m'avait fait part de ses réserves. Il le trouvait trop normal, trop inébranlable, tellement bien sous tous rapports que c'en devenait invraisemblable. Il soupçonnait un défaut de fabrication, une paille dans l'acier du caractère. Cumuler les premières places en maths et en athlétisme, cela ne le frappait pas comme un exploit — Lambert appartenait lui aussi au peloton de tête en éducation physique —, mais, dans le cas de Damiron, la combinaison lui semblait forcée. Le seul point commun entre ces disciplines du corps et de l'esprit, c'était le défi qu'elles représentaient pour notre camarade : il se devait, pour faire plaisir à son père, de faire mieux que son père. Si Lambert et moi observions Damiron du coin de l'œil et parlions parfois de lui, c'était cependant que, sans nous l'avouer, nous n'étions pas, nous non plus, dépourvus de prétentions, mais sans être prêts à renoncer à nous-mêmes pour réussir, encore que nous ne sachions pas ce que « nous-même » voulait dire. Pour des motifs liés à la fois à sa personnalité et aux circonstances, Lambert, je l'ai dit, se laissa bientôt emporter par la vague de militantisme qui suivit 1968. Je n'ai pas non plus persévéré longtemps dans une carrière d'homme d'action, pour les raisons qu'avait diagnostiquées Damiron quand il dénonçait, lors de notre conversation à la Providence, mon manque d'opiniâtreté et mon tempérament velléitaire. Car Damiron nous jugeait — à ma manière, je le jugeais aussi. Ce jour-là, il ne me cacha pas le sentiment de supériorité qu'il éprouvait devant moi. Il n'empêche qu'il nous donnait, à Lambert et à moi, de plus en plus une impression de vide, de toc, de mécanique : derrière les prouesses physiques et intellectuelles, il y avait une sorte de marionnette ou d'automate qui agissait parce que l'on avait remonté une clé dans son dos, mais qui ne possédait pas d'âme, d'émotions.

C'est pourquoi Damiron, qui m'avait déjà déconcerté en m'envoyant des vœux de Nouvel An, me dérouta de nouveau lorsqu'il vint me voir à l'hôpital. Il avait recopié son cours de maths sur des feuilles volantes qu'il m'apportait afin que je me mette à jour durant ma convalescence. Si son intention était louable, il me sembla toutefois peu concevable qu'il eût agi de sa propre initiative, non qu'il dût me considérer comme un rival — il me dépassait haut la main, n'avait aucune raison de me craindre —, mais parce que nos relations n'avaient jamais acquis la moindre intimité. Sans doute avait-il fait part à son père de l'accident, dans sa lettre hebdomadaire, ou dans une lettre extraordinaire justifiée par la gravité de l'événement ; par retour du courrier, son père lui avait enjoint une conduite ; il s'exécutait sans discuter. Du reste, il se coupa, me rapportant l'opinion du colonel Damiron, selon qui nous étions grandement coupables, Damiron fils compris, d'avoir laissé se poursuivre ces expériences de propulsion. Je lui demandai si son père estimait qu'il aurait fallu dénoncer l'apprenti artificier. Damiron l'avait en effet consulté sur ce point. C'était même ce dilemme qui l'avait incité à écrire à son père dès le soir de l'explosion, après que Lambert et le grand Crep's lui avaient intimé le silence. Or son père, à la surprise de Damiron, leur avait donné raison, ne jugeant pas Hermann plus blâmable que les autres. Sur ce point, son père pensait comme les plus mauvais sujets de la compagnie. Cela me fit rire. Damiron, impassible, me demanda pourquoi. Je lui fis remarquer qu'il était tout de même plaisant que tous ces pères, le sien, le mien, prétendument si droits, si honnêtes — ils se présentaient comme des modèles de probité —, fussent prêts à mentir et à nous encourager à l'hypocrisie, dès qu'il s'agissait de protéger l'institution à laquelle ils croyaient avoir donné le meilleur de leur vie. S'ils toléraient les arrangements avec la vérité dans des circonstances aussi minces, que n'avaient-ils pas fait face aux dilemmes autrement tragiques que la patrie avait traversés au cours de l'histoire récente, quand ils s'étaient trouvés devant des choix essentiels ? Damiron considéra que j'exagérais.

Le grand Crep's, lui, passa me voir tous les après-midi, à l'heure du goûter, tant que je fus retenu à la Providence.

Il m'apporta mon transistor et *Le Culte du moi,* dans lequel je venais de me plonger et que je lui avais réclamé. J'avais déjà lu *La Colline inspirée,* où je ne m'étais pas reconnu ; j'étais cette fois sous le charme. De son propre chef, le grand Crep's ajouta *La Rage de vivre,* qu'à son avis on gagnait toujours à relire. Nous descendions dans le petit jardin fleuri de la clinique, héritage d'une autre époque, et nous nous asseyions sur un banc pour bavarder.

À ce séjour à l'hôpital, moment suspendu, pendant lequel je passai le plus clair de mes heures accroché au poste, se rattachent dans mon souvenir plusieurs nouvelles qui me marquèrent. En souverain sourcilleux, de Gaulle annonça que la France se retirait de l'Otan et demanda la fermeture des bases américaines installées sur le sol français. Encore que cette rupture n'eût pas été imprévue — il en avait été question un an plus tôt, quand nous étions encore à Washington et que mon père s'en inquiétait —, elle me choqua pour plusieurs raisons, plus personnelles que diplomatiques. La présence de la France dans l'Alliance atlantique me semblait aussi naturelle que le fait d'avoir une famille, des parents, des frères et sœurs, parce que mon père avait été affecté au siège de cette organisation, à l'époque où celui-ci se trouvait à Londres, ville où nous vécûmes le temps de ma petite enfance, et lieu de mes premiers souvenirs. En fait, j'ignorais si mon père croyait aux vertus de l'Alliance atlantique — en soldat qui ne s'était jamais rebellé, il était souple dans ses idées et muet sur ses convictions —, mais je lui prêtais cette fidélité parce que cela me convenait. Je l'avais entendu condamner les inscriptions US GO HOME sur les bords des routes, mais de telles considérations relevaient peut-être moins de la géopolitique ou de la stratégie que de l'amour de l'ordre, forme de l'amour de Dieu. À Washington, quelques officiers français étaient détachés auprès du Pentagone comme observateurs de l'Otan, dont le colonel Hubert, avec qui j'avais traversé les États-Unis avant de rentrer en France. La décision de De Gaulle allait les affecter. Je me sentais divisé entre deux nations auxquelles j'étais lié, situation qui s'est reproduite souvent, lors de l'interdiction du survol de la France par les avions américains qui allaient bombarder la Libye ou de la condamnation de l'intervention américaine en Irak. Dans une lettre à mon père, je lui demandai son opinion sur l'initiative de De Gaulle, mais, comme pour l'affaire Ben Barka — c'était sa tendance en tout —, il en minimisa la portée.

La seconde nouvelle de la semaine, inlassablement répétée par le speaker aux informations, fut l'inauguration de la Maison de la culture d'Amiens par Malraux. Dans un discours de haute tenue, celui-ci proclama son ambition d'ouvrir à chaque enfant le « patrimoine de l'humanité ». C'étaient de bien beaux mots. Au bahut, me disais-je, nous nous trouvions coupés du « patrimoine de l'humanité », nous qui devions faire signer par le Donald, qui les censurait sans vergogne, tous les chefs-d'œuvre auxquels nous faisions étourdiment franchir l'enceinte de notre refuge. Une « maison de la culture » : j'entendais l'expression pour la première fois et je me demandais ce que c'était. Je me représentais la chose comme l'antithèse même du bahut, un bahut retourné comme un gant. Les miteux avaient leurs éducateurs, qui ne débordaient pas d'inspiration, comme si la recherche de leur planque les avait épuisés. Malgré tout, ils inventaient parfois des activités pour distraire leurs pupilles. Nous qui étions jugés assez grands pour n'avoir plus besoin de pitous, nous ne savions pas comment nous occuper. Seul le sport pouvait nous tenir lieu de divertissement : c'était notre unique loisir légal.

Aux nuits passées à la Providence, j'associe encore deux chansons des Rolling Stones, *Paint It Black* et *19th Nervous Breakdown*, bien placées au hit-parade et rabâchées au « Pop-Club ». Elles n'étaient pas faites non plus pour me rassurer. Je restais soucieux, moins à cause de l'accident que des incertitudes que suscitaient en moi les modèles qui m'étaient proposés par mes camarades, tous plus âgés. Je me reprochais d'avoir délaissé Lambert après un premier moment de complicité à l'automne. Il m'avait secouru le soir de l'explosion : c'était une preuve de son dévouement qui m'incitait à l'idéaliser. Je me promettais de me rapprocher de lui dès que j'aurais quitté la clinique. Ses aventures cambodgiennes continuaient de m'intriguer et faisaient de lui un patron à suivre. Avec lui, la conversation était aisée, sans arrière-pensées. Il n'affectait pas de supériorité au titre de son ancienneté et me paraissait un garçon responsable, ce en quoi je me trompais.

Damiron me mettait mal à l'aise. Si j'avais été consciencieux, j'aurais dû prendre modèle sur lui, m'imposer une discipline mentale et physique aussi exigeante que la sienne. N'étant pas bon au sprint, je me serais spécialisé en cross, car je ne manquais ni de souffle ni d'endurance, et je me serais donné chaque soir des problèmes de maths à résoudre, en plus des exercices prescrits. D'un autre côté, pesant le pour et le contre, il y avait quelque chose de vide, de fuyant dans son regard, et son ingénuité, sa niaiserie pouvaient vous couper le souffle, lui donnant l'air d'une buse. Ainsi le jour où il me dit, au foyer, alors que j'extrayais des pièces de la poche de mon pantalon pour régler nos deux tranches de flan : « Tu ne devrais pas ranger ta monnaie dans ta poche. Mon père dit que ça les troue. » J'en restai ahuri, pensant à mon père à moi, qui ne se serait jamais exprimé de la sorte et ne parlait ni de petite monnaie ni, surtout, de poches trouées. Damiron se rendait-il compte de ce qu'il disait ? J'avais eu tout le loisir de me dévergonder depuis la rentrée. Quand on percevait un pantalon aux poches percées, on ne manquait pas d'en faire bon usage. Décidément, le père Damiron était moins benêt que le fiston.

Lambert n'aimait pas sa mère et ne s'en cachait pas. Damiron ne parlait jamais de la sienne, qui semblait lui être absolument indifférente. Toute sa vénération s'était portée sur son père. Mais s'agissait-il d'affection ou bien de dépendance, d'influence, de sujétion ? Damiron pensait par personne interposée : on eût dit qu'un médium l'habitait. Je me demandais parfois ce qu'il serait devenu s'il n'avait pas eu de père, si celui-ci avait été tué en Indochine ou en Algérie. Je ne pouvais m'empêcher de croire que cela lui aurait fait du bien, mais je réprimais aussitôt cette pensée, qui me semblait mauvaise, peu charitable, et impliquait que j'eusse voulu, ne serait-ce qu'un instant, pour spéculer, la mort du colonel Damiron.

Le grand Crep's, lui, faisait comme s'il était sans famille. De sa mère, il n'avait jamais été question entre nous. Cela pouvait aussi être de la pudeur et je n'avais pas d'opinion arrêtée sur le sujet. Il aurait pu adorer sa mère et considérer que parler d'elle l'aurait profanée. Une fois que je lui avais posé une question sur elle, il m'avait rabroué, se contentant de m'opposer une question rhétorique : « Et ta grand-mère, elle fait du vélo ? » Je me l'étais tenu pour dit et le sujet devait rester tabou. Il commençait d'ailleurs à m'inquiéter sérieusement. Nous passions ensemble tout notre temps libre, nous retrouvant dès la sortie des cours ou de l'étude. Le déjeuner, le goûter, le dîner avalés, nous foncions vers le terrain de basket, où nous fatiguions le ballon comme des forcenés. La meilleure partie de la nuit se déroulait dans les lavabos. J'avais renoncé à toute liberté, n'avais plus un instant à moi pour lire, réfléchir.

L'avertissement de Padovani avait instillé dans mon esprit l'idée que mon camarade dépendait de moi. Je voyais bien qu'il ne pouvait plus se passer de ma présence, qu'il comptait sur moi, devait m'avoir sous la main. Si j'étais retenu, je savais par Petitjean qu'il se montrait impatient, nerveux, agité, violent, ne tenait plus en place, se contrôlait difficilement. Ses vieux copains, Bouboule, Petitjean, Barnetche, Wolff, ne parvenaient plus à le calmer. Je commençai à me dire qu'en effet quelque chose ne tournait pas rond dans sa tête, et même que ça tournait de moins en moins rond. Parce qu'il avait l'air d'une force de la nature, parce qu'il était aussi fort en gueule, personne autour de nous, et le Donald ou Vandal moins que quiconque, ne semblait se rendre compte de l'état d'esprit du grand Crep's. Tout seul, jamais je ne serais capable de le remettre d'aplomb.

Pour tout dire, il « déconnait à mort », comme me le dit un jour un Petitjean excédé. Cela venait — c'était ce que je croyais à l'époque, j'ai pensé plus tard que les causes devaient être plus complexes, aujourd'hui je ne me prononcerais plus —, cela venait de l'appréhension qu'il éprouvait pour le terme prochain, peu éloigné désormais, de son séjour prolongé au bahut, échéance qu'il prétendait conforme à ses vœux, puisqu'il haïssait depuis longtemps cette « putain de boîte », cette « taule de merde », mais que néanmoins il craignait de quitter, comme un prisonnier a peur de recouvrer la liberté après avoir vécu des années à l'ombre, dans un temps immobile. L'armée les tenait, tous ces garçons qui étaient entrés encore gamins dans ses écoles, auxquels elle avait servi de famille, qu'elle avait protégés du monde extérieur, et qui, même s'ils se révoltaient, n'imaginaient pas leur avenir hors d'elle. Les plus rebelles étaient les plus dépendants : ils avaient idolâtré la discipline, cru qu'elle leur assurerait une règle de vie et de mort, les protégerait du mal, avant qu'elle ne les déçoive et qu'ils la renient ; désormais maudits, ils ne savaient plus à quel dieu se vouer.

Tous ceux qui n'iraient pas au grand bahut, notamment chez les modernes, vivaient dans un état d'anxiété qu'ils déguisaient en jouant les matamores. « Instruits pour mieux servir », ils se voyaient, comme Blandine jetée aux lions, bientôt livrés aux pékins, ce ramassis de beaux salauds dont ils ignoraient tout, mais contre lequel des années de discipline les avaient dressés. C'était ainsi que l'armée pouvait compter sur eux pour s'engager, comme officiers s'ils en étaient capables, sinon comme sous-officiers, par peur de la vie civile, par phobie de la liberté. Tant de carrières de soldats, y compris certains des plus valeureux, ont été fondées sur la frousse. Comme tous ces garçons avaient les jetons, ils suivaient la voie tracée pour eux depuis l'âge de dix ans. Ils se battaient avec courage, beaucoup mouraient au champ d'honneur, certains devenaient des héros, parce que au fond d'eux-mêmes tout était préférable à l'existence du pékin. Leur malheur, à présent, c'était que l'armée ne voulait plus d'eux. Le grand Crep's était de ceux-là. S'il protestait tant, c'était qu'il se sentait démesurément trahi.

Moi-même, j'ai connu cette aliénation ; elle m'a séduit comme les autres. Ce sentiment que la vraie vie était là, que l'autre vie manquait de sens, était dépourvue de valeur, que le monde était peuplé d'ennemis, de lâches, d'escrocs, je l'ai observé chez mes camarades, mais j'ai éprouvé au bout de quelques mois qu'il me gagnait à mon tour. Si je n'avais pas vu le mal qu'il faisait au grand Crep's, j'y aurais succombé comme la plupart.

Dans un coin du tableau noir de notre salle de classe, nous écrivions les lettres PDB suivies du signe « égale » et d'un chiffre qui diminuait d'une unité chaque matin. Cela voulait dire « pékin de bahut », autrement dit le nombre des jours qui nous séparaient des prochaines vacances. Dans chaque classe, il y avait un greffier du PDB, commis autoproclamé qui assumait cette tâche depuis le jour de la rentrée et qui s'en chargerait jusqu'à la fête de Trime. Nos professeurs, écrivant au tableau noir, effaçant sa surface avec le chiffon, le tampon, ou la grosse éponge trempée dans un seau d'eau qu'utilisait de préférence notre professeur de maths afin d'obtenir une ardoise immaculée, prête à recevoir ses équations parfaites, savaient qu'ils devaient respecter la petite zone en haut à gauche, minuscule impureté dans le tableau étincelant du mathématicien, comme un secteur interdit, un *no man's land*, et s'il leur arrivait, par inadvertance pour un ancien, par ignorance pour un soldat-professeur, d'un coup de chiffon, de tampon ou d'éponge, d'effleurer l'espace inviolable, les grondements de toute la classe, réunie en un seul chœur bestial, l'avertissaient aussitôt du sacrilège qu'il venait de commettre et le menaçaient de représailles.

Le préposé à la tenue du PDB ne portait pas de nom spécial, mais son rôle était celui d'un officiant et sa mission avait quelque chose de liturgique. Dans notre classe, c'était justement Hermann, le chimiste, l'artificier, qui mettait une grande rigueur dans l'exécution de sa charge et dont les chiffres étaient joliment calligraphiés tous les jours au tableau noir, avec un peu trop de fioritures pour mon goût. Or ce rituel pointilleux ne signifiait rien puisque les mêmes êtres qui rugissaient comme des animaux si un pékin faisait mine de profaner leur saint des saints tremblaient à l'idée d'être abandonnés sans défense au vaste univers hostile qui s'étendait derrière les murs du quartier.

Après une petite semaine de clinique, je revins au bahut, où je fus encore cantonné à l'infirmerie, que je ne quittais que pour me rendre en cours et où je prenais seul mes repas. M. Legrand m'accueillit avec un sourire gêné : conscient de son propre rôle à l'origine de l'explosion — dès le lendemain, semblait-il, ne doutant pas de la responsabilité d'Hermann, il l'avait admonesté à la sortie du cours de physique —, il ne se remit à blaguer qu'après mon retour. Je m'ennuyais de mes camarades. Je demandai à revenir au dortoir, à ma place entre Hermann et Lambert. On m'accueillit avec reconnaissance, non pas comme un héros mais comme un brave, presque comme un ancien qui aurait franchi, grâce à sa blessure, l'équivalent de plusieurs années de crapahutage, et qui méritait une croix de guerre avec au moins une palme de bronze. Mon bras en écharpe m'empêchant de faire et de défaire mon lit, Lambert, de même qu'il prenait au carbone ses notes de cours pour que je dispose d'une copie, s'offrit pour m'aider. Ayant manqué la distribution hebdomadaire, je me retrouvai avec la paire de draps la plus désagréable. Le jour de l'approvisionnement, si l'on ne se précipitait pas au dortoir après le déjeuner pour s'emparer des draps les plus vieux, dont le gros coton avait été adouci par l'usure d'innombrables lavages, on risquait de récolter du linge neuf, rêche, aussi râpeux que de la toile émeri. Cela faisait partie des trucs auxquels on était vite initié.

Le premier contact avec Hermann fut embarrassé : il me tendit la main en baissant les yeux, comme s'il n'avait pas vu que je ne pouvais pas utiliser mon bras droit. Je dus avancer l'autre main pour toucher le bout de ses doigts. Il balbutia quelques mots confus d'excuses et de remerciements, des vœux de rétablissement, des souhaits d'amitié. Je lui répondis brièvement : « Ne pense pas que j'oublie le reste », allusion, qu'il comprit, à son agression ancienne qui me l'avait rendu antipathique à jamais. L'accident ne nous éloigna ni ne nous rapprocha. Hermann était un lourdaud boutonneux pour qui je n'avais jamais eu d'inclination. Personne n'ignorait son rôle dans l'explosion, mais il était convenu que son nom ne serait pas prononcé. Porcinet, un jour qu'il avait son compte — ce qui n'était pas rare —, nous laissa entendre que la strasse trouverait bien le moyen de le coincer, car « la vie repasse toujours les plats », suivant sa morale de justicier pour lequel qui vivra verra et rira bien qui rira le dernier.

Hermann serait en effet expulsé à l'occasion des troubles qui eurent lieu au cours du troisième trimestre, sans que sa culpabilité fût établie ni, cette fois-ci, avérée, mais aussi sans qu'il osât protester trop vivement en raison des précédents qui militaient contre lui. Il se laissa faire et disparut du bahut et de ma vie sans que nos chemins se soient jamais croisés depuis lors. Si la philosophie de Porcinet est la bonne, ce que je tends à croire, il n'est pas impossible que nous tombions bientôt l'un sur l'autre, dans un mois, dans un an — je ne dirais pas dans les bras l'un de l'autre car, étrangement, après tant d'années je lui garde rancune, non pour l'accident mais pour l'autre violence.

Le deuxième trimestre se termina par une compétition sportive qui mit aux prises toute la 5e compagnie. Le capitaine avait cru pouvoir recréer de la sorte un esprit de corps. Portant toujours mon bras en écharpe, je n'y participai pas. Sans regrets d'ailleurs. Plus vaillant, je n'aurais pas franchi les éliminatoires, ni en cross, ni en natation, ni en plongeon. La compétition se résuma à la rivalité des classiques et des modernes, ceux-ci compensant par leurs exploits sportifs leur médiocre réputation scolaire. De fait, ils remportèrent les épreuves dans la plupart des disciplines. Wolff, malgré son air encore enfantin et le duvet blond de sa lèvre supérieure — il en serait sorti du lait si nous lui avions pressé les narines, disions-nous pour le faire bisquer —, obtint la première place au lancer de poids. Petitjean, à la musculature presque adulte, sauta le plus haut.

Le clou de la journée fut le sprint sur cent mètres. Après des éliminatoires un peu fastidieuses et beaucoup de temps morts, que nous comblâmes, réunis autour du stade, en chantant, hurlant, battant des mains, chacune des quatre classes fut représentée pour la finale par son champion, dont, comme il se devait, Damiron pour la première C2 et le grand Crep's pour la première M. Ma loyauté fut mise à mal. Ma solidarité s'exprimerait-elle pour ma classe, représentée par Damiron, mon voisin en cours et en étude depuis le mois de septembre et un garçon qui avait toujours été correct avec moi, m'envoyant des vœux de Nouvel An, m'apportant ses notes de maths à la clinique, mais avec qui je n'avais pas d'atomes crochus, même si je me disais souvent que je ferais bien de prendre modèle sur lui, ou bien pencherait-elle du côté de nos ennemis naturels, ces modernes ignares, désordonnés, indisciplinés, prompts à faire du grabuge, en raison de mon affiliation à leurs pires éléments, la bande du grand Crep's, très remuante au bord du stade et manifestant indiscrètement son soutien à son poulain ?

Je laissai Lambert, auprès de qui je me tenais depuis un moment, et me rapprochai mécaniquement de Bouboule, Barnetche, Petitjean et Wolff, qui s'étaient massés auprès des starting-blocks et prodiguaient des encouragements bruyants au grand Crep's, l'air très sérieux avec ses grosses lunettes à monture de plastique noire serrées autour du crâne par un large élastique blanc. Il portait un maillot blanc, un short bleu marin très court, échancré sur les côtés, et ses chaussures à pointes avec des socquettes de nylon blanc. Il sautillait sur place pour s'échauffer, toussotait, crachait. Damiron, lui, assis dans l'herbe, se livrait à des assouplissements, bombait le torse, faisait saillir ses muscles, regardait à droite et à gauche comme un grand mannequin sans âme.

Il y eut, selon l'usage, plusieurs faux départs qui firent beaucoup monter la tension. Bab El-Oued, le sous-officier des sports, répéta ses instructions et exigea le calme des spectateurs. Nous nous exécutâmes modérément. Enfin la course eut lieu sous les acclamations frénétiques et les cris sauvages de tous les ñass réunis, non seulement les premières, mais aussi les miteux, dont la curiosité avait été attisée par notre rassemblement tapageur. Les quatre finalistes couraient comme des dératés sur la cendrée. Nous courions presque aussi vite qu'eux sur l'herbe du stade, les accompagnant de nos hurlements, les pressant d'accélérer le rythme, de faire mieux, de s'arracher du sol.

Il fallait les voir tous les deux, Damiron et le grand Crep's — j'ai oublié le nom des élèves qui portaient les couleurs des deux autres premières classiques. Leurs silhouettes, leurs morphologies, leurs styles étaient opposés en tout. Damiron courait en rentrant la tête dans les épaules avec de grandes enjambées, produisant un effort surhumain, extirpé de ses entrailles. Il grimaçait. Une sorte de rictus s'esquissait autour de sa bouche, tordue vers la gauche. Je regardais leurs mollets, leurs chevilles, leurs cuisses. Tout s'y jouait. Damiron fonçait comme la Borne qu'il était, l'ensemble du pied, de la cheville et du mollet prenant appui solidement, presque lourdement, sur le mâchefer qui crissait sous son pas. Mes yeux allaient de l'un à l'autre. Les chevilles du grand Crep's, nues au-dessus de ses socquettes courtes, tombantes, me semblaient très fines, presque fragiles, tandis que ses mollets saillaient sous l'effort. Il avait l'air de danser. Derrière ses verres, j'eus l'impression qu'il fermait les yeux, avançant comme dans un rêve.

Il gagna, je n'ai pas besoin de le dire. Il l'emporta d'un cheveu. Il dépassa la Borne d'un demi, d'un quart, d'un dixième de foulée. Mais dans mon esprit il le battit à plate couture, il l'écrasa, tant il avait couru avec grâce — une

« grâce gracieuse », aurait dit Stendhal —, pour lui-même, indifférent à tout, alors que l'autre l'avait fait avec hargne, avec la fureur de vaincre accrochée au cœur, avec l'acharnement de réussir envers et contre tous. Tous deux s'effondrèrent sur la pelouse derrière la ligne d'arrivée sous les applaudissements, tandis que le Donald proclamait les résultats, peu faits pour lui plaire. D'où son air pincé, sa bouche en cul-de-poule, quand il couronna celui dont il se méfiait le plus parmi tous les ñass du petit bahut et dont il était contraint de reconnaître la suprématie. Nous entourâmes le grand Crep's, l'étreignîmes en nous esclaffant comme des damnés. Je ne pouvais pas manifester ma joie autant que je l'aurais voulu à cause de mon bras invalide. Lui-même partit d'un immense éclat de rire comme s'il les avait bien eus, « tous ces cons-là ». J'avais choisi mon camp. Je crois bien que ce fut la seule fois que j'eus envie de l'embrasser, tant j'étais fier de lui.

Une dizaine d'années plus tard, un soir que je me trouvais à dîner en compagnie du grand Crep's dans un restaurant des pentes de Montmartre, maison bon marché, ouverte le dimanche, tenue par une patronne pittoresque, et que je fréquentais à l'époque où je finissais mes études, ce qui me permet de dater approximativement ce rendez-vous que nous avions pris à l'occasion d'une de ses montées à Paris pour un meeting trotskyste — il s'était engagé, lui, dans cette mouvance-là —, nous évoquâmes, pour la première et la dernière fois, les sentiments que nous avions eus l'un pour l'autre en rhéto, attachement insolite, presque anormal, pathologique, tant nous étions devenus en peu de mois proches, inséparables, incapables de nous passer l'un de l'autre, enfermés dans une relation qu'un professionnel de la santé mentale aurait pu qualifier de folie à deux, vécue dans ces espaces privilégiés qu'étaient le terrain de basket le jour et les lavabos la nuit.

Toute cette histoire paraissait à présent fort lointaine, étrange à vrai dire, et des plus incompréhensibles. Nous ne nous étions jamais tout à fait perdus de vue, nous nous donnions de temps à autre des nouvelles, mais notre intimité n'avait pas survécu à la fin de la rhéto, et nous parlions maintenant de ceux que nous avions été dix ans plus tôt comme d'homonymes mystérieux, d'êtres singuliers dans lesquels nous nous reconnaissions à peine. Qu'y avait-il de commun entre les deux adolescents déboussolés de l'époque et les hommes jeunes qui dînaient ensemble ce soir-là ? Le grand Crep's s'était apparemment remis des troubles nerveux qui avaient perturbé plusieurs années de sa vie, après qu'il eut quitté le bahut, et qui l'avaient mené de traitement en traitement. Il m'était arrivé de lui rendre visite. J'allais porte d'Orléans, à l'entrée de l'autoroute du Sud, muni d'un bout de carton sur lequel j'avais écrit LYON en grosses majuscules ; je le retrouvais quelques heures plus tard et je revenais par le même moyen au bout d'un ou deux jours, démoralisé, doutant de mon propre équilibre, m'interrogeant sur la nature de notre amitié, sur ma responsabilité dans l'aggravation de son état. À présent, il avait retrouvé la paix de l'esprit, conquis autant de stabilité de caractère que la moyenne, et il terminait des études de droit, s'apprêtait à devenir magistrat, et raisonnait avec assez de froideur sur son propre cas. Moi, j'étais déjà ingénieur et je venais de prendre mon premier emploi.

Comparés à tant de nos camarades, broyés, comme Lambert, par le militantisme politique, désillusionnés par le travail en usine, revenus de tout et perdus à jamais, ou bien rendus inaptes à la vie en société par leur longue claustration militaire, et ayant versé dans la marginalité, comme Bouboule, dont le grand Crep's m'apprit ce jour-là qu'il était « accro à la came et sortait de taule », je n'oserais pas dire que nous avions l'air tout à fait rangés, mais nous étions du moins devenus quasi normaux et nous pouvions revenir sur notre jeunesse — notre brave, notre vaillante, notre valeureuse, notre généreuse jeunesse, qui n'avait pas manqué de discipline — avec un certain détachement. Ce fut le grand Crep's qui aborda le sujet : « J'ai souvent repensé à notre amitié », dit-il, sur un ton solennel qui m'inquiéta, comme s'il allait se lancer dans une confession que je ne souhaitais pas entendre. Je me doutais qu'auprès des psychiatres, analystes et autres thérapeutes par les cabinets desquels il était passé, on n'avait pas manqué de le faire parler de sa vie au bahut, mais je ne tenais pas à connaître le diagnostic de cette armée de guérisseurs.

« Ta présence m'était devenue indispensable ; je devais te voir, te parler, t'avoir à ma disposition à tout moment. C'était de la possession. Dès que tu t'éloignais, le monde s'effondrait et c'étaient de terribles crises d'angoisse.

— Je m'en suis aperçu quand j'étais à la Providence et que tu venais me voir tous les jours, complètement défait.

— Crois-tu que nous ayons eu de l'amour l'un pour l'autre ?

— Il y avait sûrement un peu de cela. »

Je commençai par lui donner prudemment la réplique, comme on parle à un convalescent, en pesant ses mots, en posant les pieds avec soin, comme on avance en terrain miné. Je prenais mes précautions, car ce préambule un peu fastidieux — j'y entendais le vocabulaire des professionnels — me faisait craindre de provoquer une rechute. Mais je ne résistai pas à cette occasion d'épiloguer :

« Et alors ? Qu'est-ce que ça pourrait bien faire ?

— Ça ne fait rien, dit-il, plus rien du tout, absolument rien du tout, mais nous n'en avions aucune idée.

— Nous nous comportions comme de petits imbéciles. Nous ne comprenions rien à ce qui nous arrivait. Nous n'avions aucune idée de la vie. C'est pourquoi il ne pouvait rien nous arriver de bien méchant. Nous étions devenus aussi inséparables que des frères siamois. Moi aussi, comment aurais-je supporté cette première année de bahut sans toi ? Je n'avais pas eu de frère aîné ; ça me manquait. Tu as été mon grand frère. Nous délirions ensemble, mais ce délire était quand même préférable à la santé des autres. »

Jamais je ne lui en avais autant déclaré, ni si pompeusement. Mes phrases avaient l'air affectées, fausses. Or elles disaient vrai. J'aurais bien ajouté : « C'est là ce que nous avons eu de meilleur », mais il n'y aurait vu que du feu et je ne souhaitais pas qu'il me prît au mot.

« Mais il n'y a jamais rien eu de sexuel entre nous, répondit-il. Nous ne nous sommes jamais embrassés ; nous ne nous sommes jamais touchés. »

C'était cela qui le tracassait encore, qu'il eût pu y avoir quoi que ce fût de pédérastique dans notre amitié virile de cadets. Il y avait belle lurette que j'en étais convaincu, mais nous étions à l'époque tout à fait innocents. Je décidai qu'il était assez rétabli pour que je me permette une légère provocation :

« Et toutes ces heures que nous passions ensemble sur le terrain de basket à nous frôler, à suer, à tirer des ballons et à enfiler le panier, et toutes ces nuits à rôder dans les lavabos ?

— En tout cas jamais la moindre idée de sexe ne m'a traversé l'esprit.

— Moi non plus. C'est ce qui prouve que nous étions complètement idiots. »

Il le prit bien. J'entends encore son rire rauque, qui se termina par une quinte de toux. Sa voix était devenue encore plus enrouée, caverneuse. Tant d'années à beugler avaient achevé de la casser, à moins que son altération ne fût l'effet des antidépresseurs et des anxiolytiques. Nous avions été de drôles de types, à la fois rebelles et sages, plus candides, plus ingénus, plus chastes que les plus dociles de nos camarades, car leur servilité n'interdisait pas la dépravation.

« Quand je pense, ajoutai-je avec une ironie qui lui échappa, que j'ai eu la plus grande passion de ma vie pour un taré comme toi, je n'en reviens pas encore ! »

Et, après un bref silence :

« Je plaisantais. Pour l'essentiel, cette année-là a été celle de mon éducation politique. J'ai tout compris grâce à toi. Depuis, le pouvoir n'a plus de secrets pour moi. »

Ces derniers mots suffiraient à vérifier la date de notre explication : je suivais alors les cours de Michel Foucault. Je n'y apprenais rien, comme quiconque avait un peu vécu sous un régime disciplinaire, avait connu l'enfermement de la prison, de l'asile, de la caserne ou de la pension, c'est-à-dire encore beaucoup de monde, en France, à cette époque-là ; mais entendre exposer avec tant d'enthousiasme et de netteté la théorie des institutions auxquelles nous avions appartenu corps et âme, se voir offrir sur un plateau un savoir que nous avions toujours détenu intuitivement, cela nous rendait intelligents, ou nous donnait l'illusion d'être plus intelligents que nous ne l'étions en réalité.

Je n'ajoutai pas que cette année-là avait été aussi celle de mon éducation clinique. J'avais côtoyé de près une sorte de grand fou, je m'étais attaché à lui et avais eu tout le temps d'observer son comportement, de réfléchir à l'étiologie de son cas. C'était même le choc durable de cette expérience qui me pousserait plus tard vers l'œuvre puis le cours de Foucault.

À présent nous considérions, le grand Crep's et moi, ce lointain épisode de notre jeunesse avec une tendresse rétrospective comparable à celle que donnent les photographies en noir et blanc entourées d'un liséré de dentelle où nous figurons, parmi des disparus. Je crois même pouvoir dire que nous idéalisions notre vieille amitié, parce que nous étions heureux de nous retrouver, si bien que ce que nous nous en disions avec le recul de dix années — et à plus forte raison le récit que j'en donne aujourd'hui, car nous nous revoyons toujours, une fois par an, mais avec une complicité que je ne connais avec nul autre — ne correspondait pas forcément à la réalité. Les faits resteront inconnus. Seul subsiste le fragile témoignage de notre mémoire.

Lorsque vint la fin du deuxième trimestre, il y eut peu de gradés dans la 5e compagnie, laquelle n'était pas en odeur de sainteté auprès des autorités civiles et militaires. Je crois bien que je perdis même mes minces chevrons d'élite ou de caporal. Damiron dut conserver un galon de sergent, mais il est peu vraisemblable qu'il fût promu, même s'il n'était pour rien dans les événements des dernières semaines. Notre professeur d'histoire-géographie, M. Auberger, qui donnait d'habitude plus d'attention à la gestion de sa municipalité qu'à la conduite de sa classe, nous sermonna vertement. C'était un notable à cheveux blancs. Il nous paraissait d'autant plus âgé qu'il se vieillissait pour avoir l'air plus conservateur et séduire l'électorat catholique de la localité, mais il n'avait sans doute guère plus de quarante ans. Les professeurs d'histoire-géographie sacrifient souvent la géographie. Par exception, M. Auberger était plus géographe qu'historien. Du moins passait-il ses heures de cours à nous raconter la France vue de très haut, à la manière de Michelet, planant sur les Vosges, la Mer de Glace, les hauts-fourneaux et le marteau-pilon du Creusot, Lyon et ses vers à soie, etc. Je lui dois mes chétives connaissances de certaines provinces de ce pays où je ne me suis jamais rendu mais que je ne désespère pas de visiter un jour, à moins que je ne confonde ce qu'il disait avec mes souvenirs encore plus lointains du *Tour de la France par deux enfants*, mon livre de lecture en neuvième, ma meilleure classe, l'année où j'ai tout appris, non seulement les poésies de Hugo grâce auxquelles, en visite chez ma grand-mère à Bruxelles, je remportai un crochet radiophonique, lors d'une vente de charité — je gagnai une Vespa, que je regrette encore, car les organisateurs appelèrent aussitôt ma grand-mère, la priant de me faire renoncer à mon prix, ce qu'elle fit sans même me consulter —, mais aussi la règle de trois, le calcul mental, comment couper un camembert en six, parce que j'aimais ma maîtresse, Mme Prince.

Au dernier jour du deuxième trimestre, M. Auberger nous fit un grand discours sur l'avenir du pays et sur nos devoirs patriotiques, civiques et moraux. Il avait certainement pour habitude de parler de la sorte aux cyrards, avec solennité, componction et grandiloquence, dans le style de *Servitude et grandeur militaires*, livre auquel nous n'avions pas pu échapper, quelque indifférents ou hostiles que nous fussions à la carrière des armes, car le bahut n'en manquait pas d'exemplaires, parmi les rares bouquins disponibles dans le placard de chaque compagnie, avec *L'Art de la prose* de Lanson et des *Histoire de France* de Bainville en quantité, tout un stock jauni remontant à la Troisième République, mais les professeurs du petit bahut nous épargnaient la leçon de Vigny — beaucoup de servitude pour peu de grandeur, beaucoup de désœuvrement pour quelques hauts faits, beaucoup d'appelés pour de rares d'élus —, la réservant à ceux d'entre nous qui parviendraient en corniche et préférant nous laisser nos illusions de gloire et d'immortalité jusqu'au moment où nous ne pourrions plus battre en retraite.

M. Auberger s'adressa ce jour-là à ses rhétos comme à des grands, ou plus exactement à des garçons qui ne deviendraient jamais adultes s'ils continuaient de se comporter en garnements. Il nous parla comme ni le Donald ni le colonel ne s'en étaient montrés capables, faisant vibrer en nous une certaine corde patriotique, un certain instinct de fierté autochtone et une certaine aspiration à la maturité dont nous n'étions pas encore tout à fait dépouillés. Hermann, penché sur sa table, la tête enfoncée entre les bras, faisait semblant de se concentrer sur le contenu du cahier qu'il avait ouvert devant lui, mais je voyais ses joues rosir quand M. Auberger rappelait la malencontreuse explosion.

Je découvris à cette occasion les qualités de notre professeur, qui faisaient de lui un homme politique plein d'avenir. Sa puissance de conviction était redoutable et en émut plus d'un ce jour-là, qui prirent des résolutions de sagesse après l'avoir entendu. Les tinrent-ils ? C'est une autre histoire, non plus celle de M. Auberger. Son éloquence pouvait séduire sur le moment, mais les figures de style s'émoussent vite. Ses manières n'étaient pas forcément plus efficaces que la méthode de Vandal, qui nous traitait tous les jours de « bande de peigne-culs » et nous « flanquait des motifs » à la pelle. Peut-être notre cas était-il désespéré.

L'année suivante, je devais retrouver M. Auberger en maths élem, toujours aussi indifférent aux contingences de la pédagogie. Au printemps, il se présenta aux élections législatives. Sa candidature lui fit manquer presque tous ses cours, à quelques semaines du bac, ce dont il s'excusa avec légèreté en nous faisant valoir que son récit de campagne, qu'il se promettait de nous faire après le scrutin, vaudrait bien une série de leçons sur l'histoire de la France contemporaine, qui était à notre programme. Battu de justesse, il n'en parut nullement affecté et nous revint après le dimanche fatal en arborant un large sourire, nous expliquant que, maire depuis un an seulement, cette candidature n'avait été qu'un galop d'essai. Il avait obtenu plus de voix qu'il n'escomptait — il appartenait à ce genre d'hommes qui sont toujours contents d'eux-mêmes — et ne doutait pas de ses futurs succès électoraux.

Le pessimisme donne l'air intelligent, mais M. Auberger était un battant d'avenir, comme tout homme politique se doit de l'être, ou de l'affecter. Le cours de géographie électorale qu'il nous donna ce jour-là — pour moi le second, après le topo auquel son enquête sur l'élection présidentielle avait donné lieu et qui, par ma faute, s'était si mal terminé l'année précédente —, analysant les résultats de la circonscription canton par canton, voire bureau de vote par bureau de vote, sondant les reins et les cœurs, pesant les dispositions des paysans, des religieux, des militaires, capable de deviner pour chaque individu, ou à peu près, s'il s'était prononcé pour lui ou pour son adversaire du second tour, tout cela me frappa et m'en apprit en effet plus sur ce que l'on appelle la « France profonde » ou le « pays réel » que des années d'instruction civique, enseignement auquel M. Auberger, excellent élève d'André Siegfried, préférait les subtilités de l'analyse électorale. De centre-droit, il dut encore attendre une dizaine d'années avant de se faire élire à la Chambre, lors des législatives de 1978. Par une ironie de l'histoire à laquelle il fut sûrement sensible, le grand Crep's, qu'il considérait comme un cancre du temps où il l'avait eu pour élève, comme un abruti, un charlot, un propre à rien, une tête brûlée, un branquignol, venait d'être nommé au tribunal d'instance de la préfecture, et M. Auberger le retrouva à ses côtés lors des cérémonies officielles.

Insensiblement, car nous y prêtions peu d'attention, la saison avançait. À la Providence, je recevais mes visiteurs dans un jardinet fleuri qui renfermait même un minuscule potager, vrai jardin de religieuses. À l'infirmerie, un chêne solitaire s'élevait au milieu de la courette sur laquelle donnait ma fenêtre, l'un des rares arbres du quartier. Ailleurs, entre les salles de classe, les dortoirs et le réfectoire, la verdure manquait, hormis les marronniers gris de la cour, remontant à Freycinet, et les thuyas qui ceinturaient la caserne, datant, eux, de la Quatrième

République. À l'image de Baudelaire, qui, second point commun, avait lui aussi un faible pour le son « délicieux » de la trompette, nos militaires, incapables de s'attendrir sur les végétaux, s'étaient contentés d'ajouter des bégonias dans un bac posé au pied du drapeau. Il faisait plus chaud. Allongé dans notre terrain vague, derrière l'usine des eaux, bercé par le vrombissement des voitures, je rêvais. Étendu sur un transatlantique balançant sur le pont supérieur du paquebot *France*, je repartais pour l'Amérique. Tournant la tête pour suivre le déplacement d'un nuage, je remarquai que les arbres bourgeonnaient de l'autre côté du grillage, le long de la route du Mans, vers les Belles Ouvrières. J'avais envie de vivre. C'était une journée de printemps.

4

Quand ils causent un préjudice, c'est par insolence, non par méchanceté. Ils aiment à rire, et c'est pour cela qu'ils plaisantent, car la plaisanterie est une impertinence polie. Tel est le caractère des jeunes gens.

ARISTOTE, *Rhétorique.*

Les vacances de Pâques nous dispersèrent. Je repris le train pour l'Allemagne. À Paris, comme aucun des Vilains Bonshommes ne poursuivait vers l'Est et que mon bras droit était encore infirme, ce fut Damiron qui m'aida à transporter ma valise. Nous fîmes en métro le trajet d'une gare à l'autre, sans échanger une seule parole. Il n'ignorait pas que je m'étais réjoui de sa défaite au cent-mètres. Mes manifestations d'euphorie à l'arrivée de la course ne lui avaient pas échappé, ou bien elles lui avaient été rapportées. Il n'avait pas bien pris cette entorse à la solidarité due à notre classe. Il n'en considérait pas moins qu'il était de son devoir de se porter au secours d'un camarade dans le besoin. Il ne me dirait rien, il ferait peser sur moi tout le poids, accru par son mutisme, de son dévouement et de sa réprobation. Ce serait son sacrifice, sa bonne action de la semaine, qu'il comptabiliserait comme telle. Cependant, une fois qu'il m'eut installé dans mon compartiment et que je lui eus exprimé ma reconnaissance, il ne put s'empêcher de me faire une remarque sur mes mauvaises manières. J'aurais mieux fait de refuser son assistance, mais je n'avais pas eu le choix.

Ces vacances furent moins éprouvantes que les précédentes ; elles furent même détendues. Je m'étais fait à la distance — non pas l'indifférence, mais une sorte de détachement — qui s'était instaurée dans mes relations avec mes frères et sœurs, et je me sentais soulagé de la tension que le grand Crep's imposait à mon existence. Impatient de me mettre à l'étude de la philosophie, j'étais décidé à consacrer ces deux semaines à des lectures préparatoires au programme de la classe terminale. Le dernier dimanche, en sortant de notre café au flipper et au Scopitone, j'avais trouvé deux livres chez un brocanteur installé sur la place de la Sous-Préfecture : l'*Éthique* de Spinoza et les *Pensées et fragments* de Schopenhauer, de vieux exemplaires jaunis, écornés et soulignés, datant d'avant la dernière guerre. Chez Spinoza, la limpidité des théorèmes psychologiques me séduisait, contrastant avec la confusion des sentiments où je me trouvais. Dans Schopenhauer, je lus une phrase sur la boussole intérieure que chacun porte en soi et grâce à laquelle il trouve la voie qui est la seule qu'il lui faille suivre, mais dont il n'aperçoit la direction qu'une fois qu'il l'a déjà parcourue. L'idée d'une boussole intérieure me plaisait, comme celle d'une destinée qui ferait que nous allons tous là où nous devons aller, même si nous l'ignorons. J'avais achevé la lecture du *Culte du moi* durant mon séjour à la Providence et je m'étais converti à une sorte de mystique de la liberté que la lecture de Spinoza et de Schopenhauer confirma. La trilogie de Barrès, en particulier *Un homme libre*, conservait tout son pouvoir de fascination pour un garçon de quinze ans, à l'orée du troisième tiers du XXe siècle. Je me sentais seul de mon espèce ; j'étais prêt à me révolter, mais sans savoir dans quel sens. Mon soulagement était grand de pouvoir traiter les autres de barbares. Je filais un mauvais coton.

Je me rendis à Berlin et y passai quelques jours, visitai des musées, bus de la bière à la cerise dans une fête foraine, traversai à plusieurs reprises le Checkpoint Charlie pour passer à l'Est. Notre père nous fit part de son remariage prochain. L'élue était une jeune femme qui lui avait été présentée au Cercle militaire et qui n'avait pas froid aux yeux : elle s'apprêtait à tenir le rôle incommode de la belle-mère auprès d'une progéniture abondante et fantaisiste qu'il lui faudrait des trésors de persévérance pour amadouer, mais elle en avait vu d'autres, et à la guerre comme à la guerre. Je lisais aussi de l'anglais pour me remettre dans le bain. Absorbé au cours des derniers mois par cette citadelle du patriotisme qu'était le bahut, gagné par son parler et ses mœurs, je perdais l'usage de la langue dans laquelle j'avais connu la liberté. *The Picture of Dorian Gray*, que je dévorai alors, n'était peut-être pas le meilleur choix pour étayer une identité fragile : c'était encore une sale histoire de double personnalité, qui me troubla sans que j'en saisisse les implications. J'entamai la rédaction d'un journal, qui doit sans doute exister encore et où je trouverais, si je me décidais à le chercher, une autre version des événements de l'année, mais je préfère m'en tenir à mes souvenirs gauchis par l'oubli et le temps.

Mes camarades me manquaient. J'ai déjà raconté que nous nous étions débrouillés, sous divers prétextes avancés auprès de nos familles, pour nous retrouver à Paris à la veille du retour au bahut, le grand Crep's et moi, ainsi que Petitjean, qui nous donnerait l'hospitalité. Nous profitâmes de cette journée pour errer dans la capitale, nous saouler de cinéma et de jazz. Grâce à Belmondo et Anna Karina dans *Pierrot le fou*, David Hemmings et Vanessa Redgrave dans *Blow-Up*, Stan Getz au Blue Note, nous sûmes que la vie pouvait être merveilleuse. Si ces trente-six heures d'escapade parisienne restent gravées dans ma mémoire, c'est aussi qu'elles furent suivies des grandes manœuvres du printemps dont, les uns et les autres, nous ne nous remîmes jamais entièrement.

Le retour au bahut fut en effet douloureux. L'encadrement avait décidé de nous reprendre en main. Cela fut manifeste dès le premier matin, quand le Donald, l'adjudant-chef Vandal et le sergent-chef Lallement, dit Porcinet, « notre serpatte-chef préféré », débarquèrent tous les trois dans les dortoirs pour inspecter nos couchages, nos tenues et nos armoires. Pris au dépourvu, nous nous tenions au garde-à-vous au pied des lits tandis que nos gardes-chiourme farfouillaient dans nos affaires, remuaient des couvertures imparfaitement pliées, confisquaient des livres non signés, repéraient des brodequins mal cirés ou des boutons détachés, jetaient par terre des provisions de bouche interdites, et distribuaient généreusement les privations de sortie, voire les arrêts de rigueur. Le dernier trimestre de la rhéto commençait mal. Presque tous les dimanches, nous prendrions part à la « balade des crantés », les privés de sortie que l'on promenait dans l'après-midi, sous bonne escorte, sur les coteaux de Saint-Germain-du-Val, pour leur faire prendre l'air.

En notre absence, nos chefs s'étaient fait « remonter les bretelles » ou « souffler dans les bronches », suivant quelques-unes de leurs expressions imagées, et ils se rattraperaient sur nous, non que nous fussions innocents, mais sans qu'il y eût le moindre rapport entre nos délits et la répression qui s'abattit sur nos têtes. Comme Joseph de Maistre estimait qu'il n'y a pas de châtiment injuste parce que le mal est partout et que les hommes sont toujours coupables, sinon du crime qui leur vaut d'être condamnés, du moins d'un autre forfait inconnu de leur bourreau, notre encadrement savait que nous avions fauté, tous tant que nous étions, sinon par action, du moins par intention ou par omission — on leur « cassait les burnes », disaient-ils —, et que nous n'oserions pas nous plaindre des vexations qu'ils nous feraient subir, n'ayant d'ailleurs personne auprès de qui protester, ni aucun recours contre leurs excès de pouvoir. Nous étions de futurs chefs, mais, pour bien commander, d'après leur doctrine, il fallait avoir servi, c'est-à-dire avoir été humiliés.

Je lisais en cachette *Voyage au bout de la nuit.* Prévoyant le verdict du Donald, je ne m'étais pas risqué à soumettre le roman à sa signature. J'avais arraché couverture et page de titre, et je leur avais substitué celles de *Mort, où est ta victoire ?*, de Daniel-Rops, lecture recommandée par le marab à ses ouailles. Ce fut surtout la première partie qui me secoua, celle où Céline décrit l'horreur de la guerre de 14, le dépucelage de Bardamu par la férocité des premiers combats, la bêtise des gradés — ils n'avaient pas changé, je reconnaissais les nôtres, et, plus tard, je trouverais dans *Casse-pipe* la fable indépassable de la vie militaire —, la méchanceté universelle des hommes ; mais la deuxième partie était tout aussi salubre, sur la liquéfaction des Blancs sous les Tropiques et l'anarchie sexuelle dans les colonies africaines. La nuit, dans les lavabos, je lisais au grand Crep's les passages les plus crus. Céline faisait de nous des antimilitaristes comme seuls peuvent le devenir ceux qui ont idolâtré l'armée. La partie américaine du roman commença par m'enchanter, avec ses formules à l'emporte-pièce, du genre : « New York c'est une ville debout », plus percutantes que celles de Gainsbourg dans son dernier album, puis elle m'irrita, car je continuais d'idéaliser ce pays, malgré les émeutes de Watts et les bombardements du Vietnam du Nord ; quant à la quatrième, le retour dans la banlieue parisienne, je crains de ne l'avoir pas terminée.

Sur ces entrefaites, la création des *Paravents* de Genet à l'Odéon suscita un scandale qui émut le pays et dont le bruit parvint même jusqu'à notre thébaïde. La veille au soir, le spectacle avait été interrompu par des cyrards qui envahirent la scène et allumèrent des fumigènes dans la salle. Petitjean l'avait entendu sur mon transistor, aux informations de France Inter. Le dîner expédié, je montai avec le grand Crep's à la salle de télévision pour attraper la fin du journal de vingt heures. Nous n'avions jamais entendu parler de Jean Genet, mais le récit de Petitjean nous avait rendus curieux. À peine quatre ans après la fin de la guerre d'Algérie, dans une salle subventionnée, on ridiculisait la répression des Arabes par l'armée française, dans une colonie allégorique mais transparente. Une scène choquait surtout les anciens combattants, que Léon Zitrone résumait du bout des lèvres, mais avec assez de réalisme. Des légionnaires assistaient à la mort de leur lieutenant ; ils lui pétaient à la figure en guise d'hommage. Mon exemplaire des *Œuvres complètes* de Genet, où j'ai voulu vérifier le passage, vient de s'ouvrir tout seul à la page litigieuse, comme la Bible d'Augustin dans les *Confessions*. Ce n'est donc pas la première fois que je recherche la citation :

> Bien sûr, il ne sera pas en terre française, mais enfin, on peut tout de même. Puisqu'on n'a que ça... Toi, Roger, si t'as des gaz de rab, et les autres aussi, on pourrait lui en lâcher une bouffée... On va lui faire respirer l'air du Lot-et-Garonne... Et vos pets, lâchez-les en silence, que l'ennemi ne nous repère pas. Qu'elle s'ouvre la narine du lieutenant, et qu'en expirant... On va lui tirer, en silence, les coups de canon réservés aux personnalités. Chacun le sien. Visez bien ses narines. Feu. C'est bien... Chacun y met du sien. Un petit air de France...

Ce jour-là, même sans connaître le mot à mot du texte de Genet, nous en restâmes baba. En se moquant d'un officier mort pour la patrie, « en loufant sur sa viande froide », s'écriait Bouboule aux anges, on insultait l'armée française tout entière. Sans que la police parvînt à maintenir l'ordre, ou le souhaitât, des manifestations d'anciens combattants d'Indochine et d'Afrique du Nord, renforcés par des militants d'Occident, se reproduisaient chaque soir autour du théâtre, et même à l'intérieur, suivies de heurts violents avec des militants de gauche appelés à la rescousse.

Si nous avions été sur place, de quel côté nous serions-nous retrouvés ? Avec la CGT et l'Unef ? Ou bien derrière Jean-Marie Le Pen et Alain Madelin ? Les outrages à l'armée nous auraient divisés. La plupart d'entre nous — parmi lesquels je me compte —, même ceux qui se sentaient les plus trompés et qui s'étaient convaincus que leur jeunesse leur avait été volée au nom d'un idéal maintenant dévalué, n'auraient pas été prêts à faire le saut et à se mêler à la populace des compagnons de route. Au bahut, tant que l'on n'en sortait pas, c'était autre chose. Les vents des paras nous faisaient bien rigoler et la bataille qui entourait la pièce de Genet nous encourageait au soulèvement. Chaque fois que le Donald ou Porcinet se pointait, nous imitions des pétarades avec notre bouche. Tout en ignorant la cause de ce barouf, ils menaçaient, brandissaient des PS.

Nous étions à leur merci entre les murs du quartier. Durant les semaines qui suivirent, rares furent les soirs où l'extinction des feux ne fut pas précédée d'une inspection qui n'avait plus rien d'inopiné. Il ne se passait plus de nuit sans que l'un ou l'autre fût envoyé aux arrêts à la suite de quelque infraction mineure au règlement. Disions-nous le « trou », le « gnouf » ou le « clou », en notre jargon ? Je ne sais plus ; je m'embrouille dans la suite de mon expérience militaire. Mais je me souviens fort bien des lieux, le cabanon des arrêts, qui se composait de quatre ou cinq cellules et occupait l'arrière du poste de police, à l'entrée du quartier. De nos dortoirs, nous avions à travers la cour une vue plongeante sur l'endroit — à la réflexion, je crois qu'au bahut c'était bien le « gnouf » —, ce qui ne simplifiait pas la vie de nos gradés lorsque l'un d'entre nous y était traîné et que, massés aux fenêtres, nous lui manifestions haut et fort notre soutien.

Le scénario était toujours le même. Nous nous relevions après l'extinction des feux et le chahut commençait, cris, chansons, sarabandes dans les dortoirs. À l'arbitraire de la répression, nous répondions par des vacarmes insensés. Deux entêtements s'affrontaient, celui du Donald, de Vandal et de Porcinet, les détenteurs de l'autorité, sûrs de leur droit, et le nôtre, séditieux, collectif, anonyme. Le sous-officier de garde, après avoir laissé faire un moment, cossard, espérant que le calme reviendrait de lui-même, quittait le poste de police, traversait la cour, remontait les escaliers, nous donnant amplement le temps de rejoindre nos lits, dans lesquels nous faisions semblant de dormir lorsqu'il franchissait la porte avec sa lampe torche. Il poussait une gueulante, nous prévenait que si nous ne nous écrasions pas sans moufter dans nos paddocks, il nous ferait « suer le burnous », expression qu'il utilisait en dépit du bon sens. Comme il était bourré, qu'il avait le souffle court, il butait sur les mots, et tout à coup l'un de nous éclatait de rire. Il nous traitait de « guignols chiatiques » qui se croyaient « baraqués » ou « balèzes », mais qui n'étaient que des « foutriquets ». Sa balourdise déclenchait dans tout le dortoir un fou rire incontrôlable qui l'humiliait davantage. Sous un prétexte ou un autre, pensant avoir repéré un agitateur, ou choisissant au hasard un otage, il faisait lever et rhabiller l'élu, tandis que, en tartufes consommés, nous laissions faire. S'il n'était pas trop remonté, il autorisait l'élève à emporter son couchage ; mais s'il jugeait que toutes les limites de l'insubordination avaient été franchies, il l'emmenait tel quel au trou, où la victime coucherait à la dure.

Porcinet, car c'était le plus souvent lui, conduisait alors sa proie au poste. Tandis qu'ils descendaient tous deux les escaliers, nous nous relevions en hâte et apparaissions aux fenêtres, hurlant, gesticulant comme des fantômes en agitant nos draps, nous lamentant en chœur, psalmodiant le nom de celui d'entre nous qui allait passer la nuit à l'isolement, mêlant celui de Porcinet aux insultes et aux obscénités. Quelques-uns réclamaient alors un armistice, mais il était trop tard pour nous amadouer. Même les plus timorés s'émoustillaient et l'ivresse s'emparait de la chambrée. Ayant appelé du renfort auprès des autres compagnies, Porcinet remontait et, cette fois, il nous faisait tous lever. Nous prenions la direction du stade pour une heure d'ordre serré qui, sur le moment, modérait nos excitations, mais accumulait au fond de nous une colère prête à éclater la nuit suivante.

J'anticipe sur le déroulement des opérations, car nous étions entrés dans le cercle vicieux de la provocation et de la répression, toutes deux aussi irraisonnées et injustes, et susceptibles d'entraîner une surenchère incontrôlable. Le premier jour, qui avait donc commencé par une inspection abusive, l'encadrement ayant pris l'initiative des hostilités, je me retrouvai après déjeuner sur le terrain de basket avec le grand Crep's. Nous nous échauffions en lançant quelques paniers, mais le cœur n'y était pas. Les autres nous rejoignirent. Ils n'étaient pas seuls. Quelques ñass étrangers au noyau, mais sympathisants, les accompagnaient, tous modernes. Ils souhaitaient connaître la position du grand Crep's sur l'offensive que les militaires venaient de lancer contre nous. Assis en rond sous le panier de basket, nous tînmes conseil. Chacun y alla de son avis, la plupart jugeant qu'une riposte s'imposait pour défendre la dignité de la 5ᵉ compagnie.

Tous ces garçons se plaçaient sur le même terrain que les militaires, ce qui semblait naturel puisque ceux-ci leur avaient inculqué depuis des années leurs principes élémentaires : le sens de l'honneur, la fierté, le courage, le devoir de représailles. Les maîtres n'avaient plus grand-chose à apprendre aux disciples. Cela ne présageait rien de bon au moment où les disciples s'apprêtaient à retourner contre les maîtres la loi des maîtres, loi qu'ils maîtrisaient mieux qu'eux, à la fois parce qu'ils y avaient été longtemps soumis et parce que, plus instruits, ils en pénétraient la théorie. Maîtres et disciples étaient de la même race, aussi têtus les uns que les autres, tous des soldats perdus. Si un conflit était déclenché, il risquait d'être total, car il n'est pas de pire guerre que la guerre intestine.

Ce soir-là, les modernes déclenchèrent un raffut dont j'étais le seul parmi les classiques à savoir qu'il aurait lieu. Tapi sous les couvertures, je l'attendais avec fièvre, conscient que l'escalade deviendrait vite irréversible, puisque les deux camps partageaient les mêmes valeurs. Si nous ne savons pas quel est le souverain bien, du moins nous n'ignorons pas la nature du mal suprême, disait déjà Montaigne, pour qui c'était la guerre civile, et nous foncions vers elle à grands pas. Porcinet, de garde et imbibé de boisson, à son habitude, fut pris tout à fait au dépourvu et, ainsi qu'il était prévisible de sa part, réagit on ne peut plus malhabilement en s'en prenant au grand Crep's, qu'il considérait comme le meneur, la forte tête de la compagnie. Arrivant au dortoir, il se dirigea tout droit vers son lit — ce fut du moins ce que me rapporta Petitjean —, l'interpella en le tutoyant, l'accusant d'avoir fomenté le désordre. Le grand Crep's lui répondit avec insolence, lui dénia le droit de le tutoyer, et le ton monta jusqu'au moment où le grand Crep's s'écria à l'adresse de Porcinet : « Barre tes couilles ! », et où Porcinet l'entraîna en pyjama dans les escaliers pour le mener au poste. Nous nous levâmes pour les voir apparaître dans la cour, qu'ils traversèrent sous les huées. En un instant, Porcinet avait réussi à rendre tous les rhétos solidaires, non seulement les modernes mais aussi les classiques, ou la plupart d'entre eux, y compris le marais des modérés, à la seule exception de quelques individus serviles ou dépourvus de caractère, « fayots », « cireurs de pompes », « lèche-culs » et autres « faux derches », toujours prêts à obéir, quelque extravagante que fût la consigne, comme de creuser un trou pour évacuer le contenu d'un autre.

Couturier, ce garçon qui m'avait servi de mentor à mon incorporation — époque qui me semblait remonter au déluge —, était de ceux-là. Toujours tiré à quatre épingles, le calot raide comme un passe-lacet, il donnait l'impression que son uniforme sortait du pressing — il serrait son pantalon numéro un sous son matelas —, portait le dimanche son béret de tenue de sortie comme s'il était déjà engagé. Pour résumer l'homme, Bouboule disait alternativement qu'il avait « un manche à balai dans le cul » et qu'il « baisait le cul au Donald ». Au-delà des premiers jours, nous n'avions pas prolongé nos relations et il désapprouvait évidemment, même s'il ne me l'avait pas signifié, mon intimité avec le grand Crep's et sa bande. J'avais compris que leur hostilité était ancienne, tous deux étant entrés au bahut en sixième, ayant redoublé la même année, avant de se retrouver dans la section moderne. Couturier profita des absences du grand Crep's, qui séjournait de plus en plus souvent au gnouf, pour tenter un coup de force et prendre le pouvoir sur les rhétos.

Le premier soir qui suivit le retour des vacances de Pâques, il n'alla pas jusque-là, mais plaida pour un moratorium, apparemment de sa propre initiative. Plus tard, nous comprîmes qu'il entretenait des contacts discrets avec le Donald, qui le recevait en catimini et cherchait à connaître par son intermédiaire les actions que nous nous préparions à engager. Couturier était un jaune, une balance. Il ne retirait aucun bénéfice palpable de sa collaboration, sinon la vanité de celui qui flatte les autorités. Au bout de sept ans de bahut, illustrés par la longue file des sept attaches parisiennes émaillant soigneusement son calot, comme des citations sur le ruban d'une croix de guerre, il était devenu l'interlocuteur privilégié de nos chefs, leur taupe parmi nous.

Il commit toutefois une erreur de taille, probablement en suivant les mauvais conseils de ses maîtres, quand il estima que la situation était propice à un renversement. J'eus à ce sujet plusieurs conversations avec Lambert. À l'époque un modéré dont les pulsions maoïstes futures et l'emballement de garde rouge restaient insoupçonnables, il n'avait pas de sympathie particulière pour le grand Crep's, mais n'approuvait pas les manœuvres de Couturier. Or l'attitude de celui-ci radicalisa Lambert comme, me sembla-t-il, la majorité des classiques, peu encline d'abord à se solidariser avec le caïd des modernes. Mais les entreprises de division tentées par le Donald en manipulant Couturier suffirent à nous rendre tous solidaires, à l'exception de quelque Brisacier ou Bonitatibus.

Le grand Crep's passa une première nuit au gnouf, dont il fut libéré au matin pour se rendre en cours. Nous nous regroupâmes autour de lui sous le préau des modernes, le noyau de ses fidèles augmenté d'un nombreux cercle de curieux. Sa voix était plus éraillée qu'à l'ordinaire et je remarquai dans ses yeux une lueur qui m'inquiéta, un vrai éclair de démence. Sur un ton désinvolte, il raconta sa nuit de taule. Son aventure lui donnait un prestige qu'il paierait bientôt cher. En ce temps-là, un vrai ñass se devait d'avoir connu les arrêts de rigueur. N'avoir jamais passé une nuit au gnouf, cela voulait dire qu'on manquait de quelque chose, qu'on était bleusaille, couillon, dégonflé. Cette croyance contribua elle aussi au désordre, puisque tous ceux qui ne pouvaient pas se vanter d'avoir déjà été mis aux arrêts prirent leur tour en cherchant par divers moyens à se faire envoyer au poste.

Après quelques jours d'accalmie, l'agitation se ralluma en fin de semaine, de plus en plus ample à chaque coup, mobilisant plus de monde, comme si tous les rhétos étaient définitivement perdus pour la discipline. L'offensive de Couturier pour constituer une milice maison, sorte de service d'ordre ou de comité de défense générale — à ce propos, me revient après coup à l'esprit un dernier détail lié à Couturier que j'ai su à l'époque mais que j'avais oublié lors de notre rencontre du métro Invalides : il devait militer en mai 1968 dans le Comité de défense de la République lancé par le parti gaulliste pour faire pièce aux manifestants —, fut vite désamorcée quand il fut révélé qu'il était aux ordres du Donald. L'œil bas, se sachant réprouvé par l'ensemble de la compagnie, Couturier traîna ensuite un air de chien perdu jusqu'à la fin de l'année. En d'autres circonstances, on l'aurait abattu.

Le climat devenait très tendu. La strasse et les ñass cherchèrent à nouer des alliances avec les professeurs — les « rats », comme les appelaient les cornichons, terme qui n'eut jamais cours entre nous —, mais ceux-ci restèrent au-dessus de la mêlée. Certains nous regardaient de travers, aucun ne prit notre parti, ni M. Auberger, que ses ambitions politiques rangeaient du côté de l'ordre établi, ni M. Legrand, qui n'en faisait qu'à sa tête, ni M. Formica, dont certains d'entre nous avaient naïvement espéré le soutien.

Bien des années plus tard, me trouvant dans une université de province pour un jury de thèse, je croisai dans le couloir un homme dont le visage ne m'était pas inconnu, mais sans que je parvienne à l'identifier. Je le fixai un moment avant de questionner la collègue qui m'avait invité. Elle me renseigna. « Enseigne-t-il ici ? lui demandai-je. — Oui, depuis toujours. » Depuis toujours, sans doute, mais non pas de toute éternité, me dis-je, car c'était M. Formica, mon professeur de français-latin en rhéto. Comme dit Albertine au héros de la *Recherche du temps perdu* qui s'inquiète de ne jamais revoir une jeune fille qui lui a tapé dans l'œil : « Rassurez-vous ! On se retrouve toujours », variante du dicton de Porcinet « La vie repasse toujours les plats ». Je n'avais jamais entendu prononcer le nom de M. Formica depuis plus de trente ans et je n'avais pas souvent pensé à lui. Je n'en fus pas moins distrait durant la soutenance, me remémorant ses leçons. M. Formica était encore un jeune homme du temps où je l'avais connu soldat-professeur. Or je venais de croiser un enseignant à la veille de la retraite. Je me demandai s'il parlait toujours en postillonnant ou si l'enseignement supérieur l'avait guéri de ce défaut.

Durant son cours, je l'ai dit, une mousse blanchâtre s'accumulait aux commissures de ses lèvres. De temps à autre, il sortait de la poche de son pantalon un mouchoir sale, non pas plié mais froissé, et il essuyait, ou plutôt tamponnait, ces sécrétions symétriques. Comme soldat-professeur, il nous surveillait aussi parfois durant l'étude du soir. J'avais eu tout le loisir de l'observer. Je ne demandai pas à lui être présenté. Lors de ce genre de rencontre, je préfère m'abstenir et garder mes souvenirs apocryphes. D'ailleurs, je n'étais pas un élève remarquable et M. Formica m'avait certainement oublié.

Bien entendu, lorsque je revis, la fois suivante, le grand Crep's à la buvette du palais, où il se présenta en robe, je lui appris que j'avais aperçu M. Formica dans le couloir d'une faculté provinciale. Sa réaction me prit au dépourvu : « C'était un communiste », affirma-t-il de façon péremptoire. J'ignorais d'où lui venait cette certitude, laquelle ne m'avait jamais effleuré l'esprit. Peut-être tenait-il l'information des dossiers du Donald. Non, c'était à ses yeux une évidence. En ce temps-là, nous prononcions avec terreur les lettres SM, pour Sécurité militaire — plus tard, quand j'eus affaire à elle, à la suite d'un voyage en Chine, son amateurisme me frappa —, et nous ne doutions pas que tous nos professeurs fussent fichés. Cela, ajouta-t-il, expliquait qu'il ne nous eût pas défendus lors de notre mutinerie. Je ne voyais pas pourquoi, même s'il n'avait pas adhéré au PC, M. Formica aurait dû prendre notre parti. Comme soldat-professeur, il n'était pas plus libre que nous de s'exprimer, et peut-être l'était-il encore moins. Mais le grand Crep's, avec ses réflexes d'ancien trotskyste, considérait toujours les communistes comme les alliés objectifs du grand capital et il interprétait à la lumière de cet axiome tout conflit, aussi local et dérisoire qu'il fût, et le nôtre, vu de loin, était assurément futile, voire farcesque, même si nous l'avions vécu comme une épopée digne des Anciens. Pourtant, repensant au M. Formica que j'avais récemment entrevu en province, je me dis qu'il avait bien l'allure d'un vieux syndicaliste et que le grand Crep's, une fois de plus, avait probablement raison.

La saison avançant, nous retournions au terrain de basket après le dîner et nous nous y éternisions, ne rentrant au dortoir que pour l'extinction des feux. À présent très entraîné, je réussissais une proportion honorable de mes lancers francs ; il arrivait même que je parvinsse à franchir la défense du grand Crep's et à marquer un panier contre lui. Nous jouions jusqu'à l'épuisement, toujours seuls, comme des déments, avec un ballon que nous nous étions approprié pour ne plus avoir à le réclamer au service des sports. Bab El-Oued, qui avait toujours eu un faible pour le grand Crep's et lui conserva sa bienveillance jusqu'au bout, nous l'avait remis en dépôt. Nous le rangions dans l'une de nos armoires, la sienne ou la mienne, comme s'il avait été à nous.

Le grand Crep's était tiraillé entre nos moments d'intimité sur le terrain de basket, ou dans la turne de Padovani à écouter du jazz, et les conciliabules des rhétos qui nous prenaient de plus en plus de temps. Je l'accompagnais partout et assistais à toutes les discussions, sans intervenir en public, mais non sans lui avoir donné mon avis au préalable. Je tenais le rôle d'une éminence grise, j'étais le conseiller du prince, position confortable. Il était revenu des vacances de Pâques avec de nouveaux disques de jazz, comme *Ko-Ko* de Charlie Parker et *Free Jazz* d'Ornette

Coleman. Pour finir, nous remettions toujours sur le pick-up de Padovani *Gainsbourg Percussions*, ainsi que notre dernier 45-tours fétiche, *Qui est in, qui est out* et *Docteur Jekyll et Monsieur Hyde*, les airs de notre amitié.

Les hostilités cessèrent provisoirement, durant la visite d'une délégation de cadets britanniques. Accompagnés d'un professeur, ils venaient d'une école militaire préparatoire plus ou moins jumelée à la nôtre. Ils étaient une grosse dizaine ; ils avaient notre âge. On nous encourageait depuis la rentrée, sans grand succès, à correspondre avec eux. Au rapport, le Donald nous avait instamment priés de faire honneur au bahut et à la nation par un comportement irréprochable durant le séjour de ces garçons parmi nous, car rien moins que la réputation de la France était en jeu. « Tout ça, c'est du pipeau », disions-nous fièrement en chuchotant dans les rangs. Il n'empêche que ce genre d'argument touchait encore en nous une corde sensible, remuait un fond de patriotisme non corrompu. Nous faisions la différence, je l'ai dit, entre notre haine de la strasse et notre amour de la France, notre sentiment à l'égard du bahut lui-même évoluant entre l'aversion et la gratitude, penchant d'un côté ou de l'autre selon que nous étions dedans ou dehors. Tant que ces étrangers, en provenance de l'ennemi héréditaire, seraient dans nos murs, le Donald pouvait compter sur notre obéissance. Pour plus de sûreté, il procéda aussi à quelques arrestations préventives, ordonnant en substance à Vandal : « *Round up the usual suspects !* », à savoir le grand Crep's et Bouboule, qui passèrent trois jours aux arrêts.

Quant à moi, du fait de mes compétences et malgré qu'il en eût, le Donald se résolut à me recruter comme interprète auprès de nos hôtes. Je ne les quittai donc pas d'une semelle, en profitant pour les observer de près. Ils me parurent bien moins militarisés que nous et portaient non pas l'uniforme mais un blazer bleu et un pantalon de flanelle grise — trop épais pour la saison —, une chemise blanche et une cravate rayée, et ils allaient nu-tête. On les logea à l'infirmerie, mais ils prirent leurs repas avec nous, au réfectoire, et je les menai après le déjeuner dans nos dortoirs, qu'ils trouvèrent froids et grands, ainsi que dans nos lavabos, qui les amusèrent. En redescendant, le Donald me prit à part pour me dire qu'il n'était pas indispensable de tout leur montrer, mais c'était trop tard. En chemin vers le réfectoire, nous avions fait halte aux gogues en plein air. Ils s'étaient extasiés devant nos toilettes à la turque, car ils n'en avaient jamais vu de pareilles. L'un d'eux m'apprit d'ailleurs que l'on disait en anglais « *French bogs* », ce que j'ignorais et que je n'ai jamais vérifié. Plus tard, je les fis aussi entrer dans le pavillon des douches. Ils me demandèrent où étaient la bibliothèque et la salle de musique. Touché, je leur répondis que nous n'en avions pas, mais que ces agréments ne nous manquaient nullement. Je leur parlais à présent comme Bonitatibus, le fana mili au noble patronyme qui m'avait naguère interpellé en ces termes : « Tu lis tout le temps ! T'as pas d'idées à toi ? » — comme s'il en avait, lui, des idées. Les cadets britanniques trouvaient que nous étions élevés à la dure. Je sentais chez eux quelque dédain pour des correspondants qu'ils jugeaient bien rustres. Je me surpris à défendre la discipline spartiate qui régissait le bahut, la décrétant bonne pour « former des hommes », « *to build men up* », dis-je. Je piquai aussitôt un fard, mais il était trop tard pour mettre des guillemets, pour retirer la phrase à la Bonitatibus qui m'avait échappé et à laquelle nul ne prêta d'ailleurs plus d'attention qu'au trouble qui m'avait fait rougir, comme si j'étais le seul à avoir entendu les mots empruntés que je venais de prononcer et qui me collaient maintenant à la peau telle la tunique de Nessus. Il y a de petites hontes qui restent inoubliables, des lapsus d'enfance ou de jeunesse, des bévues très anciennes, des gaffes, des fautes contre les usages qui reviennent périodiquement nous hanter, alors que tous les témoins ont disparu. Quand j'avais une dizaine d'années, un soir que je faisais le tour du salon après dîner, au moment d'aller au lit, je me souviens ainsi avec gêne d'avoir embrassé étourdiment, après mon père et ma mère, un colonel inconnu qui leur rendait visite au plus fort des événements d'Algérie. Le colonel et mes parents éclatèrent de rire. Je partis me coucher, humilié, me demandant quel comportement adopter vis-à-vis de cet officier si je devais le revoir, me décidant pour la plus grande froideur, une réserve à la prussienne que je n'eus jamais l'occasion de lui manifester, car il ne reparut pas à la maison mais entra dans la clandestinité.

Les cadets britanniques assistèrent à nos cours au fond de la classe. Une chose qui m'embêta fut qu'à la sortie du cours d'anglais, ils annoncèrent à la cantonade que je parlais mieux leur langue que le gros Bid's. Comme j'avais des rapports compliqués avec M. Bidon, sans doute pour la raison qu'ils avaient distinguée, je frémis qu'il eût entendu leur appréciation ou qu'elle lui fût rapportée.

Le dernier jour, je les accompagnai en autocar jusqu'à Saumur pour une présentation très réussie du Cadre noir. Je notai en moi-même que nous n'avions pas fait une seule excursion depuis la rentrée, alors que, pour nos correspondants anglais, on se mettait en frais. Puis ils disparurent — j'allais dire : sans laisser d'adresse, mais non — en laissant des adresses auxquelles personne ne leur écrivit jamais. Leur écrou levé, Bouboule et le grand Crep's nous revinrent, et nous nous retrouvâmes entre nous, prêts à reprendre le conflit.

Mes occupations durant la visite de nos camarades anglais m'avaient distrait de l'inquiétude ambiante. La nervosité empirait cependant, au fur et à mesure que la fin du trimestre approchait. L'échéance menaçait de rompre à jamais des habitudes de complicité quotidienne nouées au fil des ans dans les allées du bahut, entre des êtres qui appréhendaient de les quitter, ou des alliances scellées plus récemment, mais non moins exigeantes, comme celle qui me liait au grand Crep's et qui l'attachait encore davantage à moi. Je ne pouvais me dissimuler que je lui étais devenu indispensable. À l'époque, je ne connaissais pas les idées de Baudelaire sur l'amour, à savoir qu'il y a toujours un bourreau et une victime, et que la victime est celui des deux partenaires qui aime plus. D'ailleurs, je n'aurais pas songé à les appliquer, du moins sciemment, à notre amitié. Sans avoir lu *Mon cœur mis à nu,* j'étais pourtant instruit de l'asservissement réciproque qui peut joindre deux êtres, les faire dépendre alternativement l'un de l'autre, par les amours de Julien Sorel et de Mathilde de La Mole, chacun des deux se reprenant, se rétractant, dès qu'il s'était un tant soit peu livré, chacun des deux se comportant avec froideur, pour se protéger, et au prix d'une dissimulation aussi douloureuse pour celui qui l'exerçait que pour celui qui la subissait, de telle sorte que l'autre ne pût jamais penser qu'il était celui qui aimait moins, donc celui qui détenait le pouvoir, qui dominait. Avoir le dessus, pour Julien et Mathilde, c'était induire l'autre à penser qu'il n'était pas aimé, ou du moins pas autant qu'il n'aimait. Je lisais *Le Rouge et le Noir* durant l'été qui précéda la mort de ma mère. Un jour que mon père se rendait à New York, sans doute à l'Onu — c'était au retour d'un séjour au Mexique que j'ai déjà évoqué, sans que je puisse dire aujourd'hui pourquoi le Mexique m'avait donné l'envie de lire Stendhal —, je lui avais demandé de me rapporter le roman. Avant de reprendre l'avion, le *shuttle*, à l'aéroport de La Guardia, il avait trouvé le temps de passer par la librairie française du Rockefeller Center, aujourd'hui fermée, pour m'acheter un livre de poche où, sur le fond orange d'une scène de bal, vraisemblablement le bal chez M. de Retz au cours duquel Mathilde et Julien décident, chacun de son côté, de s'attaquer à l'autre, se détachait la silhouette du héros, hésitant entre la carrière des armes et la vocation religieuse. Nous nous trouvions dans la villa de Rehoboth Beach où nous passions rituellement le mois d'août. J'étais enfoncé dans Stendhal, avec le sentiment de tout y apprendre de la vie : la nature de l'ambition et de la volonté, les exigences de l'amour-propre et du devoir, les ambiguïtés de l'amour, de la jalousie et de l'hypocrisie, la soif de la liberté enfin, et aussi du bonheur. Aucune lecture, je crois, ne m'a autant marqué, à cause du moment — l'âge, les circonstances — où elle a eu lieu. Plus tard, *La Chartreuse de Parme* devait me donner la même fièvre, mais j'étais prévenu, je savais ce que j'y trouverais, de nouveau une leçon d'amour et de politique, et, si je me souviens bien, ce fut surtout le personnage de Mosca qui me frappa, comme un modèle, faiblement préfiguré par M. de La Mole et indépassable, de l'élégance, de la désinvolture dans l'exercice du pouvoir. Si je me décidais pour une carrière dans l'administration, l'industrie, la banque ou la politique, me disais-je à l'époque, Mosca serait mon idéal, ou encore Leuwen père. Et si j'avais eu un père comme celui de Lucien, ou si je rencontrais un mentor comme Mosca, à quelles grandes entreprises ne serais-je pas destiné! Pourtant je savais aussi qu'auprès de ces hommes faits, qui éblouissaient Stendhal par leur toupet, ses jeunes gens, Julien, Fabrice, Leuwen fils, se révélaient tous de mauvais élèves, des apprentis voués au fiasco. Combien Lucien Leuwen avait raison d'être émerveillé par son père, non pas comme Damiron admirait le sien, par convention et conformisme, mais avec une sorte d'exaltation tendre, que l'on éprouve plutôt pour un enfant ou une amante!

À Rehoboth, une fois *Le Rouge et le Noir* refermé — résistant à la tentation de foncer à travers le roman, appréhendant de l'achever, je me forçais à m'arrêter chaque soir au bout d'une centaine de pages —, j'étais incapable de trouver le sommeil, tant la lecture m'avait bouleversé et avait emballé mon imagination. Je descendais chercher de l'eau fraîche dans le réfrigérateur de la cuisine. La chambre de ma mère se trouvait au rez-de-chaussée, vers l'arrière de la maison. Mon père était retourné travailler à Washington pour la semaine. Ma mère non plus ne dormait pas; elle ne dormait plus. Nous nous rencontrions dans la salle à manger, où nous nous asseyions autour de la table; je buvais mon eau, vidais mon verre à petites gorgées; nous parlions un peu, doucement, sans toucher au seul sujet que nous avions en tête: ma mère n'avait plus que quelques semaines à vivre; elle le savait; nous le savions, mais personne n'osait le dire. Je me rappelais d'autres nuits où je l'avais retrouvée, du temps de la guerre d'Algérie, en l'absence de mon père, prenant l'air sur le balcon de notre appartement parisien. Enceinte, elle attendait alors l'une de mes dernières sœurs. Je me réveillais, je la rejoignais. Par ces belles et chaudes soirées de la fin du printemps, toute la maison dormait, sauf nous deux : je me sentais, à huit ou neuf ans, la force de la protéger. Cette fois, j'étais écartelé entre l'exubérance, la fougue de vivre que soulevait en moi ma passion pour Julien Sorel, et la désolation qui s'annonçait. J'embrassais ma mère, remontais dans ma chambre. Il n'était plus question de s'endormir : c'eût été trahir, oublier.

Quelques années plus tard, quand j'ai été amoureux, il m'est arrivé de me retrouver dans une relation qui m'a soudain rappelé Julien et Mathilde, c'est-à-dire moins l'« amour de tête » — car, une fois l'amour ainsi déclenché, les deux personnages, malgré eux, en perdent le contrôle — qu'une sorte de rivalité dans la dissimulation de l'amour, de *one-upmanship*, expression elle aussi difficile à traduire, désignant l'art de faire sentir à l'autre qu'il, ou elle, est en position d'infériorité ou de faiblesse, qu'il est le demandeur et que l'on a la haute main, que l'on est *one-up*. Je me suis alors revu à Rehoboth, lisant *Le Rouge et le Noir*, découvrant comment l'amour pouvait se muer en torture mutuelle, et je suis sorti au plus vite de cette liaison, à la recherche d'un « amour vrai, simple, ne se regardant pas soi-même », conforme à celui du héros de Stendhal et de Mme de Rênal, ou de Fabrice et de Gina, ou de Lucien et de Mme de Chasteller, une de ces passions d'un jeune homme pour une femme qui lui apprendra à vivre.

Avec le grand Crep's, même s'il n'était pas question d'amour — entre Julien et Mathilde, était-ce d'ailleurs de l'amour? —, le sentiment était tout aussi exigeant et pareillement destructeur. Bon gré mal gré, j'étais le bourreau, puisqu'il avait plus besoin de moi que je n'avais besoin de lui et que j'étais condamné à me dérober, donc à le décevoir et à le blesser. Ses exigences étaient démesurées, impossibles à satisfaire. Il se montrait toujours plus possessif, se précipitait à la sortie des cours et de l'étude pour me retrouver, ne me laissait pas un souffle de liberté. Le basket, qui avait été un jeu, un divertissement, un exercice, le terrain de notre connivence, devenait une obsession dont nous étions captifs.

Notre rituel musical prenait lui aussi la tournure d'une intoxication et d'un asservissement. Nous observions un silence absolu en écoutant nos disques. Nous faisions passer et repasser l'aiguille dans le sillon de *So What,* dix longues minutes d'improvisation avec Miles Davis à la trompette et John Coltrane au saxo, en tête de l'album *Kind of Blue.* Leur dialogue mélancolique n'en finissait jamais. *So what, so what?* « À quoi bon? pensais-je. À quoi bon tout ce cérémonial qui ne mène à rien? » Je sentais que l'angoisse montait dans le cerveau du grand Crep's, à moins que cette description corresponde non pas à la réalité de mon impression d'alors mais à l'interprétation que par la suite je devais donner des événements. On recherche après coup des indices, des signes annonciateurs; on les trouve toujours. On croit les avoir repérés, à l'époque, mais sur le moment on n'avait rien remarqué. Je suis incapable de dire quand j'ai acquis la certitude que le grand Crep's était fou — « barjo », « nase », « dingo », le formulais-je probablement dans la langue qui était à présent la mienne. Tout m'est pourtant devenu limpide à partir de cet instant; tout est même devenu beaucoup trop clair, comme si j'avais trouvé la clé de son comportement, mais non pas plus vrai, car il n'était pas plus fou qu'il n'était sain d'esprit, pas plus fou que moi, que Bouboule, Lambert ou Damiron, et il n'y a jamais de clé des êtres.

La plupart des ñass attendaient qu'il prenne notre commandement, nous donne des instructions dans la guérilla qui nous mobilisait contre nos chefs. Moi, je savais qu'il n'était plus en état de le faire et qu'il n'avait pas toute sa tête, mais je ne disposais pas de la formule, du diagnostic qui m'eût permis de rassembler toutes mes observations. Entre les insomnies palpitantes, les moments d'enthousiasme, d'extraordinaire exaltation, suivis de profonds abattements, qu'il parvenait à masquer par de terribles accès de colère, j'avais bien aperçu le cycle de ses humeurs sans être capable de leur donner un nom, mais j'étais assez lucide pour craindre autant les hauts que les bas de sa manière d'être.

D'autres que moi, en tout cas Barnetche et Petitjean, à qui j'avais confié mes inquiétudes sous le sceau du secret, redoutaient eux aussi que le grand Crep's ne fût lancé dans une aventure destructrice non seulement de notre encadrement, ce qui n'était pas pour nous contrarier, ou même du bahut, mais aussi de lui-même, ce qui nous affolait davantage. Nous nous étions demandé ce que nous y pouvions, sans rien conclure, sans oser prendre d'initiative. Nous procrastinions sottement.

L'adjudant-chef Vandal, qui guettait la retraite et qui en avait vu d'autres, ne s'en faisait jamais trop. Il était pourtant le seul de nos supérieurs à nous inspirer du

269

respect. C'est qu'il portait la médaille militaire, l'unique décoration qui pût nous épater. Sa médaille, avec son ruban jaune bordé de vert, valait mieux à nos yeux que la Légion d'honneur, arborée par la quasi-totalité des officiers, y compris les plus obtus, sous prétexte qu'ils avaient fait l'Indochine ou l'Algérie. Nous savions que les maréchaux de la Grande Guerre attachaient à leur poitrine cette seule décoration de sous-officier, à l'exclusion de toute autre. Cela en faisait à nos yeux le *nec plus ultra* de la grandeur militaire. Vandal n'était plus que l'ombre de lui-même. Quant à nous, nous étions redevenus des sauvages et nous ne respections plus rien — ou presque plus rien, car il nous restait un tabou : nous n'aurions pas voulu causer d'ennuis à un sous-officier titulaire de la médaille militaire. Et Vandal savait reconnaître ses erreurs ; il n'en avait pas honte comme Porcinet. Quand il s'était trompé, quand sa langue avait fourché au rapport et qu'il avait pris un élève pour un autre, quand il avait trébuché sur les ordres en nous faisant mettre au repos alors que nous y étions déjà, il se récriait aussitôt sur son étourderie au lieu de la déguiser dans un contrordre rauque : « Au temps pour moi », disait-il d'une voix sereine, expression dont le sens exact m'échappait, même si je me doutais qu'il ne l'aurait pas employée pour une bévue qui aurait porté à plus de conséquence qu'un peu de flottement dans les rangs, par exemple si sa distraction nous avait envoyés au feu contre notre propre camp.

Les soirs où Vandal était de garde, en principe nous nous tenions donc à carreau une fois les lumières éteintes. Nous avions nous aussi besoin d'un répit après des nuits écourtées à crapahuter autour du stade. Vandal traversait les dortoirs d'une démarche lasse, sans vérifier si tous les lits étaient occupés, nous laissant comprendre que, si nous avions l'intention de faire le mur par quelque belle nuit de printemps, ce n'était pas lui qui nous chercherait des poux, à condition que nous nous débrouillions pour qu'il ne fût pas obligé de sévir. Son métier lui était devenu parfaitement indifférent, ou « équilatéral », comme il disait : « Qu'est-ce que vous voulez que ça me fiche, vos hurlements de cosaques ? » demandait-il, sans attendre de réponse, en soulevant son képi pour caresser sa brosse à la Bressant, seule touche de dandysme chez le bonhomme. Après le Vietminh et les fellaghas, nos fièvres de pucelles le rendaient dédaigneux.

Il disait « équilatéral » pour exprimer son détachement, son équanimité souveraine devant nos vagissements, de même qu'il employait couramment d'autres mots de la langue des militaires, comme s'il n'y en avait pas eu dans la langue ordinaire pour dire la même chose, si bien que son parler était plaisant à écouter. Par exemple, il ne disait jamais ni « Oui » ni « Non », termes de pékins, vocables de demoiselles, mais toujours « Affirmatif » ou « Négatif », proférations qu'il accompagnait d'un léger redressement du buste. On sentait que dans sa jeunesse, longtemps auparavant, à l'époque de son engagement, quand il était convaincu de sa vocation, il avait accompagné ces « Affirmatif » et ces « Négatif » d'un claquement des talons, d'un haussement du menton, bref, d'un garde-à-vous dans les règles, en rectifiant la position. Depuis qu'il était monté en grade et avait pris de la bouteille, ses mimiques s'étaient relâchées. Il retrouvait cependant toute son énergie quand il voulait nous signifier un « Affirmatif » particulièrement

271

affirmatif, une sorte de superlatif de son « Affirmatif », et qu'il éructait ces deux syllabes tonitruantes qui paraissaient magiques : « Bessif ! » Je n'ai jamais su l'origine exacte de ce mot, qui a une vague sonorité arabe et que Vandal avait peut-être rapporté du bled, mais dont je devais m'apercevoir ensuite que son usage était assez répandu parmi les sous-officiers et même certains officiers revenus d'Afrique du Nord. Vandal était l'un des plus originaux, l'un des plus anciens aussi, raison pour laquelle il avait été affecté à la 5e compagnie.

Un soir, passant par hasard dans le couloir des miteux et entendant notre musique de jazz dans la turne de Padovani, il avait sèchement ouvert la porte, sans frapper, croyant surprendre un troufion qui se serait planqué pour éviter une corvée, un « carotteur », un « crassusseur », et il nous avait trouvés tous les deux, le grand Crep's et moi, vautrés sur le paddock à couvre-lit rouge du pitou en train d'absorber religieusement *First Take,* avec ses éclats cacophoniques, dans le fameux album d'Ornette Coleman, *Free Jazz,* rapporté de Lyon après Pâques. Nous nous redressions déjà, quand, au lieu de nous déloger, Vandal, intrigué, repoussa son képi, s'installa auprès de nous sur le lit et écouta, sans dire un mot, le disque jusqu'au bout. Sur quoi il se releva en s'écriant l'air méchant, confus sans doute de s'être laissé aller à un moment de complicité : « C'est pas tout, ça. On dégage ! Bessif au dortoir ! » Et je crois bien qu'il ajouta : « Filez fissa ! Raide comme balle ! » Puis il nous rappela, alors que nous décampions après avoir délicatement glissé le précieux 33-tours sous son enveloppe de cellophane, puis dans sa pochette de carton : « C'est embêtant, mais je vais devoir faire un rapport. Le camarade Padovani sait qu'il ne doit pas prêter son gourbi aux élèves. Le commandant lui passera un savon. Ça pourrait ne pas s'arrêter là. En tout cas, je vous conseille de ne plus remettre les pieds ici. » Nous prévînmes aussitôt Padovani, qui n'en mena pas large durant quelques jours, mais Vandal s'abstint apparemment de nous dénoncer, par flegme, fatigue, complaisance, ou parce que *First Take* lui avait rappelé une musique entendue à Saigon, dans une maison de passe, ce qui fut notre hypothèse favorite, malgré sa faible vraisemblance étant donné les libertés qu'Ornette Coleman prenait avec le swing dont Vandal aurait pu être familier en Indochine, avant Diên Biên Phu.

L'alerte passée, nous reprîmes le chemin de la piaule de Padovani, retenant de l'aventure que Vandal nous avait plutôt à la bonne. C'était aussi pourquoi nous lui fichions la paix, à condition qu'il ne se mêlât pas trop de nos affaires, ce dont il ne semblait pas avoir l'intention. Nous lui voulions personnellement d'autant moins de mal que nous soupçonnions son dédain pour le Donald et son mépris pour Porcinet, chacun misérable dans son genre, et nous profitions nous aussi du calme qui régnait dans les dortoirs, ses jours de garde.

En revanche, quand Porcinet était de permanence, nous nous déchaînions de plus belle, jusqu'au soir où les choses tournèrent vraiment au pire. Suivant un scénario désormais bien rodé, le raffut débuta peu après l'extinction des feux, qui désormais avait lieu, puisque nous approchions de l'été, avant que le ciel fût tout à fait obscurci. La clarté encore présente dans les dortoirs nous incitait peu à rester au lit. Porcinet remonta, piqua une rogne, intercepta au hasard quelques otages, un dans chaque chambrée, puisque le remue-ménage avait gagné toutes les rhétos. L'infortune tomba ce soir-là, parmi les modernes, sur Wolff, l'Alsacien au nez grec, et sur moi pour la première C2, deux associés du grand Crep's, la bête noire du sergent-chef, plus deux autres classiques dont l'identité m'échappe. Nous descendîmes gravement, sans nos couchages, cet escalier dont l'odeur de bois moisi m'avait donné du cœur au ventre, dans mes premiers temps au bahut, en me rappelant mon enfance. Comme cette époque-là était déjà lointaine ! Porcinet était suivi de ses victimes, qu'il conduisait au gnouf, à la fois craintives et fières. Nous atteignîmes enfin la cour, nous tenant crânement, la tête haute, au moment d'apparaître aux yeux de nos camarades rassemblés aux fenêtres, hurlant comme des énergumènes, ou comme ces prisonniers américains mutinés auxquels Gainsbourg s'identifiait lorsqu'il chantonnait : « Oui à Sing Sing je finirai. J'ai un coupe-coupe à cran d'arrêt. »

Comme à l'ordinaire, mais à plus grande échelle — d'habitude nous nous limitions à quelques espadrilles de sport —, ils se mirent à envoyer par les fenêtres — à « balarguer », disions-nous en exagérant la puissance de nos lancers — des batteries de chaussures, brodequins, pantoufles, charentaises, bottines, houseaux et autres écrase-merdes, sans chercher à nous atteindre, mais sans trop s'efforcer non plus, dans leur excitation, de nous éviter. Nous progressions ainsi sous les projectiles qui pleuvaient dru autour de nous. Un objet me tomba sur l'épaule sans provoquer de douleur, avant de s'affaisser au sol. Ce devait être une savate plutôt qu'un godillot. Parvenus à mi-chemin, entre le bâtiment et le poste de police, Porcinet nous arrêta, fit demi-tour, fixa les mitrailleurs et les apostropha, proférant des vulgarités parmi lesquelles les mots « peigne-culs », « olibrius » et « cosaques » étaient les moins indignes. Nous nous retournâmes nous aussi afin d'observer la grande scène qui ne manquerait pas de se jouer. Là-haut, nos camarades cessèrent le feu. Peut-être Porcinet les impressionna-t-il en leur faisant face, mais plus probablement ils avaient épuisé leurs munitions. « Faites gaffe à vozigues, mes lascars, s'exclama Porcinet. À ce train-là, vous finirez tous à Biribi », comme si le bahut n'avait pas déjà des airs de colonie pénitentiaire, et lui, une dégaine de maton. Des applaudissements ironiques accueillirent son propos, qu'il poursuivit de manière assez incohérente, car la logique n'était pas son fort, raison pour laquelle il se sentait en position d'infériorité, nous en voulait de nos études, même aux cancres qui, comme Bonitatibus, ne finiraient pas plus haut que sergent-chef. Il s'enfermait avec nous dans le mutisme pour éviter de se ridiculiser, sauf quand il n'en pouvait plus de se dominer ; alors il s'emportait, déblatérait, nous vitupérait. Ce fut le cas, cette nuit-là. Il nous menaçait tout son saoul des pires châtiments que nous vaudrait son rapport matinal au capitaine, rapport qui remonterait « au colonel » — de même qu'il nous envoyait « au coiffeur » quand il passait l'inspection de nos nuques, lors du rassemblement du matin. Nous quatre qui étions en bas, nous nous mîmes à tourner autour de lui, un peu comme dans une danse du scalp, et je crois bien que Wolff et moi, imités par nos deux autres compagnons d'infortune, nous fîmes même le geste d'appuyer la main sur la bouche et de frapper nos lèvres pour produire le son tremblotant, la sorte d'ululement que font les Indiens dans les westerns en virevoltant autour de leurs prisonniers.

À cet instant précis, on vit un bras s'élever à la fenêtre centrale, celle des lavabos, derrière les rangées des têtes alignées entre les deux montants. La main qui prolongeait ce bras lança vivement quelque chose dans notre direction, sans doute une dernière godasse qui avait échappé à la première salve, mais nous n'eûmes pas le temps de nous demander quoi, parce que le projectile, envoyé avec une précision d'orfèvre, atteignit la cible en plein dans le mille, à savoir le visage de Porcinet au centre du cercle que nous formions en dansant autour de lui et qui avait sans doute distrait son attention. Nous le vîmes porter les mains à son front, à ses tempes, à ses joues, puis les regarder avec ahurissement car, comme il ne nous échappa pas malgré la pénombre, elles étaient couvertes de sang.

Nous cessâmes notre ronde. Ceux d'en haut, qui n'avaient pas tout vu, se mirent à applaudir frénétiquement, ravis que le sergent-chef ait été touché. En bas, nous avions toutefois conscience qu'une limite avait été transgressée. Porcinet avait pris quinze ans d'un coup. Il avait soudain l'air d'un vieillard. Le choc avait fait sauter son képi qui se retrouvait de traviole à l'arrière du crâne. Sa mèche blondasse, d'habitude tirée vers l'arrière pour dissimuler sa calvitie, lui pendait sur le front. Il était blême de rage. Le sang se répandait maintenant sur tout le côté gauche de sa figure. Il sortit son mouchoir de la poche droite de son pantalon, le déplia et s'épongea, éloignant le mouchoir après chaque compression et le portant devant ses yeux afin de mesurer l'étendue des dégâts. Humilié devant tous les rhétos rassemblés aux fenêtres comme aux premières loges, il murmura quelque chose du genre : « Les petits salauds, ils me le paieront. » Puis il se baissa, ramassa le soulier, une tatane d'athlétisme, dont les crampons l'avaient blessé. Il nous donna l'ordre de le suivre, nous mena au poste de police et nous fûmes enfermés pour le reste de la nuit. Nous n'en menions pas large.

Ce qui eut lieu de l'autre côté des barreaux de notre geôle, nous n'en fûmes informés que le lendemain. Plusieurs sous-officiers des autres compagnies furent appelés en renfort. Vandal rappliqua également, ainsi que notre capitaine. On fit lever tous les rhétos qui, après avoir ramassé les centaines de godasses jetées dans la cour et recomposé les paires grâce aux matricules, prirent la direction du stade pour plusieurs heures d'ordre serré. Au matin, tout le bahut était au courant, les militaires et les civils. Nous apprîmes plus tard qu'au grand bahut, dans les couloirs de l'hôtel du commandement, puis dans les cours des élèves, on avait employé le mot de « rébellion », parlé d'une « mutinerie », voire d'une « révolte » qu'il était urgent de « mater » par tous les moyens. Les insurrections de ñass, cela arrivait parfois. Au XIXe siècle, époque où le gnouf occupait une aile entière, aujourd'hui détruite, de la cour de Crédence, la plus éloignée vers l'ouest, et débordait d'occupants qui y étaient envoyés pour un oui ou pour un non, certaines émeutes avaient été si violentes qu'il avait fallu faire appel à la troupe. En 1898, en pleine affaire Dreyfus, quand les cyrards s'étaient mutinés, le colonel avait dû faire intervenir les gendarmes, et la tension était encore vive en 1901, lorsque le président Loubet avait rendu visite au bahut et pris la parole, faisant l'éloge de la république devant de futurs officiers, ennemis ataviques de la Gueuse, dans le manège, le lieu de mes exploits équestres de l'automne, où la poussière et l'odeur caractéristiques m'avaient tant incommodé. Mais, de mémoire de gradé, aucun soulèvement n'avait pris l'ampleur du nôtre. Comme toujours dans ces cas-là, l'encadrement soupçonnait quelques « meneurs » d'avoir remonté les esprits, quelques « mauvais éléments » d'avoir entraîné la masse, alors que l'exaspération avait grimpé soir après soir de manière improvisée, spontanée, sans qu'aucune cinquième colonne eût agi en sous-main, mais non sans que la maladresse de nos chefs y fût pour rien. Il semblait très disproportionné de requérir une intervention de la Sécurité militaire, comme le fit le colonel Chenal. C'était pour lui une manière de dénier sa propre responsabilité, mais le ministère, qui n'était pas dupe et qui s'était déjà fait une idée de ses compétences, ne donna pas suite à sa demande et le déplaça au cours de l'été à Aubagne, au 1er régiment de la Légion étrangère.

Cette fois, tous nos professeurs firent allusion à l'affaire, nous appelant au calme, nous incitant au travail, nous recommandant de songer à notre avenir, aux espoirs que nos parents avaient placés en nous, nous adjurant de ne pas compromettre nos chances de réussir « dans la vie », que celle-ci fût militaire ou, plus vraisemblablement, civile. Cependant le Donald avait entamé son enquête. Il s'affairait. Lui qui ordinairement avait peu à faire et s'ennuyait derrière la porte de son bureau, cette occupation imprévue le distrayait. Il en était presque à se réjouir que Porcinet eût été abîmé et même à regretter qu'il ne l'eût pas été davantage. La pièce à conviction était la « tatane d'athlétisme que le serpatte-chef Lallement avait prise en pleine poire », suivant le procès-verbal officieux et bouffon de l'incident qui circulait par le téléphone arabe, un soulier pékin anonyme, sans matri, d'un style que nous n'étions pas nombreux à posséder. On fouilla toutes les armoires à la recherche de sa compagne, que l'on repéra aisément, ce qui épata le Donald, dans l'endroit le moins attendu, à savoir l'armoire de Damiron. Celui-ci jura ses grands dieux qu'il n'y était pour rien, qu'il ne s'était même pas aperçu qu'on lui avait chipé son soulier ailé, sans quoi il n'eût pas manqué d'en avertir aussitôt le piston, pour sûr. Il y avait pourtant quelque chose de comique, mais aussi de pervers, dans le fait qu'une chaussure appartenant à la Borne, le premier de la classe, le meilleur d'entre nous, l'espoir de la rhéto, eût servi à « dégommer Porcinet », ainsi que le répétait Bouboule en s'esclaffant.

On s'amusa à traiter Damiron comme s'il était forcément le coupable, puisque la chaussure lui appartenait. Il le prit mal, ne sut comment se défendre, répétait à l'envi que quelqu'un lui avait « chouravé sa grolle », qu'il avait bien son idée sur l'identité du coupable, mais qu'il ne nous la donnerait pas tant qu'il n'aurait pas réuni ses preuves, selon son esprit méthodique. Avait-il confié ses soupçons au Donald quand celui-ci, se prenant pour Dupin, l'avait convoqué pour lui faire part des résultats de son investigation et lui demander des comptes ? C'était plus que probable. Quant à nous, si certains faisaient des hypothèses, elles ne sortaient pas de notre cercle confidentiel. Le Donald nous fit appeler à tour de rôle, comme au confessionnal, tenta de nous tirer les vers du nez, voulut nous mettre en contradiction les uns avec les autres. Moi qui me trouvais dans la cour auprès de Porcinet, au moment des faits, j'aurais dû être hors du coup et n'avoir pas à déposer.

279

Il y avait toutefois un bon moment que notre histoire relevait du genre héroï-comique, qui exclut non pas le sérieux mais l'esprit de sérieux. Avec Mr. Mulford, nous avions étudié de près *The Rape of the Lock*, parodie burlesque de l'*Iliade* et chef-d'œuvre d'Alexander Pope, que je m'étais amusé à commencer de traduire sous le titre fallacieux du *Viol de la serrure*. Quoi de commun entre la mèche de cheveux dérobée à Belinda par son soupirant, au départ du poème de Pope, et l'affront subi par Porcinet? La minceur du prétexte, un concours de circonstances grotesque, et la gravité des conséquences. Dans tout récit de collège a lieu un chahut qui tourne mal. Cela fait partie des figures obligées. Nous jouions notre rôle, nous retournions à l'enfance, nous traversions une phase immature, et moi aussi, en rapportant l'épisode aussi fidèlement que je puis, j'aggrave la régression.

Nous en étions donc là et le Donald m'interrogea comme les autres, avant, comme je ne lui répondais rien, de me congédier en levant les yeux au ciel et en criant : « Rompez ! » Je saluai, claquai les talons, fis un parfait demi-tour et, l'esprit ouvert, tirai la langue avant d'ouvrir la porte. Qui d'entre nous savait que Damiron recelait ses précieuses chaussures à pointes dans son placard au lieu de les déposer sur les rayonnages du ciroir, en face des lavabos sur le palier, comme il aurait dû le faire? Quel esprit vicieux avait pu se rappeler qu'une fois toutes les godasses du ciroir expédiées dans la cour, il restait encore les ballerines à pointes que Damiron conservait dans son armoire, ces escarpins magiques qui ne lui avaient quand même pas donné des pieds assez ailés pour battre le grand Crep's?

Le grand Crep's ! À la vérité, nombreux étaient ceux qui pensaient à lui, ces temps-ci, et non nécessairement parmi les plus sots des militaires. Il ne possédait pas de chaussures d'athlétisme personnelles — pour la compétition, il percevait son équipement chez Bab El-Oued, au service des sports — et il enviait celles de Damiron. Raisonnement absurde, celui-là, digne du Donald, car comment imaginer sérieusement que le grand Crep's pût envier quoi que ce fût chez Damiron ? Il était le plus fort, le plus adroit, le seul capable de viser Porcinet du deuxième étage et de l'atteindre. Le bras qui s'était dressé au-dessus des têtes pressées à la fenêtre appartenait forcément à un garçon de haute taille. Or Damiron et le grand Crep's étaient les deux plus grands des rhétos, les hommes de base. C'était forcément l'un des deux. Bouboule, par exemple, était insoupçonnable. Entre le grand Crep's et Porcinet, le courant n'était jamais passé et la haine accumulée au cours des années était palpable. Bref, beaucoup d'indices, plus ou moins probants, plus ou moins ineptes, faisaient peser les soupçons sur lui, et le Donald aurait aimé pouvoir le coincer « une bonne fois pour toutes », disait-il, comme si, peu sûr de lui, il voulait donner le change et faire croire qu'il redoublait de détermination, et se débarrasser définitivement de lui, mais les preuves de sa culpabilité manquaient et il n'avouerait jamais.

Je n'avais pas vraiment de doute sur l'identité du lanceur héroïque de savate — du moins à l'époque, car, plus tard, j'ai changé d'avis, on verra dans quelles circonstances —, mais j'avais préféré ne pas demander au grand Crep's de confirmer mon intuition, par superstition, crainte de ne pouvoir résister si l'on m'interrogeait sous la torture. Nous prenant pour de futurs chefs, nous étions encore des enfants nourris de livres d'aventures. J'eus sans doute tort de ne pas questionner mon ami. Il en résulta que le nom du criminel ne fut jamais discuté ni prononcé entre nous, ni en public ni en privé, même jusqu'à ce jour, avec le résultat que le grand Crep's, qu'il s'agît de lui ou non — lui seul et Damiron le savaient —, fut condamné à porter seul un secret qui lui monta au cerveau, dans un temps où d'autres soucis lui pesaient déjà. Il ne montra ni satisfaction ni regrets que Porcinet eût été blessé, mais une impassibilité remarquable, une indifférence supérieure, par exemple lorsque le sergent-chef nous revint après quelques jours d'indisponibilité, la figure constellée de croûtes aux endroits où les pointes de la semelle de Damiron avaient pénétré, ainsi que la lèvre supérieure éraflée. Nous le regardions en silence. Du simple fait que nous le dévisagions, il déduisait que nous nous moquions de lui et il s'en prit comme de juste au grand Crep's. Porcinet avait honte de ne s'être pas baissé pour éviter la chaussure, qu'il n'avait pas vue venir à cause des quatre zozos qui tournoyaient autour de lui comme des splénectomisés. Il nous en voulait donc tout particulièrement.

Je dois cependant à la vérité d'ajouter qu'il n'avait pas plus de sympathie pour Damiron et qu'il le rabroua avec rudesse quand celui-ci crut bon, devant toute la compagnie, de s'excuser bassement de l'accident, en faisant valoir qu'il n'y était pour rien si l'on avait fouillé dans ses affaires et emprunté l'une de ses pointes de sprint, pour s'en servir à une fin répréhensible. Sans entrer dans ces arguties, Porcinet lui rappela que ses chaussures n'avaient pas leur place dans son armoire. Damiron tenta de se justifier par sa peur que ses belles pompes d'athlétisme ne lui fussent dérobées au ciroir. Porcinet eut un rire mauvais : « Un futur officier ne vole pas. Et un futur officier avoue s'il a commis une faute. » L'allusion était claire. Je regardai du coin de l'œil le grand Crep's. Il ne cilla point, et peut-être après tout n'y était-il pour rien.

Une cérémonie d'expiation fut arrangée par le Donald. Couturier avait composé sur ses indications une plate lettre d'excuses qui fut remise à Porcinet en présence d'une bonne partie des rhétos, certains repentis, d'autre simplement curieux. Les mauvais éléments étaient restés au dortoir, n'ayant rien à gagner à jouer le jeu, mais, d'après ce qui nous fut relaté au retour, la solennité se termina mal. Couturier s'avança, prononça trois humbles phrases, présenta à Porcinet un cadeau au nom de tous les rhétos. Or, quand le sergent-chef déballa le paquet et au moment même où il s'apprêtait à dire quelques mots d'indulgence magnanime qu'il avait mis au point avec peine, les ñass s'aperçurent que le présent sur lequel cette buse de Couturier avait arrêté son choix en leur nom était une boîte de chocolats de la marque Mon Chéri, ce qui provoqua un fou rire irrépressible et compromit en un instant toute la fête. Porcinet piqua un fard, ce dont il était coutumier, et le Donald décida de clore la réunion de manière précipitée, sans donner la parole au sergent-chef. Par la faute de Couturier, la tension monta encore d'un cran entre la strasse et les ñass.

L'animosité entre Damiron et le grand Crep's devenait, elle, explosive. Damiron voulait croire, ou faire croire, que l'inconnu qui avait lancé sa chaussure dans la cour avait cherché à le mouiller, hypothèse absurde — le capitaine

283

(il se peut que ce fût à tort) n'aurait pas pu considérer sérieusement plus d'une seconde que Damiron, dont il estimait la docilité, fût le responsable d'un geste aussi audacieux et eût blessé Porcinet —, mais qui le rendait intéressant à ses propres yeux. Si quelqu'un lui voulait du mal, il avait donc de l'importance, sentiment qui chatouillait sa vanité. Or, je l'ai dit, il manquait d'épaisseur, n'avait pas d'amis, était reconnu par nos professeurs en raison de son statut de tête de classe, mais sans que ceux-ci parussent lui marquer la moindre cordialité. Damiron était un solitaire. L'unique lien qui le rattachait à la société tenait à sa correspondance dense et suivie avec son père. Il en voulait donc à mort au grand Crep's, semblait obnubilé par la recherche de la preuve de sa culpabilité. Il en était même arrivé à négliger les mathématiques et obtint une note moyenne lors d'un devoir surveillé, à l'occasion duquel je fis, exceptionnellement, mieux que lui. Il s'imaginait qu'il parviendrait à confondre son ennemi, qu'il trouverait le moyen de le contraindre à l'aveu. Ce ne serait pas facile, car le grand Crep's, quand il n'était pas en classe, passait maintenant le plus clair de son temps au trou, le Donald ayant pris la décision d'une dernière charge contre lui. Une insolence, un calot de travers, des pompes mal cirées, un mot de trop, et il était envoyé aux arrêts.

Souvent, durant ces mornes semaines, quand Porcinet n'était pas de garde et si le sous-officier m'y autorisait, il m'arrivait de lui rendre visite, après le dîner, au poste de police. Son humeur était toujours plus sombre. D'ordinaire prolixe et même maladivement intarissable, il parlait peu désormais au cours de nos entrevues et je ne parvenais plus à le distraire, ou bien il passait sans ménagement du mutisme à la logorrhée, ce qui n'était pas mieux. Une idée fixe le tourmentait : il était persuadé que deux personnalités se livraient en lui à un combat sans merci ; il était hanté par la malédiction qu'il percevait dans de nombreux présages accumulés au cours de l'année et qui trouvaient tous leur sens dans *Docteur Jekyll et Monsieur Hyde*, la chanson de Gainsbourg que nous avions tant écoutée sur le tourne-disque de Padovani et dont les paroles l'obsédaient. C'était pourtant tout ce qu'il connaissait de la nouvelle de Stevenson, que je n'avais pas réussi à lui faire lire. Un autre fantasme l'occupait : dès qu'il aurait quitté le bahut, il comptait maintenant s'engager comme mercenaire au Yémen ou au Katanga, nouveaux eldorados pour les soldats perdus de l'époque, et pays de cocagne dans l'esprit des nombreux ñass qui avaient abandonné tout espoir de jamais devenir officiers ou sous-officiers français. Bob Denard était leur idole : ils se racontaient sans fin ses exploits ; ils se refilaient de vieux numéros de *Paris-Match* où ses aventures étaient illustrées. Jusque-là, le grand Crep's n'avait jamais exprimé le moindre intérêt pour ces commérages, les avait même jugés absurdes, voire fascisants, mais à présent il se laissait aller à de longues tirades où remontaient les truismes néocolonialistes, anticommunistes et racistes des « affreux ». Il me prenait à partie quand je refusais de lui donner raison et traitais ses discours de fadaises. Moi-même, de ces visites je revenais de plus en plus désemparé, ne sachant à qui confier mes pressentiments.

Plusieurs confrontations eurent lieu entre Damiron, hargneux, buté, bagarreur, et le grand Crep's, toujours plus détaché, au contraire. Une première fois, Damiron toisa le grand Crep's sous le préau des modernes pendant la récréation de l'étude du soir : « T'es pas cap, t'es pas cap », répétait-il en venant si près de l'autre que leurs museaux se touchaient presque. Et comme le grand Crep's ne réagissait pas : « Faut te faire soigner », s'écriat-il en tournant les talons. À une autre occasion, nous réussîmes à les séparer dans le réfectoire, au cours du déjeuner, non sans que le chariot métallique fût renversé, répandant sur le sol de grands plats de hachis Parmentier que le manutentionnaire s'apprêtait à déposer sur les tables. L'incident provoqua un sentiment général d'animosité contre Damiron, tenu pour responsable de notre jeûne forcé, ce jour-là. Mais une dernière reprise fut fatale, une nuit que le grand Crep's, par exception, n'avait été pas été enfermé au poste. Renouant avec nos habitudes, nous nous étions retrouvés dans les lavabos, que la lune éclairait ce soir-là. Nous nous taisions, car le grand Crep's était particulièrement taciturne, ne répondait à mes interrogations sur son état mental que par des marmonnements. Nous étions assis dans deux lavabos voisins depuis au moins une heure, au fond de la pièce, près de la fenêtre, surveillant d'un œil les mouvements de la cour, mais le silence qui s'était installé entre nous ne présageait rien de bon. Le grand Crep's était devenu incapable de surmonter son anxiété par une bravade comme il le faisait jusque-là. Son appréhension m'avait gagné. Nous étions paralysés par l'angoisse. Les mots et les gestes les plus simples nous étaient interdits. Ma présence, au lieu de le soulager, aggravait son état, mais nous ne pouvions plus nous quitter.

Un bruit dans le couloir nous fit dresser l'oreille. Dans notre abattement, nous avions manqué de vigilance et omis de surveiller le poste de police. Un sous-officier avait dû le quitter pour sa ronde. Non, le pas traînant sur le parquet annonçait plutôt un ñass en pantoufles qui se rendait aux gogues. De retour sur le palier, celui-ci entra dans les lavabos, se pencha au-dessus de la première cuvette de gauche, la tête de biais sous le robinet pour avaler une grande gorgée d'eau. Il referma le robinet, se redressa, jeta un coup d'œil en direction du fond de la pièce, vers la fenêtre près de laquelle nous nous tenions, et nous vit.

C'était Damiron. Les muscles de son cou se tendirent dans la pénombre. Je devinai le gonflement de sa grosse veine jugulaire, phénomène que j'avais remarqué chaque fois que quelque chose le fâchait, comme sa récente mauvaise note de maths. Des deux côtés de la pièce, les rangées de miroirs fixés au mur au-dessus des cuvettes réfléchissaient à l'infini sa haute silhouette légèrement voûtée qui se dirigeait vers nous, indifférents, figés dans nos chaises curules de porcelaine. Tout à son affaire, Damiron interpella aussitôt le grand Crep's : « Je sais bien que c'est toi. Je t'aurai un jour. » Le grand Crep's ne répondit rien. Absorbé dans ses pensées, certainement étrangères à la mésaventure de Porcinet, il ne daigna même pas lever les yeux, ce qui accrut l'irritation de son accusateur. Damiron saisit alors le grand Crep's au collet. Ce dernier ne disait toujours rien, couvrant Damiron d'un regard inexpressif.

Je tentai de m'interposer. Damiron me repoussa brutalement de son poing gauche, tandis que de la main droite il serrait le col du pyjama bleu clair du grand Crep's. Je risquai quelques mots : « Laisse-le tranquille. Tu vois bien qu'il est malade. — Malade, mon cul ! reprit Damiron. Ce fumier ! » Et il lui donna un violent coup de tête dans la poitrine ; le grand Crep's ouvrit les yeux, suffoqué, l'air de sortir d'un rêve. Il respirait avec peine, comme si l'agression de Damiron avait déclenché chez lui une crise d'asthme, mais il ne réagit pas davantage malgré mes objurgations. « Dis quelque chose, dis au moins quelque chose », répétait Damiron comme la Borne qu'il était. Moi qui savais que le grand Crep's était le plus fort, le plus rapide, je le pressai sinon de rendre les coups, du moins d'esquiver ceux de l'adversaire, car Damiron, excité par l'apathie du grand Crep's, par son mutisme obstiné, bafouillant, frémissant, fumant des naseaux, avait commencé de le secouer par les épaules, impatient d'une belle castagne. Derechef, je me plaçai entre eux. Damiron m'écarta d'une torgnole qui me fit valser contre la porcelaine d'une cuvette et il se mit à taper sans plus se contrôler. Déchaîné, il frappa de son poing droit l'épaule gauche du grand Crep's, dont le corps me parut inerte, mou comme celui d'un pantin, affaissé légèrement dans la cuvette. Reculant d'un pas, Damiron lui envoya alors son poing en pleine figure, atteignant l'arête gauche du nez, qui se mit à saigner abondamment. Je les regardai, épouvanté, puis, convaincu de mon impuissance, je me décidai à les laisser seuls.

Je me savais incapable de rien faire contre la furie de Damiron et, puisque le grand Crep's n'était pas en état de se défendre, j'étais parti en quête de renfort. Je me précipitai dans le dortoir des modernes, où je tirai Bouboule et Petitjean de leurs lits. Nous revînmes tous les trois et constatâmes qu'entre-temps Damiron avait continué de cogner. Les lunettes du grand Crep's étaient cassées. Le verre gauche s'était brisé en étoile et la grosse monture noire de plastique pendait sur son nez blessé.

Cette fois, à trois, nous maîtrisâmes Damiron, qui se débattit comme un dément; nous lui enfonçâmes la tête dans un lavabo et lui fîmes couler de l'eau froide dans les cheveux et sur la figure pour tenter de lui faire retrouver le calme. Petitjean et Bouboule restèrent auprès de lui à le contenir, tandis qu'avec Barnetche qui, voisin de lit de Petitjean, nous avait entendus et rejoints, nous conduisions le grand Crep's à l'infirmerie. Il était pris d'un tremblement incontrôlable. Je couvris ses épaules de mon bras pendant que nous traversions la cour.

À l'hosto, situé au bord du quartier, contre la rue du Goupil, mitoyenne d'un renfoncement sombre où nous faisions le mur quand il nous prenait le soir des démangeaisons de liberté, pour la beauté du geste puisqu'il n'y avait vraiment pas grand-chose à faire la nuit en ville, dans un uniforme aisément repérable — nous faisions un petit tour et revenions, fiers de notre exploit —, nous secouâmes l'appelé de garde, vaguement infirmier. Effrayé par l'état du grand Crep's, qui frissonnait de plus belle et ne disait toujours rien, même après que sa blessure eut été nettoyée, il décida d'appeler au téléphone le major, un homme doux comme le velours cramoisi de son képi et de ses épaulettes. Le bidasse, que nous connaissions vaguement par l'intermédiaire de Padovani, nous laissa attendre le médecin, assis de part et d'autre du grand Crep's, sur un banc, tous les trois dans nos pyjamas identiques. Je lui pris la main, la tins dans la mienne, mais il était aussi absent qu'un fantôme. Je me dis que sans doute il ne pesait plus rien, comme si son âme l'avait déserté. Il aurait pu être la dépouille du Docteur Jekyll abandonnée derrière lui par Monsieur Hyde.

Vandal, qui était de permanence cette nuit-là, arriva sur ces entrefaites, grognon, mécontent d'avoir été tiré de son sommeil, et nous chassa, Barnetche et moi, avec des paroles bourrues, mais non malveillantes. J'étais navré. Je serrai encore plus fort la patte du grand Crep's, semblable à celle d'un fauve abattu par les hommes. Je fredonnai un air de Thelonious Monk et Sonny Rollins, *I Want to Be Happy*. Rien n'y fit. Il ne m'entendait plus. Le juteux-chef insistant pour que nous dégagions, je quittai le grand Crep's sans même qu'il s'en s'aperçût.

Cependant, au dortoir, comme nous l'apprirent Petitjean et Bouboule à notre retour, Vandal avait envoyé Damiron passer la fin de la nuit au poste, moins pour le punir — la situation dépassait l'entendement de l'adjudant-chef — que pour l'isoler et calmer les esprits. Beaucoup de ñass étaient encore debout, humant l'air comme les curieux sur le boulevard après un crime ou un accident, satisfaits d'eux-mêmes. Ce fut alors mon tour de tomber dans une insondable prostration. Les autres me pressaient de questions sur la manière dont l'altercation entre le grand Crep's et Damiron avait commencé, mais j'étais incapable de rien raconter. Je ne réagissais plus. Les mots que le grand Crep's avait si souvent prononcés devant moi étaient pourtant présents à mon oreille : « Réagis ! Tu dois réagir ! », répétait-il, et il me donnait une forte tape sur l'épaule, m'emmenait en courant jusqu'au terrain de basket pour me changer les idées en épuisant mon corps, car c'était la thérapie qu'il avait pratiquée avec moi, le basket et le jazz, comme s'il avait su d'instinct l'efficacité de ces remèdes.

Wolff, réveillé lui aussi, mon préféré parmi les intimes du grand Crep's, se montra sensible à mon désarroi et me reconduisit jusqu'à mon lit. Nous étions livrés à nous-mêmes. J'avais cru que le grand Crep's était le meilleur, je lui avais fait confiance, mais il était lui aussi vulnérable, plus fragile même que moi, non pas frêle, fluet, mais fêlé à l'intérieur. Je ne dormis pas plus que durant ma première nuit au bahut, quand j'avais tant eu besoin de pisser et que j'ignorais où se trouvaient les WC.

Le matin, avant de me rendre en cours, je fis un détour par l'hosto, où l'infirmier de jour m'informa qu'il n'avait pas le droit de me dire que l'on avait administré au grand Crep's un calmant, mais qu'il me le disait quand même. Le grand Crep's dormait. Il n'était pas question de le voir. Je revins après le déjeuner et pus cette fois, avec l'autorisation du major, entrer dans la chambre où il reposait, un pansement sur le visage, là où la Borne s'était excité contre lui. Ses lunettes brisées étaient posées sur la table de chevet. Je m'assis au bord du lit, sur la couverture blanche, et lui saisis la main comme à un enfant, un tout petit garçon malade. «Je ne sais pas ce qui m'a pris, dit-il, au bout d'un moment. J'ai eu envie d'en finir.» Nous jouions des rôles trop importants pour nous ; nous n'étions pas à la hauteur.

Quand mon 6.35
Me fait les yeux doux
C'est un vertige
Que j'ai souvent
Pour en finir
Pan !
Pan !
C'est une idée qui m'vient
Je ne sais pas d'où

291

Rien qu'un vertige
J'aimerais tant
Comme ça pour rire
Pan !
Pan !

Quand je retournai à l'infirmerie, à quatre heures, le grand Crep's n'était plus là ; la chambre était vide, le lit avait été défait, comme si toute cette histoire n'avait été qu'un mauvais rêve. On voulut bien me faire savoir qu'il avait été transporté à l'hôpital municipal, au service de psychiatrie, et que je ne pourrais plus le voir. Dans les romans, on lit des phrases comme « Le sol se déroba sous ses pieds », ou « Le soleil s'assombrit et la terre cessa de tourner ». Elles ont l'air idiotes, on aurait même honte de les avoir pensées, jusqu'au jour où elles disent exactement ce que l'on éprouve et qu'elles s'imposent à vous comme la seule manière d'exprimer votre émotion. Je tombai littéralement dans un précipice. Des années après, en revivant l'épisode pour l'écrire, je ressens le même vertige. Je pourrais dresser la liste des bouleversements analogues, cinq ou six tout au plus durant mon existence jusqu'ici, des chocs impréparés qui laissèrent à tout jamais de telles cicatrices : coup de téléphone m'apprenant la mort d'un être aimé, lettre de rupture me donnant la certitude du néant, échec professionnel me rendant insensible au monde entier.

Un de ces jours-là — j'étais adulte depuis longtemps —, après un choc semblable, je sortis de chez moi pour respirer. Je passai devant la marchande de primeurs qui m'avait offert un sachet de reines-claudes le jour où, des années plus tôt, j'étais parti pour le bahut. J'avais sans doute l'air hagard. Elle me héla : « Ça ne va pas ? » demanda-t-elle. Je m'arrêtai, admis que ça n'allait pas fort. « Reste ici », décida-t-elle à ma place, et je passai la fin de l'après-midi à servir les clients comme je le faisais quand j'étais enfant et qu'elle m'emmenait aux Halles dans son Tube Citroën, les vieilles halles du *Ventre de Paris*, pesant les carottes, coupant les feuilles des poireaux, tranchant les potirons, ou bien — je ne me rappelle plus la saison — choisissant les melons comme son mari me l'avait enseigné, en trois gestes rituels exécutés dans un ordre irréversible, tâter le cul, toucher la queue, soupeser le fruit reposant comme un sein dans la main. Quand nous baissâmes le rideau de fer à la nuit tombée, je me sentais déjà mieux.

J'étais sous l'empire du grand Crep's. Je lui avais voué mon admiration comme à un chef de bande, un meneur, un entraîneur, et pourtant sa chute me le rendait encore plus cher ; il m'en imposait plus par sa fragilité. Sa soudaine absence me faisait mesurer combien il m'était devenu indispensable. Je repris le chemin du réfectoire, mais je n'étais pas prêt à affronter le regard de mes camarades, même Petitjean et Wolff, et j'errai jusqu'au terrain de basket, m'assis au pied du panier et m'entaillai la paume de la main gauche avec mon couteau de poche, pour me faire mal, pour ressentir quelque chose.

Comme je me dirigeais machinalement vers notre salle de classe pour l'étude du soir, la sono se mit à grésiller, avec ce bruit familier de friture qui préludait à une annonce : « L'élève Marcel est convoqué au poste de police pour communication téléphonique. Je répète. L'élève Marcel est convoqué au poste de police pour communication téléphonique. » Je sursautai. Qui pouvait bien m'appeler justement aujourd'hui ? Quelle mauvaise nouvelle allait encore me tomber dessus ? À la manière d'un pantin, je courus vers l'entrée du bahut, la main gauche engluée de sang et entourée de mon mouchoir. « Allô, l'élève Marcel à l'appareil », dis-je, d'une voix timide, une fois que le standardiste m'eut passé la communication dans la cabine. Une puissante voix de femme me répondit avec chaleur. C'était la marquise de Vezou, qui ne m'avait plus fait signe depuis des mois, au moins depuis Noël. La fin de l'année scolaire arrivant, elle se serait rappelé mon existence et se serait sentie en faute. Elle m'invitait pour l'un des deux prochains dimanches. Je dus lui avouer que j'étais privé de sortie, ce qui la fit rire : elle m'avait pris pour un garçon tranquille, me dit-elle. Sa réaction me détendit un peu. « Alors à l'an prochain, conclut-elle, car je pars ensuite pour le Midi. » Ainsi, le monde continuait d'exister. Je regagnai l'étude en philosophant sur la vie.

Ce fut Daru, l'ancien enfant de troupe des Andelys, maintenant P-DG d'une grosse entreprise de télécommunications, qui m'appela à mon bureau, à New York, où jamais il ne m'avait fait signe. Il avait cherché mon numéro. Ça devait être urgent. Daru n'avait pas connu le grand Crep's, puisqu'il nous avait rejoints plus tard au bahut, avec Buvik, son double.

« Tu es au courant de ce qui vient d'arriver à Damiron ? me dit-il.

— Damiron ? Qui ça, Damiron ? Qui ça, Damiron ? »

J'étais d'humeur facétieuse. Daru n'y vit que du feu, mais j'imitais la réplique de Cottard apprenant que Charlus avait été invité à dîner chez Mme Verdurin, à La

Raspelière, et perdant tous ses moyens : « Un baron ! Où ça, un baron ? Où ça, un baron ? »

« Tu le sais bien. Ne fais pas l'imbécile. Damiron, la Borne ! »

Je continuai de le taquiner (Daru était un camarade que j'avais toujours aimé faire maronner ; c'était ma façon de lui exprimer mon affection) :

« Le baron ? Quel baron ?

— Pas le baron, reprit-il avec énervement. La Borne, la Borne ! »

Les choses se remettaient en place peu à peu :

« Ah, oui ! La Borne. Eh bien ! Qu'est-ce qui lui est arrivé de si intéressant, à la Borne, après toutes ces années, pour que tu m'appelles enfin ?

— Tu ne le croiras pas, mais il a tué sa femme et ses enfants. »

Cette fois, ce fut moi qui restai coi. Je me ressaisis :

« Il était marié ?

— Oui, puisqu'il a tué sa femme. Les journaux en sont pleins. Il n'a pas supporté qu'elle veuille le quitter.

— L'épouse, je comprends. Enfin, si on veut. Mais les enfants !

— Les articles parlent d'un massacre, d'un accès de démence.

— J'ai toujours pensé qu'il était fou. Il ne fallait pas être grand clerc pour le deviner. Mais à ce point-là ! »

Daru n'avait pas connu Damiron en rhéto. En prépa, son comportement paraissait moins insolite, plus ordinaire. Il se fondait parmi quelques autres garçons qui avaient une aussi grosse tête et étaient aussi obtus que lui. Beaucoup proféraient avec le plus grand sérieux les mêmes platitudes, croyaient aux mêmes idées reçues, portaient des œillères pour se protéger de la réalité, se voyaient déjà arrivés et se convainquaient mutuellement qu'ils le méritaient.

« Tout lui avait apparemment réussi, poursuivait Daru. Il avait fait une belle carrière, un beau mariage, de beaux enfants. Il avait pantouflé. Il gagnait bien sa vie dans la banque. Tout semblait aller au mieux.

— Trop parfaitement. C'était trop beau pour être vrai. Je peux te dire que ce type n'a jamais tourné rond. Il a toujours débloqué. Ça m'étonne, bien sûr, ce que tu me dis qu'il a fait, mais de n'importe qui d'autre que tu m'aurais cité, je ne l'aurais pas cru. De lui, ça paraît moins invraisemblable même si c'est insensé. Il m'est arrivé, ce mec-là, de le voir s'acharner comme un forcené contre mon meilleur ami. »

C'est le genre de propos irréfléchi, stupide même, que l'on tient dans ces circonstances, heureusement assez rares. Pour se protéger, pour éviter de réfléchir. « Tu étais le seul à réfléchir », me disait le grand Crep's. Entre-temps, je m'étais bien laissé aller. En fait, la nouvelle que m'apprenait Daru me troublait infiniment plus que je ne le lui avais laissé entendre et que je ne pouvais l'imaginer sur le moment, car elle me causa l'un des cinq ou six de ces chocs que je n'oublierai jamais. Je n'avais pas pensé une seule fois au dénommé Damiron, dit la Borne, depuis plus de vingt-cinq ans, je crois bien que nous n'avions pas échangé une seule parole depuis qu'il avait quitté le bahut, pas même, malgré nos souvenirs communs de bizutage, quand je l'avais rejoint à l'École avec un an de décalage, et j'ignorais ce qu'il était devenu, s'il vivait à Paris, en province, à l'étranger, s'il servait toujours l'État ou non, s'il s'était marié, s'il avait des enfants, s'il s'était enrichi, s'il faisait toujours du sport, de l'athlétisme, ou s'il s'était converti, comme tant d'autres, à la mode du jogging ; mais depuis que Daru m'avait rappelé son nom, je le revoyais très exactement, avec son calot de travers rabattu sur l'œil droit, ses pieds rentrés en dedans, le coup de collier qu'il donnait quand il faisait un effort physique ou intellectuel, sa dégaine d'animal mal dégrossi, son air à la fois niais et madré, ses hennissements incongrus. Je me le rappelais avec bien plus de netteté que beaucoup d'autres camarades dont j'avais été plus proche, preuve que je l'avais observé avec soin, par exemple quand il passait au tableau pour un exercice de maths, que la tâche l'absorbait tout entier, qu'il se concentrait sur la solution du problème, et que le bout de sa langue pointait bêtement entre ses dents tandis qu'il couvrait toute la surface noire de sa grande écriture soignée d'âne savant.

Tout en lui était appliqué, sage, banal, médiocre, au fond, mais il avait tué sa femme et ses enfants. Voilà qui sortait de l'ordinaire, en faisait un héros de fait divers, un monstre ! Daru n'avait pas tort. Quand on descend sa femme, c'est ce qu'on appelle un crime passionnel. Ça vous vaut les circonstances atténuantes et une condamnation modérée, car la justice reconnaît l'empire des passions. Comme le chantonnait Antoine durant notre printemps de rhéto :

> *Le juge a dit à Jules vous avez tué*
> *Oui j'ai tué ma femme pourtant je l'aimais*
> *Le juge a dit à Jules vous aurez vingt ans*
> *Jules a dit quand on aime on a toujours vingt ans.*

Mais on ne tue pas ses gosses, ou l'on se supprime après. Damiron avait bien essayé, mais sans insister, et il s'était raté. L'infanticide est incompréhensible, sauf chez Médée, à moins que l'on ne soit vraiment dérangé. En rhéto, Damiron n'avait pas de passions, seulement des raisons, beaucoup de raisons, toujours de bonnes raisons. À l'époque, je l'enviais pour ses raisons. Maintenant je me disais que c'étaient elles qui l'avaient rendu fou, ses calculs exagérément raisonnables, sa volonté de tout contrôler, son obsession que tout fût ordonné, régulier, sensé, net. On peut être fou de trop de raison.

Secoué, je sortis de chez moi, parcourus à grandes enjambées les rues de Manhattan pour faire passer le crime de Damiron. On n'a pas songé un seul instant depuis plus d'un quart de siècle à quelqu'un que l'on a connu et côtoyé du matin au soir durant plusieurs années, épié, redouté, maudit, on apprend qu'il a été mêlé à une histoire tragique, et l'on est mis en cause dans ce que l'on a de plus intime, on retrace les détails de sa propre vie avec un sentiment de culpabilité qui fait se demander si l'on a commis une erreur, si un geste au moment opportun aurait pu changer le cours des choses. Toujours l'histoire de la Patte-d'Oie de Gonesse, le poids des choix irréversibles, que l'on a faits « une bonne fois pour toutes », l'impossibilité de récrire le passé, de rejouer sa vie. Et moi, aurais-je pu tuer ma femme et mes enfants ? Après tout, à quinze ans nous étions interchangeables, Damiron et moi. Quand je pensais à l'imiter, quand j'admirais sa volonté, quand je le voyais comme mon double réussi, je ne prévoyais pas ce dénouement.

Après la rhéto, nous nous assîmes encore sur les mêmes bancs pendant trois ans, mais nous ne revînmes jamais sur les incidents qui nous avaient rapprochés durant notre année de bizuts. Je n'avais jamais aimé Damiron, puis je l'avais détesté, puis il m'était devenu indifférent. Il m'avait sidéré dans les premiers temps par son comportement méthodique, son intimité avec son père, ses propos sentencieux sur des choses sans intérêt, comme le jour où il m'avait conseillé, pour préserver le fond de mes poches, l'emploi d'un porte-monnaie, objet dont il n'aurait plus beaucoup à se servir, puisqu'il allait certainement être condamné à la réclusion criminelle à perpétuité.

Moi-même, à quinze ans, je m'étais demandé si sa formule était la bonne, si je devais le prendre pour modèle afin de réussir, mais le destin en avait décidé autrement lorsque je m'étais lié avec le grand Crep's et sa bande de Vilains Bonshommes, lorsqu'ils m'avaient adopté sans que j'eusse osé résister. Le plus fou n'est jamais celui que l'on croit. Après la nuit où il avait tabassé le grand Crep's, lequel, étranger à lui-même, ne s'était pas défendu, c'était Damiron qui aurait dû être interné, non le grand Crep's, au lieu de quoi les militaires avaient trouvé sa réaction naturelle, normale, somme toute humaine, à la suite de la mauvaise blague que quelqu'un lui avait jouée en se servant de sa chaussure comme projectile pour défigurer Porcinet. Il avait agi en homme, en dur, en futur chef ; il avait le sens de l'honneur.

Le grand Crep's et Damiron étaient les plus grands, les plus forts des rhétos. Comme de juste, j'avais échoué à les séparer. Aurais-je dû en faire plus ? Insister — mais de quelle autorité ? — pour que Damiron fût soigné parce qu'il n'était pas normal qu'il fût si normal, pas raisonnable qu'il fût si raisonnable, parce qu'il lui manquait quelque chose, des sentiments, des émotions, une dose d'humanité, de pitié, de gratitude ?

Je marchai jusqu'au soir à travers les rues de New York, passant par Grand Central et Washington Square, revenant par le manège de Central Park, retraversant ces quartiers où, il y avait si longtemps, avant de connaître et Damiron et le grand Crep's, l'un qui avait fini criminel et l'autre magistrat — deux destins aussi improbables l'un que l'autre —, j'avais poursuivi Holden Caulfield, le héros de Salinger qui lui aussi avait abouti chez les fous. Soudain, une idée me traversa l'esprit : c'était Damiron, j'aurais dû y penser, qui avait lancé sa propre chaussure par la fenêtre à la figure de Porcinet. Je remontai chez moi en toute hâte, cherchai le numéro du grand Crep's, avec qui je ne m'étais pas entretenu depuis de longs mois, l'appelai enfin. Oui, il était au courant des faits et gestes récents de notre camarade Damiron ; il les avait lus comme tout le monde dans les journaux. Ça ne l'avait pas surpris plus que ça. Quelle chaussure ? Ah, oui, le soulier d'athlétisme de Damiron. Il en avait un vague souvenir. Non, ce n'était pas lui qui l'avait lancé. Jamais de la vie. Pourquoi lui reparlais-je de cette vieille histoire ? Sa voix était encore plus cassée qu'à l'ordinaire et il avait le souffle court. Il m'apprit qu'il venait d'être opéré d'une mauvaise tumeur. « On aurait dû le buter à l'époque, dit-il pour finir. Ce con-là, il ne méritait pas de vivre. »

Trois ans plus tard, j'étais toujours à New York. Je suivis la chronique du procès Damiron, dont la presse parisienne était remplie ; j'y apprenais peu que je n'eusse déjà imaginé, sinon les détails du crime, lequel avait été une boucherie vraiment inhumaine — Damiron avait utilisé un 6.35, le 6.35 de son père, non pas celui qui faisait les yeux doux à Gainsbourg dans la chanson, et un marteau —, mais je n'avais aucune curiosité pour le déroulement matériel du triple assassinat. J'aurais voulu lire le *Crime et châtiment* de Damiron. C'était dans le cerveau du garçon auprès de qui j'avais vécu que j'aurais voulu entrer, comme Dostoïevski m'avait fait pénétrer dans la tête de Raskolnikov, quand j'avais quatorze ans. J'aurais voulu comprendre pourquoi c'était lui qui était devenu un assassin, et non moi.

Mon ancien condisciple se montra odieux devant la cour d'assises. Il pensait mériter un grand procès, où il aurait tout justifié et dont il se serait tiré avec une peine symbolique. Aussi prit-il les choses en main avec autorité. L'instruction, prétendait-il, avait été bâclée. Il récusa son avocat pour se défendre lui-même, mais il se rendit insupportable à ses juges par son arrogance, sa bonne conscience, ses certitudes, son estime de soi, son absence de chagrin, son défaut de repentir. Il pinaillait sur des détails, reconnaissait les faits mais non sa culpabilité. Inconscient de l'horreur de ses actes, il se présentait comme une victime. Pour lui, les torts étaient du côté de sa femme, responsable de ne pas lui avoir laissé d'autre solution, comme en mathématiques, que de faire disparaître toute sa famille. Tout était cohérent dans sa tête. Il aimait sa femme et ses enfants ; il les avait achevés par altruisme, pour soulager leurs souffrances, pour leur épargner l'éclatement familial ; il leur avait rendu service en leur épargnant une vie qui ne valait plus la peine d'être vécue. Il était manifeste que Damiron ne mesurait pas la gravité de ses crimes, ce qui semblait établir qu'il n'avait pas toute sa tête, du moins à présent, sinon lors des faits. Mais de quand datait sa « conviction délirante », comme disaient les psychiatres ? Avait-elle provoqué le « passage à l'acte » ou seulement servi à le rationaliser après coup ? Les experts le qualifièrent d'« esprit supérieurement intelligent », mais ils le trouvèrent aussi rigide, insensible, convaincu de son bon droit, enfermé dans des convictions impénitentes ; ils le traitèrent encore d'obsessionnel, de paranoïaque, de machiavélique, de diabolique, sans que cela diminuât à leurs yeux sa responsabilité au moment du crime, même s'il délira au vu et au su de tous durant les quatre jours de son procès. On parla aussi de double personnalité, à la manière de Docteur Jekyll et Mister Hyde. Pourquoi pas ? Mais ces étiquettes ne restituaient pas ce qui s'était passé sous son crâne quand il avait liquidé ses deux enfants, ou bien lorsqu'il avait cogné le grand Crep's.

Un samedi soir de l'hiver qui suivit, je dînais chez des amis, lui, japonais et pianiste, elle, alsacienne et juriste, dans leur appartement parisien surchargé de bibelots et décoré de fanfreluches, peu zen. Nous repartions tôt le lendemain pour New York, mais nous avions accepté leur invitation, Syssia et moi, parce que nous étions liés à eux depuis quelques mois, sortant ensemble à l'Opéra ou au restaurant. C'était la première fois qu'ils nous recevaient chez eux. Nous nous retrouvâmes à une table d'une douzaine de convives. Je bavardai alternativement avec mes voisines, dont l'une était avocate et l'autre pédiatre. Nous ne manquions pas de sujets d'entretien, mais je fus distrait par une conversation qui passionnait l'autre bout de la table. Une femme racontait qu'un de ses collègues de travail avait commis un assassinat. Elle lui avait rendu visite plusieurs fois à Fleury-Mérogis ; elle essayait de s'expliquer son crime : petit bourgeois de province passé par les grandes écoles, il s'était marié au-dessus de son rang ; il avait fait carrière, disait-elle, moins pour satisfaire sa propre ambition que pour assurer à sa femme le standing auquel elle avait été habituée comme jeune fille, pour lui procurer une maison, des loisirs, une domesticité à la hauteur de ses prétentions ; sa belle-famille, très aisée, le regardait de haut, le snobait. L'affaire, pensai-je, pouvait être celle de Damiron. C'était le cas. Aussi, prenant la parole d'une voix forte qui interrompit tous les propos de table, monopolisant l'attention, je notifiai à cette dame qui faisait mine de le comprendre, ou du moins qui lui cherchait des excuses, que j'avais connu ce garçon quand il avait quinze ou seize ans, que nous avions vécu ensemble, couché pendant quatre ans non loin l'un de l'autre, que j'avais partagé sa vie, et que je pouvais l'assurer qu'il était déjà un aliéné à cet âge-là, un psychopathe, un malade mental. L'ayant longtemps fréquenté adolescent, ajoutai-je, son crime ne me surprenait pas. Elle me regarda d'un air si désolé que je m'en voulus de mon intrusion, car mon propos avait excédé ma pensée. Je ne crois pas que tout soit écrit de toute éternité. À l'époque, simplement, Damiron n'était pas un être qui jouissait de beaucoup de libre arbitre, quand le grand Crep's en avait trop et passait pour un boutefeu.

Une fois dans la rue, Syssia me dit que je lui avais paru exalté, que je m'étais presque mis à crier et que mon propos avait jeté un froid parmi les convives. « Qu'est-ce que c'est que cette histoire dont tu ne m'as jamais parlé ? ajouta-t-elle. — Une vieille histoire sans aucun intérêt », répondis-je pour couper court à toute explication. De retour, au moment de faire nos bagages, je m'aperçus que le linge n'avait pas été repassé. Nous sortîmes la table et le fer du placard. Je repassai mes chemises tandis que Syssia faisait sa toilette, puis nous échangeâmes les rôles. Quand Syssia eut repassé ses chemisiers, je sortis de la salle de bains et défis son travail, c'est-à-dire que je dépliai les chemisiers et les repliai à ma manière, à l'envers, le dos sur la table au lieu de la face, en rentrant le corsage sur lui-même pour que rien ne dépasse, ne se voie, ni le col, ni les manches, ni les boutons. « Tu es complètement maniaque, me dit-elle en haussant les épaules. Je n'ai jamais vu personne plier les chemises comme toi. — C'est comme ça qu'on me l'a appris à l'armée, "la chemise étant étendue, le devant en dessus, rabattre le col et les manches vers l'intérieur, replier le pan de derrière vers l'intérieur, de manière qu'il ait la même longueur que celui de devant...", et ce n'est pas une mauvaise méthode. » Nous nous mîmes au lit. Je passai ce qui restait de la nuit à lui raconter ma classe de rhéto ; je lui parlai pour la première fois du grand Crep's, du Donald, de Vandal. De Damiron, je n'ajoutai rien ce jour-là, faisant comme s'il n'y avait aucun rapport entre ma scène à dîner et ma façon de repasser le linge, pour que l'alignement soit parfait dans l'armoire, au carré, comme Porcinet l'exigeait et que je le ferais pour toujours.

Les trois dernières semaines du trimestre furent sombres, vides, désolées. Personne n'eut plus à cœur de lancer un tapage. Les beaux pétards, les grands charivaris appartenaient à notre passé. Nous nous terrions, nous nous taisions. *Les Élucubrations* d'Antoine, la drôle de rengaine que diffusait sans arrêt le poste cette saison-là, échouait même à nous dérider. Porcinet nous narguait, fier d'avoir enfin pris sa revanche et triomphé du grand

Crep's. M. Auberger, notre maire, le futur député de centre-droit et le spécialiste de la géographie électorale, pour conclure l'année et rattraper le temps perdu, fonçait à travers la Troisième République et la Grande Guerre, sans oublier la question turque et la Nep. Quant à M. Formica, le soldat-professeur de français-latin, probablement communiste comme le grand Crep's devait me le suggérer trente ans plus tard, ou en tout cas sympathisant, il nous fit lire le sonnet en x de Mallarmé, qui m'épata. Pour compenser, car il y avait sans doute en lui un fond de perversité et de malice, ou bien parce que sa conscience politique l'incitait à voir en nous, non sans lucidité d'ailleurs, de futurs suppôts de la réaction parachevant au bahut leur enfance de chefs, et qu'il voulût nous punir à titre préventif, il nous donna une dernière dissertation sur une pensée de Montherlant : « Jeunesse, temps des échecs », sentence lapidaire qui me plongea dans une insondable désolation, car elle résumait trop parfaitement l'idée, « *Vanitas vanitatum et omnia vanitas* », que je me faisais alors de l'année à peine écoulée. Je ne jurerais pas que notre professeur nous livra le nom de son auteur — j'ai pu l'apprendre plus tard car la citation traîne un peu partout —, et je ne garde pas le moindre souvenir de ma copie. Si Montherlant a été nommé, j'ai pu citer *Les Jeunes Filles,* dont la lecture m'avait édifié peu auparavant — c'est en écrivant ces lignes qu'elle me revient à la mémoire —, mais ma composition fut probablement très scolaire et appliquée, cherchant à masquer sous le verbiage emprunté l'émotion que le sujet du devoir m'avait inspirée. Les plus sensés de mes camarades partagèrent mon sentiment, notamment Lambert, de naturel heureux, du moins en ce temps-là, qui fut outré :

M. Formica cherchait à nous décourager pour de bon après les humiliations que nous venions de subir. Cet aphorisme cruel, comme une sorte de $\sqrt{b^2 - 4ac}$ irréfutable et inoubliable, devait en tout cas me rester à jamais devant les yeux, car il s'était ancré bien plus profondément dans les replis de mon cerveau que la belle devise que le Donald avait espéré nous voir adopter sous sa férule, et il a longtemps tenu lieu pour moi de *mané, thécel, pharès*. L'une des aubaines du vieillissement a été de m'en libérer, comme d'une malédiction d'éternelle jeunesse à la Dorian Gray. D'un autre côté, quelques mois plus tard, durant l'été, j'étais tombé, dans *Les Ambassadeurs*, de Henry James, sur le propos nettement plus encourageant de Strether, l'homme mûr, conscient des occasions ratées, du temps perdu, adressé à Little Bilham, jeune homme débutant dans la vie, s'imaginant avoir tout le temps devant lui : « *You're young — blessedly young. Live up to it. Live all you can ; it's a mistake not to. It doesn't so much matter what you do in particular, so long as you have your life. If you haven't had that, what have you had ?* » (« Vous êtes jeune, merveilleusement jeune. Vivez à la hauteur. Vivez tout ce que vous pouvez ; c'est une erreur de ne pas le faire. Peu importe ce que vous faites en particulier, si vous avez votre vie. Si vous n'avez pas cela, qu'avez-vous eu ? ») Il n'y aurait donc pas d'échec à condition de vivre vite, quelle que fût la vie, sans tarder, tout de suite. Mais en nous préservant de la vie, en nous cantonnant dans une enclave de la vieille France protégée des mauvaises influences du monde moderne, le bahut nous préparait à l'échec, comme ces enfants élevés dans du coton et qui attrapent tous les microbes à la maternelle.

Petitjean, Barnetche, Wolff, Bouboule et moi, nous nous retrouvions le soir au fond du quartier, derrière l'usine des eaux et la station-service de la route du Mans, pour nous lamenter ensemble de la disparition de notre héros. Une fois ou deux j'allai seul tirer des paniers sur le terrain de basket. J'eus plusieurs conversations avec Lambert, qui profita de ma détresse pour se rapprocher de moi. Mais le grand Crep's ne revenait pas. La permission me fut enfin donnée de lui rendre visite à l'hôpital, à la veille de son départ pour Lyon. Nous nous rencontrâmes dans une sorte de parloir, au rez-de-chaussée du bâtiment, et non dans sa chambre. Il était revêtu d'un pyjama et d'une robe de chambre de malade, les pieds dans des charentaises. Ses lunettes au verre étoilé étaient posées de travers sur son nez, qui était encore contusionné. Nous nous assîmes sur deux chaises parallèles et échangeâmes des propos convenus sur la vie au bahut, sur Vandal, le Donald, Porcinet, M. Auberger, le Clémençon qui était venu le voir, sur les amis et les ennemis. Le grand Crep's craignait que l'on ne me fît des ennuis à cause de mon amitié pour lui, mais on me laissait tranquille. Il était sous l'effet de médications qui ralentissaient son élocution et ses gestes, lui qui parlait d'habitude avec précipitation, en haletant, et qui bougeait aussi vite que sur le terrain de basket. Sa voix était pâteuse. Ce n'était plus tout à fait lui. Il me dit de garder ses disques, qu'il ne comptait plus les écouter, que la page était tournée. Le lendemain il partit pour Lyon, accompagné dans le train par un infirmier du bahut.

Un matin, au rapport, l'adjudant-chef Vandal nous chargea, Petitjean et moi, de vider son casier au fond de la classe et son armoire au dortoir, en séparant ses objets personnels de ses manuels et de son trousseau, qu'il nous enjoignit de restituer au magasin et à l'habillement. Je fouillai ainsi pour la première fois dans ses affaires. Certains de ses disques préférés étaient déjà dans mon armoire, comme *Gainsbourg Percussions* ou *Free Jazz* d'Ornette Coleman, ou encore le dernier 45-tours de France Gall que je lui avais offert, avec ces *Sucettes* qui nous faisaient bidonner. Je me demandai ce que je devais en faire : les joindre au colis que nous enverrions à l'adresse de ses parents, ou bien les conserver, comme il me l'avait demandé, en tout cas jusqu'au moment où je pourrais les lui remettre moi-même ? Je décidai de les conserver en signe d'amitié.

Nous vidions son armoire métallique, qu'il partageait avec Bouboule, lorsque, plongeant la main jusqu'au fond du casier central, l'un de ces deux parallélépipèdes inutilisables pour entreposer des sous-vêtements même pliés au carré, dans ce tabernacle où nous serrions nos biens les plus précieux, quelques lettres, un peu d'argent de poche, quelques photos, Petitjean retira une bille d'agate, celle que j'avais donnée au grand Crep's au retour des vacances de Noël après que le vainqueur du Fezzan me l'avait offerte comme un talisman de cornichon. « Tiens, une bite d'attaque, comme dirait Wolff », remarqua Petitjean, qui n'avait pas la moindre idée de ce qu'il disait. Je tendis la main sans un mot. Il posa la petite boule translucide dans le creux de ma paume, celle que j'avais entaillée, comme si son destin avait toujours été de me revenir, et elle rejoignit aussitôt la poche droite de mon pantalon, non trouée, sous mon mouchoir. La cérémonie s'acheva lorsque le casier du grand Crep's dans la classe de première M et son armoire dans le dortoir des modernes furent tous deux vidés, comme si nous l'avions enseveli, comme s'il n'existait plus, comme s'il n'avait jamais été parmi nous.

L'année n'était pas tout à fait achevée. Damiron retrouva ses galons de sergent-chef, après le conseil de classe, personne ne lui tenant rigueur de ce qu'il avait cassé la figure au grand Crep's. D'aucuns, comme Porcinet ou le Donald, s'en réjouissaient sûrement en secret, même s'ils ne s'expliquaient pas que l'autre guignol se fût laissé faire sans riposter, mystère dans lequel ils voyaient une preuve supplémentaire que quelque chose n'allait pas chez ce pauvre garçon. Nombre d'entre nous, dont presque tous les mauvais éléments, furent renvoyés au terme d'une série de conseils de discipline, ou retirés discrètement par leurs parents afin d'éviter la honte d'une expulsion. Bouboule arrêta les études, Petitjean s'inscrivit en philo dans un lycée parisien, Wolff repartit pour la Bretagne, où j'ignore ce qu'il est devenu — je suppose qu'il a fini par s'engager —, Hermann le chimiste, l'artificier malchanceux, disparut à la faveur d'une fausse accusation contre laquelle il n'osa pas trop protester, de crainte que l'on cherchât à faire la lumière sur les zones d'ombre de son dossier, Couturier quitta le bahut par la petite porte, sans que le Donald lui exprimât la moindre reconnaissance pour les services rendus, services qui, il est vrai, n'avaient mené à rien, s'ils n'avaient pas aggravé la situation à laquelle ils étaient censés remédier.

De toute la bande du grand Crep's, je fus avec Barnetche le seul épargné, pour une ou deux raisons que je pouvais imaginer, mais sans savoir celle qui fut prépondérante : on me laissa passer au grand bahut, soit parce que, même si Barnetche était incomparablement meilleur, je n'étais pas un trop mauvais élève, soit parce que, fils d'officier général, je ne pouvais pas avoir un mauvais fond. Mon seul premier prix fut celui d'histoire-géographie, M. Auberger ne m'en ayant pas trop voulu pour ma carte de France, le jour du sondage présidentiel. En tout cas je ne fus pas jugé irrécupérable, bien que, lors d'une dernière convocation chez le Donald, mes mauvaises fréquentations me fussent expressément reprochées et qu'il me fût recommandé de mieux choisir mes amis à l'avenir. J'allais donc retrouver Barnetche, Lambert et Damiron en maths élem, au mois de septembre. Un des derniers soirs du trimestre, Damiron, inspiré par ses trois sardines dorées sur les parements de son habit, nous prit à part et nous fit la morale : nous qui passions en maths élem, nous étions ici pour travailler, pour préparer notre avenir et celui de la nation, pour réussir. Ça sentait la leçon de papa : la strasse nous voulait du bien, elle nous viendrait en aide dans notre effort individuel et collectif. Damiron était un tel maniaque de l'ordre que lorsque sa femme avait commencé à le tromper, c'est-à-dire à faire du désordre, il l'avait éliminée, avec ses enfants.

La fête de Trime, notre fête du Travail — les bizuts tombaient toujours dans le piège, pensant que Trime venait de « trimestre », non de « trimer », « trimarder », après quoi ce serait la « bulle », une bulle énorme, une bulle mythique, une immense lézarde, ces grandes vacances que les ñass attendaient avec impatience, mais dont ils ne sauraient que faire parce que l'on avait oublié de leur apprendre à passer le temps —, s'ouvrit par un défilé dans la Grande Rue de tout le petit bahut, en gants blancs derrière la fanfare, afin de rejoindre le grand bahut, par un beau dimanche ensoleillé et même caniculaire des derniers jours de juin. Depuis deux jours, nous nous levions de bon matin ; nous avions déposé notre paquetage chez le fourrier, bouclé nos valises de carton bouilli, balayé les classes et lessivé les dortoirs sous la surveillance de Porcinet, car, dans l'après-midi, nous nous débanderions pour trois mois. Au quartier Henri IV, quelques huiles civiles et militaires nous honoreraient de leur présence, sous la présidence du général commandant la région de l'Ouest : le sous-préfet, le député, le maire — M. Auberger soi-même, notre professeur d'histoire-géographie, qui défierait vainement le député local moins d'un an plus tard —, une longue brochette d'officiers généraux, dont le directeur des écoles militaires, la plupart anciens du bahut et tous couverts de rubans et de médailles colorées. La cérémonie commença par une prise d'armes, puis nous nous rassemblâmes sur des chaises pliantes pour la distribution des prix dans le fond du parc, devant le temple de l'Amour édifié au nord, contre le mur de ceinture. Il y eut sûrement un discours, mais je n'ai pas le moindre souvenir ni de son auteur ni de son contenu ; il dut se terminer par la péroraison habituelle : « S'il vous faut, pour les vacances, un thème de méditation, je vous propose celui-ci : rêvez aux moyens d'unir en votre âme l'esprit français et la valeur française, le cœur de Gallieni et la raison de Descartes. Peut-être, à remuer ce champ, n'y trouverez-vous pas le trésor cherché. Du moins cultiverez-vous et ferez-vous croître ce qu'il y a de meilleur en vous : la volonté de devenir un jour des hommes véritables et de bons Français. » Le triomphe du prix d'honneur donna lieu, tambours et musique en tête, une fois que le triomphateur, monté sur le pavois, eut échangé sa coiffure avec le képi d'apparat à feuilles de chêne du général commandant la 3e région, au monôme traditionnel des élèves, précédé d'une escouade en armes, à travers les cours, dans le parc, et sur la place Henri-IV, avant de se terminer dans le bassin du colonel.

Au milieu de la foule, je croisai le petit général à tête d'œuf qui avait inauguré la piscine à l'automne. Il me reconnut et m'invita à faire un bout de chemin et un brin de causette avec lui. Il retournait vers la cour Charretière, où son chauffeur l'attendait auprès de son véhicule, l'une des premières R16 que j'aie vues, gris armée, avec de laides formes angulaires et un drôle de hayon. Il voulut savoir comment s'achevait ma première année de bahut. Je sautai les détails, les chahuts, le gnouf, les conseils de discipline, me contentant de lui signaler que je passais en maths élem. Surpris, il jeta un coup d'œil sur mes manches. Pas besoin de lui faire un dessin. Il devina que la discipline n'était pas mon fort, que sa leçon de l'automne avait porté, que je n'embrasserais pas la carrière des armes. « Adieu, fiston », me cria-t-il en me tendant un doigt de la main gauche tandis qu'il ouvrait la portière de l'autre main et montait à l'arrière de sa voiture. Je le saluai au garde-à-vous et j'exécutai un demi-tour impeccable en faisant claquer très fort les talons.

Nous revînmes au petit bahut dans un désordre certain, exceptionnellement toléré par le Donald, qui baissait ses grands bras comme des ailes de moulin à vent, résigné pour une fois à nos frasques. Dans l'excitation du départ, nous peinions d'autant plus à suivre le pas que la fanfare nous avait délaissés en cours de route. On pschittait les pékins. Vandal réclamait en vain le silence dans les rangs, puis laissait faire. Lui-même s'était attaché à certains d'entre nous, parmi les plus turbulents, et les regretterait. Le déjeuner, au menu amélioré, fut joyeux. On tapait avec les couverts sur les pichets de picrate en étain ou en aluminium. Un peu éméchés, Brisacier et Bonitatibus entonnèrent « Nous sommes les rhétos de France », pour la dernière fois. Quelques ñass reprirent en chœur « Eh oui, nous sommes les rhétos ! » Pour la bande du grand Crep's, réunie autour de sa table habituelle, c'était cependant un repas de condamnés.

Au début de l'après-midi, je retournai en pèlerinage jusqu'au terrain de basket, tirai quelques ballons dans la foulée, mais j'étais mal à l'aise dans ma tenue de sortie, la veste ouverte, le béret roulé sous l'épaulette. L'absence du grand Crep's rendait l'entraînement sans objet. À quoi bon l'effort ? Il faisait très chaud. Je m'assis sous le panier pour méditer un ultime moment, tirer la leçon de l'année. Sur le chemin du retour vers les dortoirs, je m'arrêtai au service des sports afin de restituer notre ballon. Bab El-Oued s'apprêtait à fermer sa boutique. Seigneur magnanime, il me dit qu'il l'avait réformé depuis qu'il nous l'avait alloué : « Garde-le. Comme ça, tu pourras t'entraîner pendant l'été. » Je le remerciai sincèrement, car son cadeau me rendait un peu de cœur au ventre. Je le priai quand même de regonfler mon ballon. Oublieux des usages en ce dernier jour, sans doute aussi par reconnaissance, je tendis l'avant-bras pour lui serrer la main. Il réagit vivement : « Boutonne ta veste et salue-moi », exigea-t-il sur un ton, si je puis dire, à la fois rude et tendre, désagréable comme un rappel au règlement, mais adouci par son phrasé pied-noir qui humanisait les pires horreurs qu'il pouvait nous débiter sur la guerre d'Algérie. « Et si tu revois Crépu, reprit-il plus bas, salue-le de ma part et rappelle-lui que je lui avais promis un bel avenir en athlétisme. Il part la paille au derrière et le feu dedans. Vous n'êtes tous qu'une bande de cossards. Des clampins, des tire-au-cul, des pieds nickelés. Qui veut peut. C'est une question de discipline. Mettez-vous ça dans le caisson une bonne fois pour toutes. » Je le laissai morigéner à sa manière, bourrue mais chaleureuse, nostalgique aussi, car il revint aussitôt à son propre sort, honteux d'avoir à dételer dès l'été, comme s'il n'avait pas assez donné et qu'il s'était fait fendre l'oreille. « Tout tourne en couille dans cette boîte comme dans ce putain de pays, me confia-t-il en guise de testament. Il est grand temps de décrocher. Je vais tirer ma révérence vite fait. Bye ! Bye ! Rayé des cadres ! Tu ne me verras plus à la rentrée, petit. Je dégage dès le 14 juillet. Et en voiture, Simone ! C'est moi qui conduis, c'est toi qui klaxonnes ! » conclut-il sur un autre mode, qui témoignait de sa culture et me sembla plus réjouissant, encore que misogyne, ce qui ne fut pas pour me surprendre. Puis il me chassa d'une tape affectueuse sur l'épaule.

Or, dans ma tête, le bahut avait fait le vide. J'étais devenu un bon à rien, un ñass, un petit Français comme j'en avais aperçu avec horreur dans le métro en arrivant, dix mois plus tôt, un abruti comme la plupart de mes camarades, « un clampin, un pied nickelé, un glandeur ». J'en avais bien fini avec l'Amérique ; je n'y pensais même plus, car j'étais embarqué. Depuis deux mois, depuis que nous avions commencé de nous révolter, je ne lisais plus. Mon dernier achat chez la veuve Pulbis avait été *L'Âge*

314

d'homme, de Michel Leiris, à cause du titre. Je voulais devenir grand, mais je n'étais pas allé au-delà de la découverte vertigineuse de l'infini dans une boîte de cacao ornée d'une paysanne tenant à la main une boîte de cacao ornée d'une paysanne tenant à la main... Comme sur la couverture du premier numéro de *Sonorama* en 1958. La préface, dans laquelle Leiris comparait le risque que court l'écrivain en parlant de soi à celui d'un torero qui se déhanche devant la corne du taureau, si elle me parut exagérée, dut me marquer, puisque l'été suivant, aussitôt le bac en poche, je me précipitai aux Sanfermines de Pampelune.

> *Le sang, je ne veux pas le voir.*
> *Ah, quelles terribles cinq heures du soir!*

Il y avait d'autres raisons : les vers de García Lorca en hommage à Ignacio Sánchez Mejías m'étaient montés à la tête. Ils m'avaient été révélés dans l'un des premiers volumes de la collection « Poésie » découverts chez la veuve Pulbis, sous leur belle couverture blanche barrée d'une série de photos d'identité. Lorca m'avait semblé aussi magique que le Char de *Fureur et mystère* et l'Aragon du *Roman inachevé*. Comme Belmondo citait justement ces vers dans *Pierrot le fou*, je me les récitais la nuit avec d'autant plus d'enthousiasme quand je ne dormais pas. Mais c'était avant le déclenchement des hostilités.

Perpétuellement privé de sortie, je n'avais plus quitté le quartier que pour la balade des crantés, mêlant ma voix à celles des camarades pour hurler des chants guerriers, et je n'achetais plus *L'Express*. Je n'écoutais pas davantage mon transistor, ni le « Jeu des mille francs » ni même le « Pop-Club ». L'autre monde avait perdu toute réalité. J'étais devenu un « sacré couillon », comme me le dit Porcinet au dernier jour, sans rancune d'ailleurs, puisqu'il ajouta que, s'il n'y avait pas eu les mauvaises têtes, il se serait, cette année au bahut, amusé « comme un rat mort égaré dans le fond d'un placard ». Et je n'étais plus pressé de partir, je n'avais nulle envie de me retrouver en famille. À mon tour, j'étais pris par la peur de quitter ces murs. L'idée d'une fugue, d'un départ pour les antipodes me traversa bien l'esprit, mais comme un fantasme que j'étais trop poltron pour le réaliser. Pour toute escapade, je me contentai d'une halte à Paris sur la route de l'Allemagne. Je passai une ou deux nuits rue des Moines chez Petitjean et sa mère. Tels des orphelins, nous revînmes sur nos pas, faisant à nouveau une indigestion de cinéma et finissant encore la nuit dans un club de jazz. Ce fut peut-être à cette seconde occasion que nous vîmes *Blow-Up*, rue des Ursulines, et non pas à Pâques, comme je l'ai dit. Nous vîmes aussi, à l'initiative de Petitjean, *La guerre est finie* et *Au hasard Balthazar*, qui accrurent notre mélancolie. La guerre n'était pas finie ; la guerre n'est jamais finie. Elle avait repris de plus belle au Vietnam, mais pour une fois nous passerions à côté.

Le grand Crep's nous manquait. Nous n'avions plus de nouvelles de lui. Sans connaître le diagnostic que les médecins avaient porté sur son état, nous l'imaginions abruti par les drogues, hospitalisé à Lyon, ou convalescent chez ses parents. Nous n'osions pas l'appeler au téléphone, instrument qui ne nous était pas familier, on l'a vu, ou dont nous avions perdu l'usage. Nos lettres restèrent sans réponse durant plusieurs mois. Je repris le train de l'Allemagne un jour de canicule, encombré de mon ballon de basket qui n'entrait pas dans mon bagage, ne sachant pas comment le tenir. Sur le quai de la gare de l'Est, un contrôleur de la SNCF me gronda familièrement alors que, la veste ouverte, le béret à l'arrière du crâne, traînant ma valise au bout du bras gauche, j'avançais vers mon wagon en dribblant avec nonchalance de l'autre main. Il m'apostropha : « On ne tape pas le ballon sur les quais, l'enfant de giberne ! » Je ne l'avais pas vu venir. Par un réflexe de discipline, je rattrapai précipitamment ma balle et la cueillis sous mon bras, comme on prend celui d'une femme sur le boulevard, ou comme un acteur de pantomime ramasse dans la sciure sa tête juste guillotinée et quitte la scène, sous les rires et les applaudissements de la foule. Le ton du contrôleur changea : « Bonne perm quand même ! » ajouta-t-il avec aménité.

ÉPILOGUE

> Cela dit, il se peut qu'il me soit arrivé
> d'exagérer. Somme toute, la rhétorique
> n'a jamais cessé d'exister.
>
> Jean PAULHAN, *Les Fleurs de Tarbes.*

Ainsi s'acheva ma première année de bahut. Tout s'est joué durant cette classe de rhéto. Du moins je le crois, et c'est sûrement une illusion, comme si j'étais resté identique depuis cette date. J'aurais encore grandi, mais non plus changé. Par exemple, mon idée de la France était faite, et ma conception de l'autorité, de l'honneur, mon sens du courage, de l'amitié. Ensuite, quand je me revois à d'autres moments de la vie, il me semble être le même. Cette année-là, je l'entamai comme un bleu, l'éternel bizut tombé des nues, abîmé sur terre, et quelle terre ! Je la terminai en pensant savoir qui j'étais et quel était le monde où j'allais vivre, un grand, un immense bahut avec son ordre serré et son anarchie profonde, sa règle apparente et ses arbitraires incessants, ses peines et ses allégresses, ses mensonges et ses émotions, ses hypocrisies et ses passions. Rien de plus artificiel que cette impression :

on se figure l'unité, la cohérence, la continuité d'une existence, là où il n'y a sans doute que des moments disjoints et les zigzags de la fortune ; quand on regarde en arrière, on se voit comme un *puer senex*, même si les autres ne vous donnent pas votre âge et vous regardent encore en gamin. Nous le savons, mais, privés de telles fictions, faute de *self-deception*, sans une bonne dose de mensonge à soi-même, de duperie de soi, pour ne pas dire de mauvaise foi, nous serions égarés. Chacun se raconte une histoire à laquelle il s'attache, parfois comme à la corde du pendu, plus rarement comme à une cordée vers les sommets. Dans mon histoire, la rhéto a été le nœud fatidique.

Quelqu'un demandera peut-être : « Es-tu sûr que cette légende soit la vraie ? » Je répondrai à la manière de Baudelaire : « Qu'importe, si elle m'a aidé à vivre, à sentir que je suis et ce que je suis ? » Mais je n'ignore pas qu'il s'agit d'un conte. « *I know not "seems"* », proclamait Hamlet, devise que j'aurais volontiers, épris de sincérité, je l'ai dit, adoptée à quinze ans. La vie nous déniaise.

Dans les *Antimémoires*, André Malraux, envoyé en mission par le général de Gaulle en décembre 1958, raconte une entrevue avec Nehru, le Premier ministre indien. L'anecdote, comme d'autres dans les *Antimémoires*, est inventée. « Ainsi, vous voilà ministre… », lui aurait déclaré Nehru en guise de bienvenue, faisant allusion, au dire de Malraux, non à ses fonctions officielles, mais, de manière « un peu balzacienne, et surtout hindoue », à sa « dernière incarnation ». Cette salutation énigmatique servit en tout cas de prétexte à une mise au point irrécusable de l'écrivain sur le théâtre du monde : « Mallarmé, lui répondis-je, racontait ceci : une nuit, il écoute les chats qui conversent dans la gouttière. Un chat noir inquisiteur demande à son chat à lui, brave Raminagrobis : "Et toi, qu'est-ce que tu fais ? — En ce moment, je feins d'être chat chez Mallarmé..." »

Et puis, l'an dernier, j'ai été invité à prononcer le discours de distribution des prix au bahut, à présider la fête de Trime. Il y a donc, me dis-je, encore des distributions des prix ! Comme Nerval s'étonnait après 1848 : « Il y a donc encore des marquis ! » Toutes les coutumes n'ont pas disparu dans ce pays ! La première stupéfaction passée, j'hésitai encore, ne me sentant pas un modèle d'ancien élève : j'ai renoncé à la carrière militaire ; j'ai fini par être renvoyé du bahut (pour une broutille : c'est une autre histoire, dont je ne suis pas fier) ; je ne me suis pas inscrit à l'association des anciens ; je ne suis jamais retourné au quartier. Mais de quel droit aurais-je renié le passé ? Au nom de quel préjugé me serais-je dérobé à l'usage ?

Toutefois, avant de composer mon discours selon les règles de l'art, l'un de ces discours qui à l'époque m'entraient par une oreille et ressortaient par l'autre — « Messieurs, ces couronnes laborieuses, cette jeunesse disciplinée qui les attend, cette assemblée impatiente de les applaudir ; les murs d'un collège retenant pour quelques heures tant de personnes qui font l'ornement du monde ou qui en sont la lumière ; tout l'appareil enfin de la solennité que nous célébrons en montre assez le dessein : c'est la fête du travail ! » —, j'ai dû commencer par chiffrer le bilan, par tirer au clair mes souvenirs. Or je me suis aperçu que ceux-ci composaient un récit plus circonstancié que je ne l'imaginais, qu'ils étaient pour ainsi dire écrits dans ma tête et ne demandaient qu'à se coucher sur le papier.

Encore fallait-il trouver le temps de le faire, ou plutôt le prendre. Par miracle, et alors que jamais nous n'avions été avertis de ce risque, l'éruption d'un volcan islandais au nom imprononçable paralysa le transport aérien sur l'Atlantique Nord et m'immobilisa à New York, où, venu de Paris, je comptais passer seulement quelques jours. Soudain désœuvré, contraint d'annuler plusieurs engagements en Europe, mis en chômage technique, vivant une sorte de temps suspendu, libre comme on l'est rarement, je pris la plume, ou, plus exactement, je m'assis dans un fauteuil, l'ordinateur posé sur les genoux, et je me mis à tapoter sur le clavier. Au bout d'une semaine, quand les vols pour la France reprirent, j'étais lancé.

Ce récit a donc eu des causes très diverses : l'une, essentielle, comme s'il était inscrit en moi sinon de toute éternité, du moins depuis quelques décennies ; l'autre, tout à fait contingente, puisqu'il n'aurait pas été entamé sans l'éruption de l'Eyjafjallajökull et mon séjour prolongé à New York. Entre les deux, d'autres causes, ni première ni matérielle, celles-ci, mais tout aussi indispensables, ont également exercé leur influence : cause efficiente, déjà mentionnée, l'invitation à revenir au bahut pour la distribution des prix ; cause formelle, comme toujours, un ou même plusieurs livres modèles. Je venais d'achever une série de leçons, intitulées « Écrire la vie » ; parlant de *Henry Brulard*, me risquant pour la première fois à affronter Stendhal, j'avais commenté en particulier les nombreux passages où il s'étonnait que la rédaction de son manuscrit lui fît revenir à la mémoire des incidents absolument oubliés : « Il est singulier, note-t-il ainsi, de combien de choses je me souviens depuis que j'écris ces Confessions. » On a beau croire qu'une vie est déjà écrite, l'écriture dérouille les souvenirs les plus refoulés. Avec Stendhal, et aussi Montaigne et Proust, je songeais à ne plus écrire sur la littérature, mais sur la vie, sur ma vie.

Un an plus tôt, de passage par Oxford pour une conférence — la Zaharoff Lecture, du nom d'un marchand d'armes, sir Basil Zaharoff, qui fit fortune durant la Grande Guerre en vendant des navires, avions, canons, torpilles, mitrailleuses et mines à tous les belligérants —, je m'étais enfin décidé à acheter chez Blackwell's un livre que je me promettais de lire depuis très longtemps, le premier tome, *A Question of Upbringing*, du gros roman (douze volumes en tout) d'Anthony Powell, *A Dance to the Music of Time*, œuvre souvent qualifiée de « proustienne » par la critique. On a toujours peur de se lancer dans un roman de cette taille, peut-être dans tout roman, dans tout vrai roman, peur de s'y engouffrer, de s'y perdre, de n'en pas revenir, comme d'entrer dans un autre monde où rien n'est certain, qui vous changera, à la manière dont *Le Rouge et le Noir* m'avait transformé. On caresse le projet ; on le remet à plus tard. « *Better late than never !* », avançait Little Bilham avec l'assurance de la jeunesse, « Mieux vaut tard que jamais » ; « *Better early than late !* », lui répliquait Strether, instruit par l'âge, se méfiant de sa tendance à procrastiner, « Mieux vaut tôt que tard », sans perdre une minute. « Il ne faut jamais remettre au lendemain… », nous enseignait le Donald au bahut. Or cette lecture que j'avais beaucoup différée — j'ai à présent achevé les douze volumes, basculant même vers le livre numérique pour les derniers — a eu lieu, par une sorte de grâce, elle aussi au bon moment : elle m'a rappelé ce qu'il pouvait y avoir de romanesque, d'héroï-comique ou de tragi-comique, de sérieux et en même temps de

323

burlesque, dans une vie de collège ou de garnison ; elle m'a donné l'idée, tout en suivant le cours d'une année de cette vie, depuis la rentrée jusqu'aux grandes vacances, de naviguer librement, au gré de la mémoire, vers l'amont et vers l'aval, jusqu'à ce jour, et de donner ainsi au temps l'épaisseur du vieillissement.

Même s'il se peut que ce sentiment de dette soit encore une illusion, une dernière forme de l'aveuglement sur soi — on croit avoir besoin de modèles —, j'ai longtemps pensé donner à ces pages un titre, *Une question de discipline,* qui aurait rendu hommage à l'œuvre de Powell dont la lecture avait accompagné, comme une musique intérieure, leur rédaction. Tous les bons titres me semblaient déjà pris : *Servitude et grandeur militaires, Notre jeunesse, La guerre est finie, Une histoire française, Une jeunesse française, Les Petits Soldats, De si braves garçons...* Mais qui aurait reconnu l'allusion à un romancier anglais aussi peu lu en français ? Faut-il ajouter que, par prudence, pour contrôler mes souvenirs, j'ai fait, sans dire pourquoi, tout un cours sur l'année 1965-1966 ? « Il ne faut jamais s'embarquer sans biscuit », répétait Vandal, dont c'était l'un des dictons préférés et à qui je dois cette sage moralité, rapportée de ses dangereuses campagnes dans le djebel.

Toute cette histoire n'en est pas moins fort ancienne, remonte à près d'un demi-siècle, a été romancée entretemps par une mémoire inconséquente, si bien que je suis incapable aujourd'hui de démêler le vrai du faux, et son écriture l'a encore éloignée de la réalité. Un autre acteur aurait une version très différente des faits. J'oublie ; comme tout le monde, je suis un témoin peu fiable des choses que j'ai vues et même vécues, je confonds les années, je brouille la chronologie. Le récit

sur lequel je fonde ce que je crois être devenu repose sur
de rares incidents échappés à l'amnésie, les altère en les
liant dans une intrigue, si bien qu'ils n'ont plus grand-
chose à voir avec la réalité, elle, à tout jamais évanouie.
On se représente vivement certains épisodes comme des
tableaux allégoriques ou des scènes théâtrales, parce
qu'ils ont été refaçonnés par l'imagination, parce qu'ils
ont été réinventés. Je respire l'odeur de l'escalier sentant
mon enfance, je revois les étapes de mon incorporation,
ma première invitation au fond du quartier, derrière
l'usine des eaux, nos interminables séances d'entraînement sur le terrain de basket ou nos soirées dans la turne
de Padovani à écouter Ornette Coleman et Gainsbourg,
je revois la finale du cent-mètres, la compétition entre
Damiron et le grand Crep's, je revois Damiron tabassant
le grand Crep's dans les lavabos, une nuit de pleine lune,
je revois ma dernière visite au grand Crep's à l'hosto.
Mais — j'en mettrais ma main au feu — rien ne s'est passé
comme ça. Le grand Crep's et Damiron m'apparaissent
après coup comme des personnalités, les deux plus fortes
de la rhéto, presque comme des personnages de roman,
alors qu'ils n'étaient au fond que des garçons quel-
conques, paumés, influençables, assez minables, aussi
inadaptés que moi. Et tous les autres, même ceux que j'ai
fréquentés plus longtemps et qui pouvaient avoir plus de
caractère, par exemple Lambert ou Barnetche, ceux
pour qui j'ai eu de l'affection, comme Wolff et Petitjean,
ceux que j'ai maudits ou méprisés, comme Hermann ou
Couturier, me semblent n'avoir jamais été que des figurants qui disparaissent dans le décor. Je ne dirais pas que
toute ressemblance avec des personnes ou des situations
existantes ou ayant existé ne saurait être que fortuite,

mais la vie n'est jamais que le récit que l'on s'en fait, et voici de faux Mémoires, à la Saint-Réal ou Courtilz de Sandras, c'est-à-dire un vrai roman.

Un de mes amis les plus chers me met cependant en garde. Il a longtemps enseigné au bahut, où je l'ai connu professeur. Il y a plus de quarante ans que nous sommes liés, et même si nos rapports ne sont plus depuis longtemps ceux du maître et du disciple — l'un des premiers livres que je lui ai offerts, peut-être le premier, a été la nouvelle de Henry James *L'Élève* —, il reste le lecteur initial de tout ce que j'écris, et je respecte son jugement. Connaissant la mentalité traditionaliste des anciens, il s'inquiète des réactions que mes réminiscences du bahut pourraient provoquer dans leur milieu. Je le rassure. Ses craintes, lui dis-je, sont sans objet, car je parle d'un autre siècle, je retrace une époque qui n'est plus, je décris un lieu qui a été englouti par l'histoire.

La France a changé ; son armée, en particulier, n'a plus rien à voir avec celle des guerres coloniales et de leur amer dénouement. Quand Lartéguy, coqueluche du bahut à l'époque, est décédé l'hiver dernier, personne ne se doutait qu'il vivait encore, et ses livres, que nous nous arrachions, ne sont plus disponibles en librairie. La conscription a été abolie. L'armée française, armée de métier, est déployée sur divers théâtres d'opérations extérieures, où elle défend la paix, la démocratie, les libertés. Elle a participé à la première guerre du Golfe, en 1991 ; elle a été engagée au Kosovo en 1999. Elle tente depuis janvier 2002 de maintenir l'ordre en Afghanistan, où beaucoup de soldats français ont trouvé la mort (soixante-quatorze à ce jour, le 15 août 2011, où j'écris ces lignes, quatre-vingt-huit un an plus tard, au moment de corriger mes épreuves), mais nous y intervenons dans le cadre de l'Otan, il ne s'agit pas de préserver l'intégrité du territoire ni de maintenir l'empire. D'ailleurs, l'armée que j'ai moi-même connue quelques années plus tard, lors de mon service militaire, avait déjà fait sa mue. Les cadres s'étaient renouvelés ; les mentalités avaient évolué ; la technique s'était imposée. On était sorti des guerres. Le jour, s'il advient, où je raconterai mes souvenirs de service militaire, ce sera autre chose.

Une école militaire était très différente en ce temps-là, mais peut-être ne l'était-elle pas autant que je l'ai laissé entendre, ou au contraire elle l'était davantage. C'était une petite France, une communauté brutale, encore traumatisée par l'Indochine et l'Algérie, où nos gradés avaient combattu comme officiers ou sous-officiers, où beaucoup de nos professeurs avaient servi comme soldats du contingent, et dont les élèves vivaient les séquelles. Pour la plupart d'entre nous, il allait encore de soi que, le moment venu, nous connaîtrions la guerre à notre tour, plus tôt même que nous ne le pensions, car tel était notre destin de jeunes mâles français. Mais nous venions après les héros et nous savions que nous ne serions jamais à la hauteur. Comme les protagonistes d'*Andromaque*, nous appartenions à la génération des « restes » de l'épopée. Nous ignorions si nous aurions vingt ans au bon ou au mauvais moment ; d'ailleurs, nous aurions été bien en peine de définir un bon ou un mauvais moment pour l'honneur et la patrie.

Notre univers était exclusivement viril, sans présence féminine parmi les élèves, les professeurs et les cadres, sauf l'infirmière qui nous piquait en série au TABDT. On ne la voyait jamais de face, sauf le fameux ñass de seconde avec qui on lui prêtait une liaison enflammée. Pendant des mois, des années, nous étions entre nous, séquestrés entre hommes. Il nous manquait la moitié du monde. Entrés dans l'armée à dix ans, ou même plus tôt, dès six ans pour ceux qui étaient passés par Hériot, nous étions des mutilés psychiques, des tarés affectifs, certains plus que d'autres, mais pas un seul n'en sortirait indemne. On avait acquis pour toujours une certaine dureté sentimentale, une certaine rigidité mentale, contre lesquelles il faudrait lutter sans cesse et pied à pied pour qu'elles ne reprennent pas le dessus. Tous mettraient longtemps à se rétablir et beaucoup ne se rétabliraient pas. Damiron ne s'en est jamais remis ; le grand Crep's ne s'en est jamais remis. M'en suis-je remis ? Non, puisque j'ai dû passer par ce récit.

Ce qui le justifie, c'est que cette année-là fut un tournant non seulement pour moi, dans ma petite vie de ñass, mais aussi pour notre histoire à tous, au sortir d'une guerre longue de vingt-cinq ans. On a pu qualifier ce moment de « seconde Révolution française » sous prétexte que les hommes et les femmes se sont soudain mis à faire moins d'enfants et à prendre plus de vacances. La société française, à notre exception notable, découvrait les charmes de la consommation et du loisir. C'était l'année du briquet jetable, du porte-clés réclame, de la nouvelle loi sur le mariage permettant aux femmes de gérer leur compte en banque et de signer un contrat de travail sans l'autorisation de leur mari. L'élection présidentielle, avec son ballottage, consolidait en les banalisant les institutions de la Cinquième République, laquelle aura bientôt duré autant que la Troisième, le régime le plus long depuis la Révolution française, mais mal fini. Les mœurs évoluaient à grande vitesse :

J'ai reçu une lettre de la Présidence
Me demandant, Antoine, vous avez du bon sens,
Comment faire pour enrichir le pays ?
Mettez la pilule en vente dans les Monoprix.

Nous étions emmurés, mais le bahut n'était pas le plus mauvais poste d'observation pour discerner combien le monde changeait autour de nous.

Du haut de l'estrade, je m'adressai aux élèves rassemblés au fond du parc, je leur fis un laïus sur les vertus qui m'avaient été inculquées au bahut et que, bon gré mal gré que j'en aie, je n'ai jamais cessé d'honorer : la discipline, le travail, l'amitié, la solidarité. Je m'exaltais moi-même à ces belles paroles, quand je le vis approcher derrière les chaises où les élèves étaient assis : le grand Crep's avait appris que j'étais l'invité de la fête et s'était précipité sur la route. Mais il n'était pas seul. Comme à la grande époque, il était l'homme de base, il ouvrait la voie. Derrière lui, dans une danse sur la musique du temps, Bouboule, Barnetche, Petitjean, Wolff défilaient, et aussi Lambert, Couturier, Hermann, et encore Daru et Buvik, et même Damiron. Ils avaient bien changé. Je les reconnaissais à peine, mais ils étaient tous là. Un vrai bal masqué ! Pour rien au monde ils n'auraient raté cette occasion de se payer, une dernière fois, ma tête.

New York, 8 avril 2010 -
Paris, 11 novembre 2011

Ce volume a été composé
par IGS-CP à L'Isle-d'Espagnac (Charente)
et achevé d'imprimer
sur Timson
par Normandie Roto Impression s.a.s.
61250 Lonrai
1ᵉʳ dépôt légal : octobre 2012
Dépôt légal : septembre 2013
Numéro d'imprimeur : 133277

ISBN : 978-2-07-013935-4 / Imprimé en France

261559